D0587589

# LÉVEILLÉE

## Tome II

# Marie-Josée Michaud

# LÉVEILLÉE

## Tome II

ART GLOBAL

**Catalogage avant publication de Bibliothèque et Archives nationales du Québec et Bibliothèque et Archives Canada**

Michaud, Marie-Josée, 1962-

Claude Léveillée, Tome 2

Comprend un index et une discographie

ISBN : 2-920718-90-8 (v.1)

ISBN : 978-2920718-95-1 (v.2)

1. Léveillée, Claude, 1932- . 2. Chansons françaises – Québec (Province) – Textes 3. Compositeurs – Canada – Biographies. 4. Chanteurs – Canada – Biographies. I. Titre.

ML410.L51M62 2004                    782.42164'092                    C2004-940619-1

Éditeur :
ARA KERMOYAN

Assistance éditoriale :
GUY MARCEAU

Révision :
BERNARD PARÉ

Infographie :
MARC LEBLANC

Établissement des textes
et coordination :
CHRISTINE REBOURS

Illustration de la couverture :
MICHEL GAUTHIER

Couverture 4 :
Claude Léveillée et Marie-Josée Michaud
Photo : TARIK MIKOU, septembre 2008

Les Éditions Art Global remercient la Société de développement des entreprises culturelles du Québec (SODEC) pour le soutien accordé à leurs activités d'édition et le gouvernement du Québec pour son Programme de crédit d'impôt pour l'édition de livres, Art Global reconnaît également l'aide financière du gouvernement du Canada par l'entremise du programme d'aide au développement de l'industrie de l'édition pour ses activités d'édition.

© Art Global inc., 2008
384, avenue Laurier Ouest
Montréal (Québec) H2V 2K7 Canada
Dépôt légal - 4e trimestre 2008
ISBN : 978-2920718-95-1

Imprimé et relié au Canada

Les photos de cet ouvrage proviennent du fonds d'archives Claude Léveillée.
L'éditeur apprécierait toute information concernant les auteurs.

*À Raymonde Léveillée-Rivest, petite sœur de Claude,*
*si aimante, si aidante, si présente.*

*À ce cher grand frère Jean Léveillée, qui nous a quitté*
*pour sa vie éternelle, qui veille sur son petit frère*
*et tous ceux qu'il aime.*

## Avant-propos

Ce livre aurait dû paraître il y a quatre ans, presque un lustre. Mais la vie en a décidé autrement et n'a pu nous permettre ce luxe.

Car au cours de ces quatre années, je n'ai pas chômé. J'ai livré auprès de mon sujet d'autres batailles que celle qui consiste à noircir des pages pour raconter sa vie : lui tendre ma main tous les jours pour nous rendre jusqu'à ses arbres… et attendre que le brouillard de sa mémoire se dissipe. Nous avons vécu bien des tempêtes et c'est par les jours où le vent était doux que j'ai fouillé le grenier, les malles et les cartons afin de dépoussiérer ses souvenirs. Et de découverte en découverte, il me fut permis de suivre le fil de son histoire, et même de revenir sur le passé qui s'était perdu dans la grande nébuleuse de l'oubli.

Pendant ces années de silence littéraire, j'ai aussi consacré de très longues heures à faire des recherches sur la carrière de Claude Léveillée. Bien sûr, j'écrivais de temps à autre à partir des entrevues qu'il m'avait accordées. Mais ses précieuses archives personnelles m'apportaient sans arrêt matière à réécrire, voire à recommencer complètement un récit qui me semblait achevé. Paradoxalement, les éclaircissements sur les évènements de sa vie m'embrouillaient encore plus ! Car toutes ces lumières projetées m'ont fait voir à quel point il est facile de passer à côté de la vraie histoire, en autant que la vérité puisse se faire. Alors un jour, j'ai arrêté net. J'allais d'abord mettre de l'ordre dans ce tas de souvenirs et j'allais écrire ensuite.

C'est la « voûte », nom que donne Claude à une pièce de sa maison, une ancienne remise à bois, qui est devenue le lieu de toutes mes fouilles biographiques. Armée de gants de latex, d'une bonne veste de laine car il y fait froid et humide, et de beaucoup de patience, je dérobais à quelques souris friandes de vieux papiers les belles affiches de ses concerts en Russie dont l'encre soviétique – allez savoir pourquoi – les met particulièrement en appétit. Par ici, les programmes d'une première Place des Arts et par là, son premier biberon, ici la suce qui avait servi à son initiation dans l'Ordre de Bon Temps [1] et là, mon étonnement fut encore plus grand, les bottines de Clo-Clo avec sa cage à souris, Pipette et Sucette elles-mêmes s'y reposant ! Tout y était, le foulard bleu, l'épingle géante, son veston ocre en gros velours côtelé, son pantalon rapiécé, l'arrosoir pour nourrir la fleur perchée sur sa bottine de feutre noir… Il n'avait rien jeté ! Je n'étais pas au bout de mes surprises, loin de là !

Quatre ans plus tard, sans poussière, sans crottes de souris, classé, numéroté, daté, protégé et dûment numérisé, le *Fonds d'archives Claude Léveillée* est constitué et vous serez les premiers à y mettre le nez. Votre attente n'aura pas été vaine. Mais voyager dans le temps demande un certain talent pour le rebondissement, pour la marche en apesanteur. Amarrons-nous d'abord avec un crochet bien noué à la corde du temps, en 1959, cette année qui signa le destin de Claude Léveillée. Car tout ne vous fut pas raconté…

Comme ce témoignage touchant de sa vie, la correspondance qu'il a entretenue avec Pierre et Laurette Léveillée, ses parents bien-aimés, après avoir quitté le Québec pour la France, ayant accepté la proposition d'Édith Piaf de devenir un de ses compositeurs attitrés. Ces précieuses lettres dormaient dans une simple boîte à chaussures portant l'inscription : *Souvenirs de mon très cher Claude*. Pierre et Laurette n'étaient pas peu fiers de leur fils. Ils conservaient toutes les coupures de presse, soigneusement classées, mais aussi ses cartes d'anniversaire et son imposante correspondance. La liasse de lettres et de cartes postales est bien nouée par un grand ruban de satin rouge. Reste à défaire le nœud du temps…

C'est à la fin de ce livre, en annexe, que vous trouverez cet échange épistolaire, véritable complément au premier tome de sa biographie, qui en étonnera plus d'un.

---

1. Voir Marie-Josée Michaud, *Claude Léveillée*, Tome 1, Art Global Biographies (2004), « L'initiation », p. 152.

# LES ANNÉES 1960

# FRÉDÉRICQUE… FRÉDÉRIC

En 1961, je travaille à Radio-Canada et, pendant une pause de quelques heures entre les répétitions et l'enregistrement du téléroman *Côte de sable*, je vais me dérouiller les doigts sur un piano loué vingt-cinq sous l'heure à l'International Music Store, rue Sainte-Catherine Ouest. Pour la pièce nickelée, je peux me permettre un piano droit et si je doublais la mise, je pourrais louer un piano à queue, luxe suprême que je n'oserais m'offrir car cette folle dépense me priverait d'un café. Donc, soyons sages, le petit « droit » anonyme, là, collé au mur dans ce studio exigu fera l'affaire.

Il n'est pas beau, sans motifs sculptés, verni à peine et cela m'importe peu. Malgré sa fadeur, mes doigts et lui semblent s'entendre tout de suite.

Je ne cherche pas une musique, elle est là, elle m'appelle et des mots me viennent tout simplement. J'ai envie de parler à mon frère Jean : oui, tiens, nous serions ensemble quelques années plus tard à nous rappeler nos souvenirs de jeunesse. Nous serions vieux, Jean et moi, fumant la pipe, à nous raconter comment maman nous servait et comme papa nous aimait bien.

> *Je me fous du monde entier*
> *Quand Jean me rappelle*
> *Les amours de nos vingt ans…*

Non. Non. Non. Jean, ça ne sonne pas bien, franchement !

Désolé mon frère, ton prénom n'est pas musical ; atrophié de deux pieds, ça ne marche pas, c'est l'évidence même.

Il me faut un bout de papier. Une enveloppe commerciale couleur jaune d'œuf traîne là, à côté. Le nom de mon frère devrait être… hum, Frédéric comme Chopin ; il est un peu mon frère spirituel. Oui, Frédéric, ce sera ça ! Je note.

Je trouve que Frédéricque, dans sa forme féminine, lui confère plus d'élégance. Je devrai corriger plus tard cette coquetterie orthographique. Ces trois lettres pourraient apporter quelque confusion dans mes droits d'auteur. Un titre, c'est important !

Et les paroles apparaissaient les unes après les autres. Je les écrivais sans ratures, sans rimes et sans ornières poétiques. C'était presque une dictée. J'écrivais ce qui devait être écrit. Lorsque je compose, je ne souffre pas. Les musiques, les chansons sont en gestation ; elles arrivent parce qu'elles ne peuvent plus rester en dedans. Je les expulse ! Cette chanson était là et n'avait qu'à naître ; une poussée et elle pouvait crier. Ce fut un accouchement facile, pas de forceps ; c'était naturel, pas d'épidurale, pas d'alcool.

L'heure de location terminée, je me lève, je plie l'enveloppe et la range dans la poche intérieure de ma veste. Il me semble que j'ai droit à un café. C'est parfait, il me reste vingt-cinq sous !

Je ne me rappelle plus si, en quittant les lieux, j'ai salué ce piano qui m'avait donné tout ce qu'il avait dans le ventre. Si je ne l'ai pas fait, eh bien, aujourd'hui je lui dis *Salut !*, où qu'il soit.

Il me semble que ce qui vient de naître est un beau bébé. *Frédéric* est baptisé solennellement par un père fier d'avoir un premier fils portant ce nom et assurant la lignée ; je voudrais fumer un cigare !

Mais il faut le montrer au monde, ce digne rejeton. Je vais enregistrer ma chanson. J'appelle John Williams chez CBS et lui dis :

– Je crois que j'en tiens une bonne (chose que j'ai rarement affirmée en présentant une nouvelle chanson).

– Chante-la-moi, tout de suite, au téléphone.

– Juste le refrain, rapidement, car il faut entendre le piano.

– Je sais, juste un bout. Allez…

– *Je me fous du monde entier*
   *Quand Frédéric me rappelle les amours de nos vingt ans…*

Il me répond qu'il faut sortir ça rapidement, que je dois entrer en studio.

J'ignorais, ce jour-là, que cette chanson deviendrait un succès sur 45 tours en Belgique, puis en Suisse. Et que l'oreille collée
sur ses voisins, la France me demanderait d'aller la lui chanter de
plus près pour se l'approprier. À tel point que plus tard, lorsque
l'auteur sera oublié de la France, la chanson elle-même leur appar-
tiendra. Elle a même failli devenir à ce point française qu'un jour,
alors que je logeais à Paris dans la chambre qu'occupait autrefois
Charles Baudelaire au 19, Quai Voltaire, je vis en sortant apparaître
devant moi une limousine. Un chauffeur ganté de blanc s'approcha :
– Monsieur Léveillée ?
– Oui. C'est moi.
– J'ai un message à vous transmettre de mon patron.
Je pris le pli qu'il me tendait et lus ceci :
« *Monsieur Léveillée, vous me feriez un honneur de me permettre
de chanter votre chanson* Frédéric. *Au plaisir de vous rencontrer.*
*Signé : Maurice Chevalier* »
Je n'ai pas eu le plaisir de l'entendre chanter ma chanson, car
peu après sa santé se mit à décliner. Une chose demeure : le seul
fait que ce grand ambassadeur de la culture française en ait eu le
désir, cela m'honorait totalement.
J'étais loin de me douter aussi qu'à mon retour au Québec,
*Frédéric* ne m'appartiendrait plus. Elle était entrée dans le cœur des
Québécois et j'ai dû en payer le prix. Elle me collera à la peau et
l'on ne pourra aller voir et entendre Léveillée sans exiger qu'il
chante *Frédéric*. J'aurai beau vouloir faire connaître mes autres
enfants-chansons, on me dira toujours : « Oui, mais votre chanson
aînée est toujours en vie, n'est-ce pas ? — Mais oui, mais oui. Je vais
vous la chanter. » Pendant 40 années de scène, lorsque je serai là,
elle sera là aussi. Elle est mon ombre, ou suis-je la sienne ?
Je ne saurais me plaindre, je passerais pour un ingrat. Elle fut
si généreuse avec moi. *Frédéric* s'est inscrite dans le temps et aura
plus longue vie que moi. Sa jeunesse éternelle me nargue un peu,
mais bon, lorsqu'elle se fait frondeuse, je lui rappelle d'où elle vient,
cette orgueilleuse. Mais je l'aime bien, même si certains jours, je
l'ai trouvée collante. Une chanson à succès peut vous tuer, vous
emprisonner. Je me suis battu avec elle ; elle me cachait souvent,
elle masquait le pianiste et sa musique. Chante, Léveillée, chante
*Frédéric !* Oui, mais… écoutez *Poissons*.

En 1988, *Frédéric* fut aimée au point de soulever un véritable tollé lorsque j'ai prêté sa musique pour une publicité du géant du hamburger américain. On m'accusa d'avoir vendu une partie du patrimoine culturel du Québec. J'étais un traître à la patrie.

Et pourtant, pour moi, ce n'était qu'un prêt. On m'avait approché avec des arguments qui me touchaient beaucoup. On cherchait, pour le marché du Québec, une musique facile à fredonner, que tout le monde pouvait reconnaître. Quelque chose d'aussi fort que pour la pub américaine où l'on avait choisi la musique de Kurt Weill, le créateur de l'*Opéra de Quat'sous*, ce qui, à mon avis, n'était pas rien. En plus, les enfants, principale clientèle, pourraient apprendre une belle chanson toute simple et les paroles seraient imprimées sur les napperons de papier dans les restaurants de la chaîne.

Pour cela, on voulait me jeter au pilori. Les journaux en firent leur scandale de la semaine. J'étais Judas. Pour de l'argent, je vendais l'âme du Québec !

Les humoristes en firent aussi leurs choux gras, au grand dam de mes parents. Pourtant, personne ne venait m'offrir cet argent pour empêcher que le démon américain ne s'en serve. Et moi, j'étais pris avec un autre monstre, un vautour, un tueur d'hommes : l'impôt.

Le pire, c'est que je n'ai pas le sens des affaires. Beaucoup m'ont traité de con lorsque j'ai révélé la somme que ce contrat m'avait rapportée. Depuis, je suis allergique à la pub, très méfiant.

Toute ma vie, j'ai pourtant toujours essayé d'être intègre dans mon art. Au point de ne pas faire de concessions très souvent, me donnant une réputation d'artiste difficile. Mais on arrive à me convaincre, parfois.

Un jour, quelqu'un me disait :

– Claude, ta chanson *Frédéric* n'est pas de son temps. Tu écris *les amours de nos vingt ans* ; aujourd'hui, les amours commencent à quinze ans, les jeunes sont précoces.

– Oui mais moi, tu sais, j'ai été puceau jusqu'à 26 ans, tu comprends ?

– Pfft. T'es un aïeul !

– Oui, mais je rajeunis avec le temps. Je suis né vieux, je vais à reculons.

– Ben c'est ça, rajeunis ta chanson !

Et pour tous les précoces chanceux de ce monde, ce sera :

*Je me fous du monde entier*
*Quand Frédéric me rappelle*
*Les amours de nos quinze ans...*

Et qu'on vienne dire après que Léveillée n'est pas conciliant ![1]

*Frédéric* est écrite et ne m'appartient plus depuis des lustres. Mais depuis son édition en 1962, elle a fait beaucoup de petits Frédéricque et Frédéric au Québec, me racontait un jour le maire de Montréal, Jean Drapeau. Les registres de naissance de la Ville étaient remplis de ce prénom. Je ne compte plus le nombre de fois où une jeune femme ou un jeune homme est venu me dire qu'il portait ce prénom à cause de ma chanson.

Remerciez le ciel, dont l'inspiration fit que cette chanson n'eut pas le titre de Gontran !

---

1. La chanson *Frédéric* fut intronisée au Panthéon des auteurs-compositeurs canadiens en 2005.

Paroles et musique de
Claude Léveillée, 1961

## Frédéric

Je me fous du monde entier
Quand Frédéric me rappelle
Les amours de nos vingt ans
Nos chagrins, not'chez-soi
Sans oublier les copains des perrons
Aujourd'hui dispersés aux quatre vents
On n'était pas des poètes,
Ni curés, ni malins
Mais papa nous aimait bien
Tu t'rappelles le dimanche
Autour d'la table
Ça riait, discutait
Pendant qu'maman nous servait

Mais après...
Après la vie t'a bouffé
Comme elle bouffe tout l'monde
Aujourd'hui ou plus tard
Et moi j'ai suivi...
Depuis l'temps qu'on rêvait
De quitter les vieux meubles
Depuis l'temps qu'on rêvait
De se retrouver tout fin seuls
T'as oublié Chopin
Moi j'ai fait d'mon mieux
Aujourd'hui tu bois du vin
Ça fait plus sérieux
Le père prend un coup d'vieux...
Et tout ça fait des vieux...

Je me fous du monde entier
Quand Frédéric me rappelle
Les amours de nos vingt ans
Nos chagrins, not' chez-soi
Sans oublier les copains des perrons
Aujourd'hui dispersés aux quatre vents
On n'était pas des poètes,
Ni curés, ni malins

Mais papa nous aimait bien
Tu t'rappelles le dimanche
Autour d'la table
Ça riait, discutait
Pendant qu'maman nous servait

Mais après...
Après ce fut la fête,
La plus belle des fêtes
La fête des amants
Ne dura qu'un printemps
Puis l'automne revint
Cet automne de la vie
Adieu bel Arlequin,
Tu vois qu'on t'a menti !
Écroulés les châteaux
Adieu nos clairs de lune
Après tout faut c'qu'y faut
Pour s'en tailler une
Une vie sans arguments...
Une vie de bons vivants...

Je me fous du monde entier
Quand Frédéric me rappelle
Les amours de nos vingt ans
Nos chagrins, not' chez-soi
Sans oublier les copains des perrons
Aujourd'hui dispersés aux quatre vents
On n'était pas des poètes
Ni curés, ni malins
Mais papa nous aimait bien
Tu t'rappelles le dimanche
Autour d'la table
Ça riait, discutait
Pendant qu'maman nous servait

Tu t'rappelles, Frédéric ?
Salut !

## Léveillée ascendant Chat… et ses sept vies

Allez savoir pourquoi mes rôles de comédien se terminent toujours par des décès tragiques. Les auteurs ont cet ultime pouvoir, le droit de vie ou de mort sur leurs personnages, et il semble que je ne puis avoir une fin heureuse. Dans ma première vie de chat, je me nommais Philippe. J'aurais pu me la couler douce en buvant du lait chaud avec la belle Hélène (Nathalie Naubert) mais non, je suis un chat volant, un aviateur obligé d'accomplir mon devoir pour ma patrie. Je vais me faire tuer à la guerre. Je flotte un dernier moment en fantôme autour de la *Côte de sable* de Marcel Dubé qui m'a occis avec regret. Ce fut ma première mort.

Mais je revis !

Je suis le chat Orpha, je rôde dans *Par-delà les âges*. J'ai trouvé l'amour, pourtant mérité après bien des épreuves, auprès d'Eurydice. Mais je ne peux ronronner sous ses caresses bien longtemps car l'auteur, Jean-Robert Rémillard, a décidé de mon sort. Encore une fin tragique : un vilain, personnifié par Percy Rodriguez bien avant qu'il devienne le Commodore Stone dans la première série de *Star Trek*, dut, rôle oblige, en finir avec moi en me projetant solidement contre le mur d'une grange. Résultat : commotion cérébrale mortelle. La scène est tournée en direct, je dois m'écrouler au sol en croquant une capsule de *ketchup* et laisser un filet de faux sang s'écouler par les commissures de mes lèvres. Mais j'ai beau serrer les molaires, rien ne sort. C'est l'urgence sur le plateau ! Comme nous tournons en direct, les techniciens et le réalisateur Jean Faucher ruent dans les brancards… en silence. J'ai pris soin, en tombant, de bien étirer mon bras. Il peut se retrouver hors champ si le caméraman va se

*Claude Léveillée dans le film de Claude Chabrol,*
La Ligne de démarcation, *1966.*

distraire un peu sur le visage crispé de mon assassin. J'ouvre donc la main pour recevoir une nouvelle capsule à croquer et un technicien prend le risque de ramper silencieusement pour me la glisser dans la paume. En un dernier râlement, le soubresaut nerveux du mourant, je mets discrètement la capsule dans ma bouche et je la broie en tentant de dissimuler le mouvement de ma mâchoire. L'honneur est sauf, mais il n'en reste pas moins que je viens de vivre ma deuxième mort.

### Troisième vie, 1966.

Claude Chabrol, après mon séjour à Bruxelles où j'ai donné un récital et participé à une émission de télévision, m'engage pour son nouveau film, *La Ligne de démarcation,* et m'offre le rôle de Duncan Presgrave, un capitaine anglais. L'action se passe en 1941 dans un village occupé près de Dôle, dans le Jura. Une aristocrate (Jean Seberg), l'instituteur (Jean Yanne) et le docteur (Daniel Gélin) organisent la résistance et le passage des juifs en zone libre, de l'autre côté de cette fameuse Ligne de démarcation marquée par la rivière qui traverse la région. Ma mission : parachuté en France, je dois y établir un émetteur clandestin. À Dôle, il me faut protéger Michel (Jacques Perrin), le jeune opérateur radio qui m'accompagne et qui est blessé. Celui-ci est fait prisonnier par les Allemands et c'est en le libérant que j'y laisse ma peau. Une grenade et *Pouf!* plus de Capitaine Duncan.

### Quatrième vie, 1982.

Cette fois, je ne dévoile pas le *punch* en vous disant que je suis mort car dès le départ, dans *À voix basse* de Gilles Archambault, il est clairement établi que mon heure est venue. Une crise cardiaque. *Crac!* le cœur. Et je vois défiler ma vie, celle de Marc, un reporter qui a tenté d'oublier ses échecs dans l'amour de femmes successives. Une réalisation de James Dormeyer sur le mystère de la vie et de la mort.

### Cinquième vie, 1994.

J'ai une jolie épouse incarnée par Joe Bocan. Mais je ne l'amuse plus, je bois trop. Je suis le pianiste Alex Fugère et je lui compose une belle chanson, mais elle préfère tomber dans les bras d'un bellâtre dont Serge Dupire assume très bien le rôle (c'est vrai qu'il est

*Dans* À voix basse *avec Andrée Lachapelle, 1982.*

À voix basse.

beau, le salaud !). *Meurtre en musique* est une réalisation de Gabriel Pelletier. Alex est-il mort ? Là est la question...

### Sixième vie, 1992-1995.

Pas le moindre personnage, Émile Rousseau, le rôle de ma vie. Dire que je ne devais au départ qu'écrire la musique de la télésérie *Scoop*. Alors que je livrais l'enregistrement de ce que j'avais composé pour le générique de la série, on m'offrit d'incarner ce magnat de la presse. En fait, c'est grâce aux verres fumés que je portais ce jour-là, avec leur teinte ambrée en dégradé masquant le regard, qu'on vit en moi l'homme d'affaires mystérieux, imprévisible. Quatre années à être lui et lui devenant moi, une fusion dont j'ai eu à faire mon deuil lorsque la télésérie se termina. Et quelle fin ! Je ne me doutais pas à quel point la fiction allait me rejoindre dans la réalité... Les desseins de Dieu ressemblent étrangement à ceux des auteurs Fabienne Larouche et Réjean Tremblay.

### Septième vie, 2001-2003.

Je suis Normand, le père d'Émile (Sébastien Ricard). Je suis maniaco-dépressif. Cette fois, les scénaristes Anne Boyer et Michel d'Astous de *Tabou* ont décidé que je me jetterai par une fenêtre. Et je ne suis pas retombé sur mes pattes...

Ci-gisent Philippe, Orpha, Duncan, Marc, Alex, Émile et Normand.

*Dans* Scoop, *avec Macha Grenon et Roy Dupuis, 1992-1995.*

*Dans* Tabou, *avec Sébastien Ricard, 2001-2003.*

## COMME LES VINGT DOIGTS DE LA MAIN

Parmi les camarades de création de Claude Léveillée, André Gagnon est incontournable. Et si on se demande comment ce petit gars de Saint-Pacôme-de-Kamouraska, cadet d'une famille de 19 enfants, s'est taillé une place dans le milieu artistique pour devenir un pianiste de renommée internationale, c'est un peu grâce à Claude.

André a d'abord étudié la musique à La Pocatière puis au Conservatoire de musique de Montréal. C'est de là que le fil de ses souvenirs nous mène à deux époques charnières de la carrière de Claude. Car si le début des années soixante leur réservait plusieurs projets communs de scène et de disques ainsi qu'une tournée en Russie, c'est leur parenté artistique qui les réunissait près de 25 ans plus tard pour, une fois de plus, célébrer l'amitié et la musique.

Avec un sourire en coin, André Gagnon raconte d'abord son audacieuse effronterie de jeunesse qui permit son entrée dans le show-business montréalais :

« Je ne sais comment, mais j'avais proposé au journal local de Rivière-du-Loup, *Le Saint-Laurent*, mes services de journaliste culturel en leur offrant d'interviewer les personnalités artistiques populaires auprès des jeunes. J'avais réussi à leur vendre l'idée d'écrire sporadiquement pour eux. Mais en fait, je n'ai finalement réalisé que deux entrevues. La première, en 1958, fut avec la comédienne Lucille Papineau, épouse d'Yvan Canuel, qui allait être la mère du réalisateur Éric Canuel et de Nicolas Canuel, devenu acteur. Elle jouait alors dans l'émission *Beau temps, mauvais temps* à Radio-Canada. Et ma seconde entrevue, je l'ai faite avec Hervé Brousseau, covedette avec Louise Marleau de l'émission *Opération*

*Mystère*. Il m'avait donné rendez-vous au Café des Artistes pendant sa pause déjeuner. Au fil de la discussion, je lui glissai, non sans innocence, que j'étais étudiant au Conservatoire ; je me vantais d'avoir fait à maintes occasions de l'accompagnement au piano et ce, depuis ma tendre enfance. »

Audacieux en effet, compte tenu qu'il n'avait alors que 18 ans ! « Quel culot j'avais quand même ! lance-t-il en souriant. Que c'est beau, la jeunesse... Or, Hervé Brousseau m'invita à venir assister à la répétition ou au tournage de l'émission au studio de Radio-Canada. Comme je le trouvais chanceux d'exercer un tel métier, lui mais aussi toute l'équipe technique. J'étais impressionné au plus au haut point. Il n'en demeure pas moins que ma vantardise fut efficace puisque par la suite, Hervé m'invita chez lui pour m'entendre jouer et fit de moi son accompagnateur pour les spectacles qu'il devait donner et où il désirait chanter debout. »

Et en mai 1959 vint l'ouverture de la boîte Chez Bozo, au restaurant Lutèce, rue Crescent.

« Jean-Pierre Ferland, Claude Léveillée et Hervé Brousseau avaient décidé de fonder cette boîte à chansons. Ils invitèrent Clémence Desrochers et Raymond Lévesque à se joindre à eux. Quand est venu le temps de trouver un pianiste accompagnateur, ce fut tout naturel pour Hervé de proposer mon nom en disant aux autres : "Ce petit gars-là est capable, vous savez." On me proposa alors un cachet de 54 dollars par semaine que j'acceptai d'emblée avec grand enthousiasme. »

C'est ainsi qu'André fit la connaissance de Claude, mais à l'époque des Bozos, il ne l'accompagnait pas puisque Claude jouait lui-même au piano droit, le dos tourné au public. Durant les vacances estivales, André suivit la troupe de chansonniers à laquelle s'était ajouté Jacques Blanchet pour leur passage au Baril d'Huîtres, à Québec. Puis ils revinrent à Montréal pour occuper le Théâtre de la Poudrière, à l'île Sainte-Hélène, dirigé par Jeannine Beaubien. Hélas, l'automne venu, septembre obligeait André à retourner au Conservatoire poursuivre sa formation classique.

« À cette époque, le Conservatoire interdisait aux étudiants de jouer dans les bars ou les boîtes à chansons pendant leurs études. Je retournais donc chez Bozo à titre de spectateur et je les regardais avec beaucoup de nostalgie. C'était souffrant ! Cette boîte était le haut lieu de toute la colonie artistique et surtout des gens de théâtre qui, après avoir joué le soir, se retrouvaient là. Même qu'on les attendait avant de commencer le spectacle ! Que du beau monde comme Monique Miller, Michèle Rossignol, Yvon Thiboutot, ainsi que des acteurs français de passage tels Yves Montand et Simone Signoret. Et l'on sait ce qui est arrivé lors de la visite d'Édith Piaf. »

Oui, on le sait : Piaf sera celle qui s'emparera de Claude Léveillée, le faisant quitter femme, parents, pays et camarades des Bozos.

André Gagnon au Conservatoire, Claude Léveillée à Paris, chacun fait son bout de chemin. Au tournant de l'année 1960, Claude revient toutefois provisoirement au Québec et donne un récital d'adieu au cinéma Élysée, rue Milton. Le jeune Gagnon ne manque pas le spectacle. Il sera là aussi un an plus tard à l'inauguration de la boîte à chansons Le Chat noir logée à la même adresse. Mais c'est le jeudi 26 octobre 1961 que commence officiellement la collaboration Léveillée-Gagnon lors d'un récital à l'Auditorium de l'Université de Montréal.

Claude Léveillée se sépare de son piano. Il se fait accompagner par Roland Desjardins à la contrebasse et Yvon Deschamps… à la batterie ! Et c'est là qu'André entre en scène. Il en a terminé avec ses études au Conservatoire de Montréal et, boursier du gouvernement du Québec, il se prépare à poursuivre ses études à Paris avec Yvonne Loriod-Messiaen, ainsi qu'à y suivre des cours d'accompagnement et de direction d'orchestre. Comme il s'agit de cours privés, il se permet de retarder son voyage pour participer au spectacle de l'Auditorium.

En décembre 1961, Claude Léveillée vient de signer un contrat avec la compagnie Columbia qui désire le faire entrer en studio pour enregistrer son premier disque. Les journaux titrent alors : *Claude Léveillée fait revenir son pianiste de Paris !* André est déjà devenu l'équipier essentiel et Claude ne veut travailler qu'avec ceux en qui il a confiance. Roland Desjardins et Yvon Deschamps sont toujours à ses côtés.

De retour à Paris, André n'oubliera pas l'expérience qu'il vient de vivre et dans une lettre adressée à Claude, il lui confie son attirance pour la direction d'orchestre et les arrangements musicaux.

André Gagnon aura probablement grand plaisir à lire cette missive de quatre pages que j'ai retrouvée dans les précieuses archives de Claude. En sachant aujourd'hui ce qu'est devenu ce jeune pianiste dans la vingtaine au moment où il l'écrivait, on ne peut que s'en attendrir et confirmer qu'à ce tournant de sa vie, il a pris le bon chemin. Mais là, nous trichons un peu, car nous connaissons l'avenir.

*Paris, le 29 janvier 1962*

*Cher Claude,*

*Un mot pour te parler un peu. La vie parisienne m'est devenue très intéressante. Je suis maintenant adapté et je suis heureux de la vie en France. Par contre, même si les études que je poursuis s'avèrent très fructueuses et que cela m'ouvre les portes dans la carrière de musique sérieuse, je n'ai pris aucune décision à ce sujet. Il est même très possible que je m'oriente dans le domaine de la musique de scène, music-hall, etc. C'est-à-dire que je poursuis (parallèlement aux études de piano) des études très sérieuses en instrumentation et orchestration. Donc, étant donné que j'ai acquis une certaine aisance dans le domaine des chansons, il me serait possible d'envisager la carrière de chef d'orchestre, pianiste, arrangeur. Il n'existe pas à Montréal de vrais arrangeurs. Je t'avoue que ça m'attire drôlement. Donc, même si la distance nous sépare encore pour quelques mois, je suis toujours et de plus en plus intéressé à travailler en collaboration avec toi. Je ne sais pas si tu as été satisfait des expériences passées, j'ose l'espérer. De toute façon, tu connais très bien mes possibilités, je voudrais que tu me dises si je peux faire une carrière intéressante dans le domaine. Je compte beaucoup sur*

*André Gagnon et Claude Léveillée en tournée en Union soviétique, 1968.*

ton aide et ton appui. J'ai beaucoup appris à ton contact, et le travail que l'on a fait ensemble a beaucoup élargi mon champ de vision. Je t'assure que j'ai hâte de rentrer à Montréal pour entendre tes nouvelles chansons. Je ne sais pas si tu voudras encore de moi. J'espère bien. Si je suis venu en Europe, ce n'est pas par dédain pour tout ce qui a précédé. Il me fallait absolument m'isoler quelque temps pour me trouver. Avec le recul, je m'aperçois que je suis beaucoup plus chez moi dans la musique dite « légère »; quoique ce terme est très faux. La musique « sérieuse! » m'intéresse, mais par contre les musiciens classiques sont tellement ennuyants! De toute façon, je sais que je peux faire un travail intéressant au music-hall, et qu'en plus, cela colle beaucoup mieux à mon tempérament.

Ne me crois pas désorienté et malheureux. Au contraire, je sors de cette période à la recherche de moi-même. Les études que je fais m'apportent énormément. J'aurai appris beaucoup au contact d'Yvonne Loriod et de Paris. Je ne serai pas le premier « Premier prix » de Conservatoire à prendre cette direction. Avec la base classique que je possède maintenant, je devrais me tirer d'affaire autant que n'importe qui.

Quand on aura cessé de me considérer comme « le pianiste d'Hervé Brousseau », ça ira peut-être mieux.

Que penses-tu de tout ça? Parles-en à Yvon. Penses-tu que je pourrais me tailler une place dans le milieu, que je pourrai vivre? Tu comprends, je veux faire de la « bonne » musique. Serai-je accepté? J'ai besoin de vos conseils.

Je ne prends pas cette décision à la légère. J'y réfléchis depuis longtemps. C'est peut-être même la première fois que je réfléchis dans ma vie! Mais j'ai voulu quand même étudier sérieusement au Conservatoire et venir ici ensuite. Je fais le travail préparatoire que Michel Legrand a fait. Je crois que c'est la seule façon pour un musicien de ce genre d'arriver à un certain niveau. Mes projets arrivent peut-être en contradiction avec ce que j'ai déjà dit. Je suis jeune, à l'âge où l'on se cherche. J'espère ne pas me tromper cette fois, il faut que je me branche. Ici, tous me trouvent un excellent interprète des classiques ; ça me flatte, mais cette carrière classique est tellement inactive et ingrate que j'y renonce non sans un certain regret ; on ne joue pas du Chopin de 5 ans à 24 ans sans faire des rêves !

En tout cas, je vous ai ouvert mes pensées les plus intimes que je tenais secrètes. Dites-moi maintenant ce que vous en pensez. Ton avis et celui d'Yvon et aussi de Blanchet m'importent beaucoup. Ne pensez pas que c'est une solution de facilité, au contraire – j'aurais pu tout abandonner à l'époque des Bozos. Vous avouerez que le travail très sérieux que j'ai fait depuis m'a « cassé ». Je sais maintenant ce que c'est que la musique, je peux en parler et très longtemps. C'est pourquoi je te dis que ce n'est pas une solution de facilité. C'est tout simplement une question de logique.

Yvon, toi et Blanchet êtes mes meilleurs amis et ceux qui me connaissent le mieux. Je t'écris à toi parce que tu es au courant de tout ça ; ton contact avec Chauvigny a dû t'apprendre beaucoup.

Je vous déçois peut-être… peut-être aussi que vous comprenez. De toute façon, je me livre. J'ai cette franchise.

Je tiens cependant à demeurer ici jusqu'en juin. Je veux tirer le plus que je peux. Et je m'impose cet éloignement qui m'est indispensable. C'est extraordinaire ce que j'apprends ici, tu le sais. Je savais travailler ; j'ai appris à mieux travailler.

*C'est effrayant si je mémère ! Et ton disque ? Il doit sortir bientôt, j'ai très hâte. Je suis fier de ce que j'ai fait. J'aurais pu être meilleur, c'est certain. La prochaine fois, (si tu me donnes la chance de le prouver) je serai meilleur. Je t'avoue que je suis revenu ici un peu malheureux. J'ai nettement l'impression que tu n'étais pas content de moi. Je t'assure cependant que j'ai fait tout mon possible.*

*Je viens de me relire. J'espère que tu comprendras et que tu communiqueras avec Yvon. C'est un service que je vous demande en toute amitié. Écris-moi très vite, ça m'aidera sûrement. Mon retour à Montréal me fait peur, je veux travailler et je crains qu'on ne me fasse pas confiance.*

*Mes amitiés à Louise et Mireille.*
*Merci pour tout ce qui a précédé et merci pour ça encore.*
*J'attends avec impatience.*
*Dédé*

Quitter la musique sérieuse pour jouer sérieusement la musique. André est tombé dedans étant tout petit, la musique est en lui et sa créativité doit avoir droit de cité. C'est l'appel de sa nature, une voix qui ne sait se taire.

Ses parents pourraient être inquiets de le voir se distancier de la musique classique, mais au contraire, le savoir en compagnie de Claude Léveillée à qui ils donneraient « le bon Dieu sans confession » les rend entièrement confiants. Papa Gagnon adore écouter les chansons de Claude Léveillée en reconnaissant le piano de son fils, objet de sa fierté. Et lorsqu'un jour il verra son Dédé accompagner le grand acteur Jean Duceppe qui chante *Je sais, je sais* de Jean Gabin, le tout sera scellé. André est à sa place, dossier classé !

Claude se compte chanceux d'avoir auprès de lui ce surdoué en dictée musicale et ne manque pas de le présenter sur scène au public.

*Claude Léveillée et André Gagnon en 1985,*
*lors des répétitions du spectacle* Tu te rappelles Frédéric?

## Le temps des boîtes à chansons

André garde un bon souvenir des tournées dans les boîtes à chansons où il accompagnait Léveillée lorsque le cachet le permettait. Claude les inaugurait les unes après les autres. La moindre grange du Québec était transformée en boîte à chansons et comme le dit si bien Yvon Deschamps : « On pouvait entendre les vaches meugler d'indignation, on leur volait leur maison ! »

Et ça fonctionnait ! Quiconque pouvait récupérer une étable et y mettre un peu du sien était assuré du succès. Il suffisait d'y entasser des chaises autour de petites tables bancales recouvertes de nappes à carreaux rouge et blanc, d'y mettre au centre une bougie plantée dans le goulot d'une bouteille de Chianti chemisée de paille, d'accrocher des filets de pêche garnis d'étoiles de mer et de flotteurs de liège au plafond, de laisser traîner quelques cages à homard par-ci, par-là, et voilà ! le tour était joué : on se serait cru au pied du Rocher Percé. Et tous ceux qui savaient chanter un peu en grattant une guitare prenaient l'affiche. Mais il fallait durer : beaucoup d'appelés, peu d'élus et bien des étoiles filantes disparaissaient ainsi comme autant de feux de paille.

Certaines boîtes étaient plus importantes que d'autres. Remplir La Butte à Mathieu à Val-David était un plus grand défi que faire salle comble à la non moins sympathique boîte Saranac aménagée par Robert Charlebois et Jean-Guy Moreau dans le pavillon d'un centre sportif du quartier Ahuntsic. On pourrait nommer aussi La Piouc, dans la Baie des Chaleurs, fondée par la poétesse Françoise Bujold, cousine de l'actrice du même nom, ou encore Le Bistrot dans le quartier de l'Université de Montréal, au coin de Gatineau et Lacombe. Et tant d'autres…

Les gens s'entassaient dans ces lieux singuliers, s'asseyant parfois sur des bottes de foin, et y fumaient abondamment ! Aucune règle de sécurité n'était prescrite. Et pourtant, on ne se rappelle pas qu'un évènement malheureux soit survenu. La chose est difficile à imaginer aujourd'hui, à l'heure où tout le monde attache sa ceinture de sécurité en prenant le volant, porte un casque protecteur pour une simple randonnée à bicyclette et se cache comme un lépreux dans une ruelle pour griller une clope, question de ne pas affronter le regard de désapprobation ou de mépris des non-fumeurs.

André se remémore les bons moments de tournée dans les villes sympathiques des quatre coins du Québec. Avec affection, il parle des spectacles à la boîte La Tache de Victoriaville où, après le récital, Claude et ses musiciens allaient s'amuser et rire avec les gens de la place. André relate aussi cette anecdote qui avait surpris tout le monde : « Après le spectacle, nous avions l'habitude de nous faire livrer des club sandwichs que nous mangions dans la loge quand nous voulions reprendre la route le soir même. Dans une certaine ville, nous les avions commandés avant le spectacle afin de gagner du temps. À l'époque, nous prenions souvent des demandes spéciales du public. Les spectateurs venaient nous porter un petit bout de papier sur lequel ils écrivaient le titre de la pièce qu'ils désiraient entendre. Or ce soir-là, un type s'approche en me tendant un papier comme à l'habitude. Je me penche, le saisis, le déplie et au moment de le lire… C'était en fait la facture de notre repas ! Et le livreur insistait pour être payé sur-le-champ. On était en plein spectacle ! »

Le succès de Claude Léveillée après la parution de son premier disque fait que bientôt les salles sont trop petites pour le public qui veut l'entendre chanter. Il se retrouve les 15 et 16 novembre 1963 sur la scène de l'auditorium Le Plateau devant une salle pleine à craquer de jeunes étudiants pour qui il est devenu une idole.

André doit maintenant diriger un ensemble de musiciens un peu plus imposant : Roland Desjardins comme toujours à la contrebasse, Dick Grant à la batterie, Marcel Gervais à la guitare et Saturno Gentiletti à l'accordéon. Et moins de six mois plus tard, un événement sera à marquer d'une pierre blanche. Le 27 avril 1964 deviendra en effet une date historique dans l'univers culturel québécois. Claude Léveillée sera le premier auteur-compositeur-interprète canadien-français à se produire sur la scène de la Salle Wilfrid-Pelletier, brisant ainsi le courant qui voulait que l'envergure de cette salle ne soit réservée qu'aux vedettes internationales et à l'Orchestre symphonique de Montréal. Un pied de nez aux prophètes de malheur qui juraient qu'un jeune Canadien français ne pouvait remplir une salle de près de trois mille places. Que de pression, mais quel beau défi à relever !

D'ailleurs, dans le magazine *Actualité* d'octobre 1964, Pierre Léger reprochera à la direction de la Place des Arts de ne pas rendre accessible la prestigieuse Salle Wilfrid-Pelletier aux familles québécoises. Nous rappelant aujourd'hui les batailles du passé, nous pouvons y lire : « Depuis le 21 septembre 1963, soir de sa naissance au monde, la grande salle, ce prétendu morceau " d'éléphant blanc " a reçu 240 événements artistiques pour lesquels près de 650 000 personnes (85 % de la capacité des lieux) ont payé leurs billets. Dans cet éventail d'activités, on relève 72 concerts symphoniques [...] et 53 programmes de music-hall et de variétés. Dans ce dernier cas, la direction de la maison a consenti des concessions sur la formule dite culturelle, car on voulait tirer le maximum de l'immeuble, et des groupements d'ici voulaient s'y faire valoir. » Les soirs de musique sérieuse ou de ballet, l'auditoire était majoritairement anglophone. Par contre, un fervent public canadien-français a sans aucun doute contribué au succès des spectacles de Charles Aznavour, Claude Léveillée et peut-être même de Harry Belafonte et de la grande Mahalia Jackson.

## La garde partagée

À la fin de l'année 1963, Monique Leyrac décide de faire un retour à la chanson sur disque. Elle compte déjà l'enregistrement sur 78 tours d'une samba intitulée *En arrière, en avant*, et sur scène, elle a repris en 1952 *Le petit bonheur* de Félix Leclerc. Mais voilà que 10 ans plus tard, les artistes émergents que sont Léveillée et Vigneault ravivent chez elle le désir de chanter les poètes d'ici. Et quoi de plus naturel que de choisir comme accompagnateur celui de Léveillée lui-même ? André Gagnon collabore non seulement à son disque où elle chante Léveillée et Vigneault, mais continue d'accompagner Monique Leyrac. Voilà Dédé en garde partagée !

Il faut savoir que Claude vagabonde entre son métier de compositeur, d'interprète et de comédien, et qu'André se bâtit de plus en plus une réputation enviable dans le milieu artistique. Ses arrangements sur les musiques de Claude Léveillée sont remarqués et remarquables. Se partageant de plus en plus entre Hervé Brousseau, Monique Leyrac, Renée Claude et Claude Léveillée, le jeune accompagnateur ne chôme pas, mais il se fait un devoir de ne prendre aucun engagement durant les périodes où Claude a besoin de lui. C'est Claude qui a la priorité et ainsi va son emploi du temps.

Quand les deux grands artistes sont au travail, leur méthode est fort simple. Claude lui joue sa nouvelle composition, André l'écoute attentivement en le regardant jouer et mémorise. Il note sur papier la ligne mélodique et rejoue tout de suite la composition. Il suffit d'une ou deux fois pour qu'André assimile la musique de Claude. Lorsque André m'explique cela, je lui mentionne qu'on s'adresse à moi chaque semaine pour me demander des partitions de piano des musiques de Claude ; comme il ne notait pas sa propre musique, peut-être qu'André, l'ancien champion de la dictée musicale, le faisait pour lui ? Sa réponse m'abasourdit :

« Non, je ne faisais pas ça. Je n'en avais pas besoin, elles étaient toutes dans ma tête, elles y sont encore d'ailleurs. Je n'ai pas non plus mes propres musiques en partition, à part certaines qui sont éditées. Ce sont mes compositions, elles sont en moi, tout simplement. Pour le reste, il restera toujours les disques... »

En 1965, le troisième disque de l'association Léveillée-Gagnon s'enregistre à Paris. André considère que sur les deux premiers albums, il n'avait pas fait de véritables arrangements et il croit que c'est pour ce troisième opus qu'il a travaillé le plus fort. La critique le remarque : « Il y a aussi une chose très importante qui donne à l'enregistrement un cachet très professionnel : l'accompagnent 27 musiciens que dirige André Gagnon. Les arrangements sont également de Gagnon qui a su magnifiquement utiliser les possibilités de son orchestre sans jamais nuire à l'interprétation de Léveillée. Au contraire, avec ces nouveaux arrangements, certaines chansons prennent une dimension nouvelle, étonnante. Et à tout cela s'ajoute une impeccable prise de son qui rend la voix et l'orchestre terriblement présents. Un disque qu'il faut absolument se procurer. »

À Paris, on réagit aussi à la sortie du disque. Et c'est nul autre que le célèbre poète Paul Chaulot, membre du jury de l'Académie de la Chanson en France, qui défend le talent de Claude Léveillée : « J'aime son non-conformisme. C'est une joie de l'entendre. Il fait ce qu'il y a de plus pur dans la chanson française. »

André n'a qu'un but, mettre en valeur la musique de Claude, être au service de ses compositions. Il arrive même parfois que la fusion Léveillée-Gagnon soit si parfaite que certains les unissent dans la propriété intellectuelle de la composition. Aujourd'hui, le temps est venu de remettre les pendules à l'heure au sujet de cette ambiguïté.

« Claude et moi étions comme deux pièces de puzzle qui s'emboîtent parfaitement, me dit-il en entrecroisant ses dix doigts les uns dans les autres. Nous étions deux compositeurs romantiques, différents, mais notre univers musical était le même. On se comprenait entièrement. Une complémentarité au piano : Claude avec son style si propre à lui, et moi avec ma formation classique. Je ne joue pas comme lui, je ne pourrais pas d'ailleurs, et c'est ce qu'il fallait sur le disque Léveillée-Gagnon. On peut très bien différencier le piano de l'un et de l'autre ; la communion des deux, c'est ce qui en fait la beauté. Nous étions en osmose complète. »

André ne peut ni ne veut être que le simple écho de la musique de Claude et celle-ci ne s'en porte que mieux.

« Tout le temps que j'ai travaillé avec Claude, c'était à cent pour cent sa musique. Il m'est arrivé d'y rajouter des introductions de mon cru, comme dans *Pour les amants* et *Les rendez-vous*, mais ce n'est en rien une raison de me doter du titre de coauteur de ces chansons. Et si des gens ont pensé à une possible frustration que j'aurais pu avoir, ils se trompent carrément ! J'étais heureux de travailler avec Claude, totalement. J'ai eu énormément de plaisir ! J'ai tout appris du métier à ses côtés. Durant cette période, j'ai mis en veilleuse mon côté compositeur mais pas mon côté créatif. Je le transcendais à travers les arrangements. De toute façon, j'ai toujours été au service de la musique de ceux qui la composent. Je n'en souffrais pas. Je composais depuis mon tout jeune âge, mais pas de façon sérieuse. Forcément, avec le temps, il devient naturel que ça s'exprime un jour ; c'est dans l'ordre des choses, mais je l'ignorais à cette époque. Ce que je faisais avec lui dans le fond était très facile ; la matière, c'était Claude, je n'avais qu'à enrubanner ça et faire ce que Claude avait envie d'entendre, mais qu'il ne pouvait pas me jouer. Il ne pouvait pas me dire exactement ce qu'il voulait, d'ailleurs, j'y pense maintenant… je ne me souviens pas qu'il m'ait demandé quoi que ce soit ! »

Les deux artistes n'ont que de bons mots pour traduire leur complicité musicale. « Si on comparait la musique à une langue d'expression, je dirais que Claude et moi parlions la même langue ; je disais la même chose que lui mais en utilisant mes synonymes. » Dans une entrevue accordée à Claude Gingras, de *La Presse*, le 21 janvier 1967, Claude Léveillée explique de son côté le travail d'André en ces termes : « J'ai enregistré au piano, sur bande, toutes les parties d'orchestre – les cordes, les cuivres, les percussions, etc. Dédé c'est mon habilleur. Moi, je trouve l'idée, lui l'habille… André Gagnon c'est mon conservatoire, mon stylo à bille, mon encrier ! » Il le nomme aussi parfois « son grand couturier ».

Les disques *Léveillée-Gagnon* et *Une voix, deux pianos* permettent à Claude de gagner sa vie en tant que musicien. Enfin, il n'est plus obligé de toujours chanter car la chanson, comme il l'avoue souvent, n'est pour lui qu'un « beau malentendu ». C'est bien parce que le public réclame *Taxi*, *Frédéric* ou *Les vieux pianos* qu'il les chante à chaque fois. Mais avec son Dédé Gagnon, les deux pianos côte à côte, imbriqués l'un dans l'autre, il est dans son élément. La première fois, c'était en 1965 à la Comédie-Canadienne. Ils ont joué sept soirs d'affilée, du 15 au 21 mars, l'un en face de l'autre, guettant mutuellement le signe du départ. Claude peut alors surprendre son public en jouant des pièces aux accents de jazz comme *Rupture* et *La source*. Et malgré quelques réticences émises moins par le public que par les critiques, on permet à Léveillée de s'affirmer comme pianiste, pourvu… qu'il leur chante *Frédéric* !

Claude est heureux. André l'est tout autant. Chaque fois que son ami lui apporte sa dernière composition ou qu'un nouvel album paraît, c'est le bonheur. Unis comme les cinq doigts de la main ? Non ! Comme les vingt !

Mais ça, c'est sur scène, en studio et pendant les répétitions. L'envers du décor, avant que le rideau se lève et après qu'il soit tombé, c'est lorsque André doit jouer un second rôle d'accompagnateur auprès de Claude, celui du copain qui le rassure avant, quand le trac l'assaille, c'est-à-dire à chaque fois, et même après le récital.

« Claude souffrait d'un manque profond de confiance en lui, d'insécurité chronique. Les gens avaient beau avoir applaudi à tout rompre, il disait toujours : "Je me demande s'ils ont aimé ça ?" Avant d'entrer en scène, je le rassurais : "Claude, tous ces gens-là ont acheté des billets pour venir t'entendre, pour te voir, pour t'aimer ; tu es tellement chanceux, réalise-le !" »

André précise que le moral de Claude était toujours ancré dans sa vie personnelle.

« Là-dessus, je ne peux lui en faire le reproche, il a été mon maître en cette matière et j'ai été un très bon élève ! Lorsque Claude vivait une peine d'amour, il était prêt à tout abandonner, il ne croyait plus en rien. Pas jusqu'à penser au suicide, tout de même ; je ne crois pas d'ailleurs que cela lui passait par la tête. Claude est un être essentiellement romantique, un grand romantique solitaire. C'est son créneau et personne à cette époque ne le représentait mieux que lui. Mais le romantisme fait souffrir et lorsqu'on souffre, c'est là qu'on est à son meilleur. Beaucoup de chansons de Claude n'auraient jamais été écrites s'il avait vécu constamment en plein bonheur. Son œuvre reflète exactement ses états d'âme successifs reliés à une profonde tristesse qui le minait encore. »

Or, bien qu'il lui soit arrivé d'épauler Claude dans un moment difficile, André est porté, tout comme Claude d'ailleurs, à qualifier plutôt leur relation de franche camaraderie professionnelle. Des compagnons de musique. Souvent, après les récitals, chacun partait de son côté, dans son monde respectif. André déclare : « Je ne garde pas de mauvais souvenirs de mes années de collaboration avec Claude et si je n'en garde pas c'est que bien franchement… il n'y en a pas ! »

## Dédé et Clo-Clo chez les Soviets

À la fin août 1967, André donne un récital tout Mozart à la Place des Arts et les critiques sont élogieuses. En septembre 1968, il retourne en Union soviétique (il y accompagnait Monique Leyrac en 1966), cette fois-ci avec Claude Léveillée qui doit faire une tournée de 26 récitals dans les villes de Minsk, Vilnius, Riga, Tallinn, Leningrad et Moscou. André nous raconte l'aventure soviétique :

« Je me souviens des jeunes qui fréquentaient les coulisses des théâtres dans toutes les villes où l'on a joué. Ils étaient résolument heureux de venir nous rencontrer après le spectacle. Une jeune femme parmi eux était même totalement énamourée de Claude, visiblement troublée de rencontrer en personne celui qui l'avait tant et si bien émue. Son regard langoureux et admiratif en disait long. Je tentais de le faire remarquer à Claude en me disant qu'il était impossible que cela lui échappe, que je la trouvais charmante et que j'allais l'inviter à dîner avec nous. L'invitation fut faite pour elle et quelques-uns de ses copains. Il faut savoir que nous recevions un cachet versé à moitié en dollars canadiens, et l'autre en roubles. Cette monnaie ne valait absolument rien en dehors du bloc de l'Est, alors il fallait la dépenser sur place. J'étais donc princier avec nos invités et commandais du caviar et du champagne à tour de bras! C'était comme de l'argent de Monopoly! Lorsqu'on voulait acheter quelque chose de beau, comme une icône russe, on nous demandait des devises américaines ou canadiennes que nous voulions conserver pour le Canada. Alors on se laissait aller dans la dépense avec nos roubles.

« Les slaves sont particulièrement démonstratifs et je me souviens de l'amour clairement manifesté du public envers lui. Il jouait dans des grandes salles de 1500 à 2000 places et c'était toujours complet! Claude, pourtant peu connu là-bas, recevait un accueil très chaleureux. Le public l'adorait et c'est une des rares fois où j'ai vu Claude vraiment *boosté* de joie par la réaction des spectateurs. En fait, il en était aussi très surpris. »

À leur retour d'Union soviétique, ils sont attendus par la presse montréalaise. On peut lire à l'époque :

« [...] Claude durant sa tournée fut atteint d'une pneumonie qui le força à annuler deux récitals [...] »

« [...] ils ont vécu la perte de bagages [...] »

« [...] il y avait des mauvais pianos dans les grandes villes [...] »

« [...] les communications téléphoniques avec le Canada sont impossibles [...] » en taisant que les autorités soviétiques retenaient leurs passeports comme s'ils étaient prisonniers.

Mais notre Dédé national fait aussi parler de lui : « André Gagnon a causé une commotion partout sur son passage. La raison : ses costumes! Il était habillé à la toute dernière mode " gogo " dans l'vent, " moitié hippy ", et tout ce que vous voulez. Large chemise de couleur criarde, redingote, cravate à pois, collier dans le cou, pantalons vous savez comment... On ne se lassait pas de le détailler et apparemment, ça ne dérangeait pas le pianiste du tout![1] »

De plus, André rendait Claude inquiet par le discours politique qu'il tenait à table. Il dénonçait l'impérialisme soviétique, les évènements récents du Printemps de Prague, et s'insurgeait parce qu'on ne permettait pas aux jeunes admirateurs de monter dans

---

1. Mireille Lapointe, *Dimanche Dernière heure*, 13 octobre 1968.

l'autobus qui leur était réservé. Il avoue qu'il était carrément baveux, mais qu'il s'efforçait de ne pas trop faire de vagues tout de même pour que leur gentille interprète Irina n'en subisse pas les conséquences. Quant à lui, Claude croyait avoir détecté des micros dans sa chambre. Il s'était donc mis à jurer en bon québécois pour pester contre cette surveillance électronique : « *Tabarnak* n'est pas dans le dictionnaire franco-russe ; ils n'ont rien compris et sourient encore en disant *Spassibo*[2]. »

Les petites extravagances vestimentaires d'André Gagnon sont parfois soulignées par « son patron » qui veille à ce qu'il ne dépasse pas les bornes. On ne porte pas d'espadrilles sur scène et pas d'excuse pour avoir perdu les chaussures de cuir verni dans le train. Tout musicien de scène doit avoir au moins une paire de pompes de secours bien cirées !

À la fin de l'année, André décide de passer le temps des Fêtes dans sa famille à Saint-Pacôme-de-Kamouraska. Il lui semble bien légitime d'être auprès des siens, surtout après une longue tournée derrière le Rideau de fer. La tourtière et l'oie grillée de maman Gagnon s'avèrent des plus réconfortantes après le bortsch russe. Mais voilà qu'au retour, une tempête de neige rend impossible sa rentrée à Montréal. Ah ! ces soirs d'hiver… André est coincé dans un train. Il doit pourtant être à la Comédie-Canadienne pour les répétitions car le soir même, ce 3 janvier, c'est la première. En dernier recours, il quitte le train à Lévis pour prendre l'avion *in extremis* à partir de Québec. Pendant ce temps, Frank Furtado, le régisseur, s'est occupé de faire ouvrir la porte de son appartement par le concierge afin d'y prendre les partitions, ses vêtements de scène ainsi que les souliers qu'il avait oubliés et de tout apporter à la salle de spectacle. André arrivera seulement au lever de rideau. Évidemment, son retard a exacerbé la nervosité habituelle de Claude.

André comprend très bien les remontrances que Claude lui adresse. Un soir de première, c'est important, capital même ! Mais André n'est pas responsable des caprices de Dame Nature… Aujourd'hui, avec son expérience et son regard de vieux routier, il sait pertinemment qu'il ne se permettrait pas d'être dans une ville si lointaine en hiver l'avant-veille d'une première.

---

2. Merci.

Quelques semaines plus tard, soit le 26 février, André est encore retenu, cette fois à Montréal où il travaille sur la populaire série télévisée *Moi et l'autre* mettant en vedette Dominique Michel et Denise Filiatrault. Encore une fois, la tempête fait des siennes !

Un spectacle à Matane est annulé. Le dimanche 2 mars 1969, après un récital donné à Chicoutimi, André récupère toutes ses feuilles de musique, les empile et les remet à Claude dans sa loge en lui annonçant qu'il ne travaillera désormais plus avec lui. Et comme rien ne se présente à leur agenda dans les prochaines semaines, Claude aura le temps de lui trouver un remplaçant.

Dans un article du *Petit Journal*, pour la semaine du 9 mars 1969, Colette Chabot rapporte les propos d'André : « Je l'ai remercié de la confiance qu'il m'avait accordée depuis huit années et je lui ai souhaité bonne chance. Je suis très content de la décision que j'ai prise, mais je suis extrêmement déçu de la façon dont ça s'est terminé. J'aurais aimé qu'il me serre la main. Après tout, j'ai permis à sa chanson *Pour les amants* de faire tous les palmarès. » Claude vivra un certain deuil. Des titres qu'on a pu lire dans la presse de l'époque amplifient la situation : *Il abandonne tout !* Puis des correctifs se publient une fois la poussière tombée. On explique plutôt qu'il s'agit de quelques jours de vacances à Acapulco qu'André ne s'était jamais permis de prendre.

Pour son prochain disque, *L'étoile d'Amérique*, Claude Léveillée trouve d'autres collaborateurs : le pianiste et arrangeur Yves Lapierre ainsi que le quatuor de jazz de Pierre Leduc. Il coupe aussi plusieurs cordons, notamment celui qui le liait à Columbia, et décide de produire ses disques sous sa propre étiquette.

Expliquer la rupture du tandem Léveillée-Gagnon à la lumière de ces simples histoires de tempêtes serait trop réducteur. Ce n'était même pas l'élément déclencheur, confirme André Gagnon, mais plutôt le prétexte que trouve la vie pour séparer les gens qui doivent vivre autre chose. Car André avait aussi pris cette décision pour laisser plus de place à son travail d'accompagnateur auprès de Monique Leyrac qui préparait alors une première importante au Patriote de Montréal.

André ne ressentait pas d'amertume, de frustration ou de colère envers Léveillée. Même pas une lassitude et surtout aucun sentiment de culpabilité. À preuve, il le retrouvera plus tard, en 1985.

## Les retrouvailles

En discutant avec Guy Latraverse, André Gagnon apprend que Claude ne va pas très bien. Il semble qu'il vit un creux de carrière au Québec, bien que celle-ci se poursuive en Suisse, qu'il subit les contrecoups d'amours déçues et qu'il a perdu la flamme. Il lui vient l'idée de provoquer des retrouvailles sur scène avec un spectacle qui s'intitulerait *Tu te rappelles Frédéric ?*

Pour André, c'est une façon de remercier Claude comme il aurait voulu le faire avant, tant devant le public que dans la vie privée. Guy trouve l'idée excellente mais doute que Claude accepte de remonter sur la scène de la Place des Arts. André se charge de le convaincre en l'invitant à un spectacle solo qu'il donne le samedi soir suivant au théâtre Petit Champlain de Québec. Il le convie le lendemain dans sa suite d'hôtel et entreprend son laïus persuasif pour encourager Claude à reprendre le micro. Son plaidoyer mène à une acceptation nerveuse mais remplie d'espoir de la part de Claude. Montréal lui fait peur. Il est si bien en Suisse.

Quelques jours après, ils décident de commencer les répétitions qui dureront six semaines. Mais il a été peu question de musique lors des premières rencontres. Elles ont surtout servi à reconstruire l'estime de soi du grand tourmenté.

– J'imagine que tu veux qu'on reprenne les vieux succès, André ?

– Mais oui, bien sûr, comme dans le bon vieux temps.

– Mais je ne chante plus désormais, je n'en suis plus capable.

– Claude, tu ne chantais plus. Mais maintenant tu vas chanter.

– Je n'ai plus ma voix d'avant. Ils vont vouloir le Léveillée qu'ils ont connu, j'ai changé.

– Tu es encore capable de chanter. Et tu vas chanter ! Tu es encore jeune avec de belles années devant toi. Écoute… On vient d'annoncer les dates et déjà, pour le premier soir, les billets sont tous vendus. Les gens t'aiment, aiment tes chansons. Ils ne viennent pas pour te détester.

Au final, un mois et demi de répétitions dont la première semaine fut entièrement consacrée à remonter le moral de Claude. Et au moment de faire les spectacles, c'était à recommencer ; pourtant la salle était pleine, les applaudissements au rendez-vous et chaque soir, les ovations déferlaient. Claude ne voyait pas son bonheur. Ou le voyait-il trop, avec la peur qu'il ne lui échappe à nouveau ? Pour

*Claude Léveillée entouré de ses camarades musiciens vers 1964.*

Claude, chaque soir de triomphe est du domaine du rêve et, incrédule, il demande toujours à être pincé. Ont-ils vraiment aimé ?

Après seize ans, la complicité Léveillée-Gagnon revit comme au premier jour. La Place des Arts est remplie trois soirs d'affilée et près de 9000 personnes ont pu assister à ces retrouvailles. Pour la chanson *Taxi*, on fait réapparaître l'humoriste Yvon Deschamps à l'accordéon et à la batterie ; il rappelle avec son humour singulier qu'en 1964, la plus grande qualité d'un batteur était qu'on ne l'entende pas ! Ce qui, évidemment, fait crouler de rire le public. Et Deschamps s'esquive rapidement pour rendre la scène à Léveillée. Les compagnons des premières heures sont là, incluant le producteur Guy Latraverse et même l'excellent saxophoniste Nick Ayoub.

André Gagnon et son compère Claude Léveillée se sont retrouvés ensuite à plusieurs reprises sur scène ou sur un plateau de télévision, s'invitant notamment à tour de rôle à l'émission *Le Plaisir croît avec l'usage* dans les studios de Télé-Québec. Et leur dernière collaboration professionnelle fut le 25 juillet 2003, en ouverture des Francofolies de Montréal, pour le spectacle *Intemporel* célébrant à la Place des Arts les 50 années de carrière de Claude Léveillée.

Je me souviens du travail préparatoire de ce spectacle ; j'y étais et j'y participais en tant qu'adjointe de Claude. J'ai vu André affronter avec calme la nervosité de Léveillée ; je l'ai vu comprendre le langage musical de Claude et le traduire par un simple geste au chef d'orchestre Scott Price. Cela me rappelait la scène de la dictée du *Requiem* à la fin du film *Amadeus* de Milos Forman, lorsque Salieri semble même entendre ce qui se passe dans la tête de Mozart.

Même dans les silences, André entend toutes les notes de Claude.

L'un est le *yin*, l'autre est le *yang*, les pianos côte à côte en font foi.

## FRÈRES D'ENCRE

En entrant au restaurant Tonnerre de Brest, je découvre le quartier général du dramaturge Marcel Dubé où il est toujours accueilli comme un membre de la famille par les propriétaires Lionel et Pascale Gacougnolle. C'est là qu'il me livrera les détails de son importante collaboration avec son ami Claude Léveillée.

D'emblée, Marcel Dubé ne se rappelle pas avoir croisé Claude Léveillée à l'Université de Montréal quand je lui montre l'affiche où l'on peut lire que Claude a joué et chanté en lever de rideau avant *Le Naufragé*, pièce en deux actes et douze tableaux qui fut présentée sur la scène de l'Auditorium du 15 au 17 mars 1956.

Ces soirs-là, le dramaturge n'y était pas. *Le Naufragé*, nouvelle version de la pièce *Le Chant des cigales*, avait été écrite en 1955. Après sa création, Marcel Dubé ne suivait pas son œuvre partout où elle était jouée ; il était déjà occupé ailleurs.

Alors était-ce le 6 mai 1959 lors du *Gala des chansonniers* au Gesù ? Marcel était responsable des textes de transition entre les différentes prestations des participants au concours et Claude avait mérité la douzième place avec sa chanson *Les vieux pianos*. Étrange classement, maintenant que l'on connaît la longévité de cette chanson qui suscitera quelques mois plus tard chez la grande Piaf un tel intérêt pour le talent de Claude.

Non, ce soir-là, ce n'était pas encore la rencontre Dubé-Léveillée. C'étaient seulement des auteurs qui se croisaient sur une même scène, des hommes guidés par le même désir d'écrire et d'exprimer quelque chose qui leur ressemblait.

En vérité, Marcel Dubé a fait la connaissance de Claude Léveillée en tant que spectateur assidu Chez Bozo. La boîte à chansons venait d'ouvrir à Montréal et la popularité de l'endroit, avec les talents réunis des Ferland, Desrochers, Brousseau, Lévesque et évidemment Léveillée, attirait déjà de grandes personnalités. Édith Piaf, Simone Signoret et Yves Montand, pour ne nommer que ceux-là, ont laissé l'empreinte de leurs mains et leurs signatures sur le mur de plâtre en une fresque faisant office de livre d'or. Le mur des célébrités n'a pas survécu à l'imbécillité d'un propriétaire désireux de rénover l'endroit, une fois l'effervescence passée. « Quel gaspillage », raconte aujourd'hui Marcel. En l'écoutant, je frémis à l'idée de la valeur qu'un simple morceau de ce mur de plâtre, une fois détaché et encadré, aurait pu prendre avec le temps !

Voici comment Marcel eut son coup de cœur Léveillée.

« Chez Bozo, lorsque Claude apparaissait au piano, il était d'une telle timidité, d'une telle modestie, fragile, incertain de plaire. Il en était émouvant. Avoir autant de talent et être aussi craintif, ça me touchait énormément. » La musique de Claude Léveillée émeut aussi le dramaturge. Elle est remplie d'images ; en l'entendant, chacun peut se faire son cinéma, sa scène, les tableaux se dessinent.

Ce n'est que quelques mois après que Claude est rentré de France, à la suite de son épisode Piaf, que s'amorce vraiment la collaboration Dubé-Léveillée.

Automne 1960, Marcel Dubé vient d'écrire le scénario de *Côte de sable*, un nouveau téléroman pour Radio-Canada. Il en confie la réalisation à Louis-Georges Carrier qui pense que Claude Léveillée est le comédien idéal pour jouer le rôle de Philippe, le jeune aviateur canadien. Il sera le fiancé de la magnifique Nathalie Naubert et les baisers qu'ils devront échanger seront d'une telle intensité que l'année de sa diffusion, le titre du « plus beau baiser à l'écran » sera décerné à ces deux personnages du populaire téléroman. L'émotion entre les deux comédiens est palpable ; Claude est subjugué. Tellement qu'un jour, il oublie un texte de cinq pages ! On tourne en direct, sur la Colline parlementaire à Ottawa, il neige et il ne faut rien laisser paraître. Nathalie, qui connaît les répliques de Claude, vient à son secours et improvise :

« Ne vouliez-vous pas me dire que vous me quittez par devoir et que votre cœur est déchiré ? »

Claude Léveillée et Marcel Dubé.

Et Claude répond avec intensité « Je... je vous aime » à chacune des lignes de Nathalie qui reprend habilement le texte de Claude.

Rien d'étonnant à cela. Claude est sous le charme de Nathalie ; il ne joue pas, il vit. Ne sachant comment lui dévoiler les sentiments qui l'habitent à son égard, il tente de se déclarer. À la Toussaint, au restaurant Chez son père qui est le rendez-vous des comédiens après le travail, il lui offre un bijou acheté chez un orfèvre. La broche représente un coquelicot en argent sculpté symbolisant la fragilité et la douceur sauvage que lui inspire la belle comédienne. Naïve et innocente, Nathalie voit dans ce cadeau un geste pur animé par l'amitié. Heureuse, elle montre fièrement le fermail à tous ses copains de plateau. Le hic, c'est qu'elle n'est pas libre de cœur ; son agent et amoureux Gérald Tassé, qui deviendra plus tard son mari, surgit au restaurant. Il ne voit pas d'un bon œil que Claude fasse un présent à Nathalie. Le jeune Richard Martin tente de calmer l'atmosphère et tourne à la blague l'offense ressentie. Claude apprend dès lors la loi du territoire masculin et retient la leçon. Enfin, pour cette fois-là...

Parmi les nombreux comédiens de la distribution, Louise Latraverse sourit à Claude Léveillée. Et l'homme se remet à rêver... En fait, deux hommes s'entichent de la belle comédienne. L'autre, c'est Pierre Bourgault qui a obtenu un petit rôle, un personnage de déserteur. Marcel Dubé l'a connu pendant le conflit syndical à Radio-Canada et a passé de longues heures à ses côtés sur les piquets de grève. L'auteur veut donner un peu de boulot au jeune Bourgault par solidarité, se disant qu'il pourrait avoir besoin d'argent.

Pierre Bourgault a vingt-six ans et du mordant. Il est responsable de la propagande du Rassemblement pour l'indépendance nationale (RIN) qui vient de naître et sa réputation d'indépendantiste peu modéré est déjà établie. Les commanditaires de *Côte de sable*, à travers leur agence, tentent de faire pression sur Marcel Dubé pour qu'il élimine le personnage de Bourgault. Furieux et voulant prouver qu'il n'est pas à vendre, Dubé se venge en offrant trois scènes supplémentaires à Pierre Bourgault ! Pierre, qui croyait que le boycottage dont il était l'objet venait de Radio-Canada, accuse publiquement la société d'État et Marcel doit s'expliquer avec la direction. Les choses se tassent et Bourgault s'oriente encore plus franchement vers la politique pour devenir le président du RIN en 1964. Son talent de communicateur s'avère, en réalité, plus grand que celui de comédien. Et il a bien vu que son chien était mort avec la belle Louise que Léveillée a charmée avec ses airs tourmentés de poète maudit.

Pour Marcel, le souvenir de Claude sur le plateau de *Côte de sable* lui rappelle la période où il a vu son ami le plus heureux dans la vie ; la camaraderie qui y règne semble nourrir Léveillée. C'est que ce premier contrat de comédien depuis son retour de France le rassure énormément. Le temps passé chez les Français lui a fait craindre d'être oublié par les siens, ses copains et le public. Et lorsque Claude a l'occasion d'offrir à ses collègues de plateau ses nouvelles compositions, il n'hésite pas à les partager avec eux. C'est ainsi que le premier public pour la chanson *La légende du cheval blanc* fut la bande d'amis du téléroman *Côte de sable*.

Au cours de la vie de comédien de Claude Léveillée, et dans pratiquement tous les rôles qu'il a joués, une constante se dégage : le personnage qu'il joue meurt toujours de façon dramatique, que ce soit dans un écrasement d'avion, lors de l'explosion d'une bombe, victime d'un assassinat ou par suicide assisté… Son personnage de Philippe n'a pas échappé à la funeste probabilité.

– Avez-vous tué Philippe parce que Claude est un acteur exécrable avec qui il est difficile de travailler sur un plateau, comme le font certains auteurs désireux d'en finir avec un comédien auquel ils sont menottés par un contrat ?

– Pas du tout ! L'histoire devait se dérouler ainsi. Je m'étais donné comme ligne de conduite de ne pas faire plus d'une saison avec cette histoire ; je tenais à conclure en beauté mais je voulais une fin tragique. Nathalie ne pouvant jamais oublier son beau Philippe entrait chez les Ursulines. Et de plus, il n'était pas question d'en finir avec Claude puisque après la mort de son personnage, je le faisais revenir souvent en fantôme qui hantait les pensées de sa fiancée ! Et toutes les scènes où Claude apparaissait étaient accompagnées de la même pièce musicale. En fait, c'est une musique qu'il nous avait fait entendre entre les répétitions, une des découvertes qu'il avait ramenées de Paris, le *Concerto d'Aranjuez* de Joaquín Rodrigo interprété par Narciso Yepes. Nous étions tous conquis par cette musique. Par la suite, Radio-Canada a reçu de nombreux appels des téléspectateurs qui voulaient absolument savoir quels en étaient le titre et l'interprète. C'est ainsi que les radios se sont mises à diffuser ce chef-d'œuvre au Québec, finalement grâce à Claude !

– Quelle qualité première retrouvez-vous chez Claude en travaillant avec lui ?

– La ponctualité ! Sans réfléchir deux secondes, je peux dire que Claude est l'être le plus ponctuel que je connaisse, il respecte toujours ses échéanciers. Lorsque je lui commandais une trame musicale pour un de mes téléromans, il me demandait aussitôt : "Tu veux ça pour quand, Marcel ? " Et la promesse qu'il me faisait était toujours honorée.

Ayant travaillé auprès de Claude ces dernières années, j'ai aussi remarqué que le respect des *deadlines*, comme il le dit souvent, a toujours été très important pour lui. Il faut savoir que la majeure partie de l'œuvre musicale de Claude Léveillée est le fruit de commandes qui lui étaient passées. Mais il l'avoue lui-même, il est paresseux. Ne l'imaginez pas s'amusant sur son piano dans ses temps libres, attendant l'inspiration. Non, il lui faut la pression de l'échéancier, le défi de rappeler celui qui a demandé une trame musicale ou un disque afin de lui dire : « Tu voulais la musique pour ton film ? Ben voilà, c'est fait ! » Et vlan ! Il suffit de passer une commande.

Pour l'avoir vu créer avec cette facilité déconcertante, je pourrais presque en vouloir à certains de ne pas avoir demandé plus souvent à Léveillée de faire la musique d'un film. La musique est dans ses mains, comme une rivière gorgée de notes. Il n'a qu'à ouvrir les écluses.

Là-dessus, Marcel Dubé a veillé au grain. Son œuvre de dramaturge est aujourd'hui indissociable de l'œuvre musicale de Claude Léveillée. L'un mouille les mots de son encre, l'autre y trempe sa musique. Dubé et Léveillée sont frères d'encre.

C'est grâce à Marcel qu'existe la magnifique chanson *Soir d'hiver*. Au Théâtre de la Marjolaine, pour l'été 1965, il adapte avec Louis-Georges Carrier *Le Misanthrope* de Molière afin d'en faire une comédie musicale ayant pour titre *Il est une saison*. Dans la célèbre pièce classique, le grand amoureux Alceste plaide pour une sincérité absolue en toutes circonstances et critique avec véhémence l'hypocrisie et les politesses intéressées ; la vérité à tout prix, voilà sa philosophie. Aussi, lorsqu'un orgueilleux tient à faire entendre ses rimes, pour lui donner une leçon il lui sert en exemple les conseils qu'il a donnés à un autre vaniteux de la plume :

> *Quel besoin si pressant avez-vous de rimer ?*
> *Et qui diantre vous pousse à vous faire imprimer ?*
> *Si l'on peut pardonner l'essor d'un mauvais livre,*
> *Ce n'est qu'aux malheureux qui composent pour vivre.*
> *Croyez-moi, résistez à vos tentations,*
> *Dérobez au public ces occupations [...]*

Et pour appuyer son propos, Alceste récite le texte d'une chanson vieillotte qui, selon lui, a fait preuve de sincérité dans toute la simplicité des mots. L'adaptation québécoise que veut en faire Marcel demande donc de citer un grand poète du Québec. Voilà le moment de rendre les honneurs à Émile Nelligan :

> *Ah ! comme la neige a neigé !*
> *Ma vitre est un jardin de givre.*
> *Ah ! comme la neige a neigé !*
> *Qu'est-ce que le spasme de vivre*
> *À la douleur que j'ai, que j'ai.*

Et c'est sur ces lignes que Léveillée écrivit sa musique, réalisant à son tour ce qu'il avait admiré chez son mentor artistique Léo Ferré qui avait su rendre accessible par la chanson les Baudelaire, Verlaine, Rimbaud, Apollinaire, Aragon et autres grands poètes. La réunion de la poésie de Nelligan et de la musique de Léveillée a donc pour fier parrain Marcel Dubé.

Pendant les répétitions au théâtre de Marjolaine Hébert à Eastman, Marcel et Claude se retrouvent devant Albert Millaire qui interprète la chanson pour la première fois. Le grand comédien de théâtre n'arrive pas à rendre la chanson comme l'imagine Léveillée qui lui dit : « Albert, tu en fais trop ! Cesse de déclamer. »

Différend artistique où s'affrontent les deux hommes. Selon l'avis de Claude, la projection théâtrale de la voix, comme le fait Albert Millaire, ne se prête pas à cette chanson. Aussi, par la suite, il se chargera lui-même de la chanter et de l'enregistrer sur un 45 tours afin qu'elle demeure comme elle doit être.

L'année suivante, en octobre 1966, Marcel Dubé écrit la pièce *Au retour des oies blanches* qui est créée à la Comédie-Canadienne, théâtre aujourd'hui légendaire fondé neuf ans plus tôt par Gratien

Gélinas. En trame musicale se joue la musique de Claude Léveillée qui accompagne les paroles écrites par Marcel. Ainsi naît une première chanson Dubé-Léveillée appelée *Au temps d'hier*. Elle sera interprétée par Louise Forestier mais jamais gravée sur disque.

J'ai demandé à Claude comment il avait composé cette pièce musicale. À l'époque, se retrouvait-il au piano pendant les répétitions des acteurs pour saisir l'émotion juste qu'il pouvait ressentir à voir jouer les comédiens ?

– Non ! Je n'étais pas là.

– Tu composais chez toi, sans voir la pièce ?

– Je n'avais pas besoin d'être là. J'avais le titre de la pièce, *Au retour des oies blanches*, et juste les mots me suffisaient. C'est si beau à imaginer, une immense volée, un nuage gigantesque d'oies blanches. Tout est là, dans les mots.

Les mots, Claude les entend. Ils se doivent d'être mélodieux à son oreille et pour cela, Marcel le comble. C'est un musicien de l'écrit qui considère que la langue française est la plus belle et la plus musicale qui soit. Il n'est pas surprenant de voir Marcel Dubé porter tour à tour, au cours de sa vie, le titre de secrétaire puis celui de président du Conseil de la langue française du Québec.

## Eastman

Le début de la carrière de Claude Léveillée est étroitement lié à l'histoire du Théâtre de la Marjolaine, à Eastman, qui constituait un atelier de création formidable pour les auteurs. On y travaillait très sérieusement et on n'y livrait pas qu'un simple divertissement pour vacanciers de la belle saison. De grands comédiens ont foulé les planches de la scène dans la vieille grange et c'est là que naquit en 1964 la première comédie musicale d'expression française au Québec, *Doux temps des amours*, sur un livret et des couplets d'Éloi de Grandmont et de Louis-Georges Carrier. La musique que composa Claude sur ces textes fut sa première participation aux productions du théâtre d'été. Dès lors, on se retrouvait avec une formule gagnante et on se lança dans la vente de produits dérivés ; les 45 tours des chansons extraites des comédies musicales évitaient aux pièces de théâtre de s'éteindre comme les amours d'été.

D'un été à l'autre, Léveillée compose des mélodies et joue parfois comme comédien quand son emploi du temps le permet. Justement, dans *Doux temps des amours*, Claude partage la scène avec

Patricia Soleil, Guy Sanche, Andrée Lachapelle, Benoît Girard et Louise Marleau avec qui on peut même voir le chansonnier danser le charleston !

Le 23 juin 1966, le Théâtre de la Marjolaine poursuit sa politique de diffusion d'œuvres québécoises en offrant à son public une nouvelle comédie musicale d'Hubert Aquin et de Louis-Georges Carrier, *Ne ratez pas l'espion*, toujours sur la musique de Claude Léveillée. Un 45 tours sera produit sous le même titre. La distribution de la pièce paraît étonnante aujourd'hui : Francine Dionne, Pascal Rollin, Guy Sanche, Andrée Lachapelle, Pierre Thériault, Guy Boucher, Monique Chabot, Philippe Arnaud, Élizabeth Chouvalidzé, Louise Forestier et un jeune homme consacré révélation de l'année en 1965 et dont l'avenir est prometteur, Robert Charlebois.

La même année, à la Comédie-Canadienne, Gilles Pelletier remonte sur la scène pour interpréter son célèbre rôle dans *Un simple soldat* mis en scène par Jacques Létourneau. Il n'est pas exagéré de dire que la pièce est devenue un pilier du théâtre québécois. Toujours en évolution, son auteur Marcel Dubé veut l'imprégner de la musique de Léveillée et lui-même se fait parolier. Les chansons ne sont pas utilisées pour la pièce afin d'éviter qu'elle soit trop longue, mais elles n'ont pas été écrites en vain car un microsillon est produit : *Claude Léveillée chante Un simple soldat de Marcel Dubé*[1] ; des titres comme *Les Roses d'été* et *À ceux qui cherchent des châteaux* se retrouvent parmi les quinze chansons de l'album.

Pour Léveillée, l'année 1967 est prolifique en matière de comédies musicales. Durant l'été, à Eastman, on présente *On n'aime qu'une fois* de Louis-Georges Carrier, toujours complice, et la distribution comprend alors Pascal Rollin, Élizabeth Chouvalidzé, Guy Boucher, Daniel Gadouas et Denise Pelletier.

En novembre, la nouvelle tragicomédie musicale de Louis-Georges Carrier, *Elle tournera la terre*, prend l'affiche à la Comédie-Canadienne. Carrier signe le livret, les dialogues et les paroles des chansons. De concert avec le concepteur des décors Hugo Wuetrich, il dirige les éclairages et, comme si ce n'était pas assez de chapeaux à porter, il se fait aussi metteur en scène. Claude Léveillée en est

---

1. Columbia FL-351, musique de Claude Léveillée, orchestration d'André Gagnon.

toujours le compositeur et assume en plus le rôle de Pierre. À la distribution, on retrouve les compagnons de scène habituels : Andrée Lachapelle, Benoît Girard, Marjolaine Hébert, Guy Sanche, Jean Besré et son épouse Lise Lasalle. La proximité des comédiens fait naître une flamme entre Claude et Lise qu'ils tenteront d'éteindre au plus vite tous deux, accablés par les remords de leur amour interdit. La brève idylle demeurera longtemps un doux souvenir à cueillir dans le jardin secret de chacun.

À l'été 1968, on commande à Claude une autre composition pour *L'Arche de Noé*, une nouvelle comédie musicale qui prendra l'affiche à Eastman. Tous ces succès qui s'enchaînent amènent Claude à s'interroger sur sa rémunération : sa musique ne mérite-t-elle pas d'être reconnue comme étant une contribution importante à la présentation de ces comédies musicales qui font le succès du Théâtre de la Marjolaine ?

Il sait qu'il peut faire confiance à son ami Marcel Dubé qui lui donne de bons conseils en tant qu'ardent défenseur des droits d'auteur et qui l'encourage alors à s'inscrire à la SARTEC[2]. Claude adore travailler avec ses amis d'Eastman, mais il ne veut pas être le dindon de la farce ; c'est pourquoi il fait appel à l'honnêteté de Marcel qui ne lui cache rien :

– Claude, tu n'as qu'à demander, comme je le fais, un pourcentage sur le tourniquet. Moi, on me paye pour ma pièce, ensuite je prends un pourcentage sur le nombre de sièges vendus. Si c'est un succès, j'en profite ; si c'est un bide, j'assume aussi. Ainsi, c'est juste, équitable et démocratique !

– Pourquoi ne me l'ont-ils jamais offert ? Je me suis toujours dit : "Qu'ils me donnent ce qu'ils voudront ou pourront, je ne signe même pas de contrat. Les applaudissements à la fin, c'est ce que je veux entendre, trop heureux qu'on écoute ma musique."

– Tant que tu ne demandes rien, mon vieux, tu n'as rien !

Ce n'est pas une excuse valable pour Claude. Après une discussion avec Marjolaine Hébert et son associé Louis-Georges, ceux-ci acceptent de revoir les honoraires de Claude mais pour lui, il est trop tard. Il sent qu'il se fait flouer depuis cinq ans.

---

2. Société des auteurs de radio, télévision et cinéma.

*Claude Léveillée et Andrée Lachapelle dans*
Le doux temps des amours, *1964.*

Il ne comprend pas toujours les difficultés financières qu'éprouvent les administrateurs à assurer le fonctionnement du théâtre d'été. Les statistiques de 1965 démontrent qu'en cinq ans, soit depuis sa fondation, le théâtre a accueilli 41 350 spectateurs avec une moyenne de 188 personnes par représentation. Les comédies musicales ont certainement fait grimper les moyennes d'assistance en quatre ans.

Il ne veut pas avoir le sentiment de mendier, mais dans une comédie musicale, la musique est indissociable de la pièce, elle la porte sur ses épaules. On aurait dû considérer Claude comme un associé. Ce n'est pas une simple question d'argent pour lui, c'est l'absence de reconnaissance de son art et surtout une blessure d'amitié. Malgré ce froid, Claude continue à travailler avec Louis-Georges Carrier. Cette fois à Radio-Canada : Louis-Georges y réalise *Table tournante* d'Hubert Aquin, un téléthéâtre diffusé le 22 septembre 1968. Il fait une fois de plus appel à la créativité musicale de Claude.

Cette année-là, une série consacrée à Marcel Dubé débute à Radio-Canada. Beaucoup de gens se souviendront avec nostalgie du *Monde de Marcel Dubé*, adaptation télévisuelle de plusieurs de ses textes. La musique du générique restera longtemps dans la mémoire des téléspectateurs québécois ; c'est signé, bien sûr, Claude Léveillée qui compose en plus la trame musicale des différentes pièces :

*Virginie*, diffusée du 4 juin au 2 juillet 1968 ;
*Médée*, du 9 au 30 juillet 1968 ;
*Manuel*, du 6 au 27 août 1968 ;
*La Cellule*, du 9 au 30 juin 1969 ;
*Florence*, du 7 au 27 juillet 1969 ;
*Bilan*, du 4 au 25 août 1969 ;
*Le Naufragé*, le 7 septembre 1971 ;
*Entre midi et soir*, du 5 octobre au 23 novembre 1971 ;
*L'Échéance du vendredi*, le 7 novembre 1971 ;
*Le Temps des lilas*, du 30 novembre au 21 décembre 1971.

En 1973, Marcel réussit à convaincre Léveillée de le suivre dans une autre aventure à Eastman. Une ancienne création de 1961 devient une nouvelle comédie musicale, *Pour cinq sous d'amour*, dont il signe le livret.

Quoi qu'il en soit, Claude n'est pas rancunier. Il laisse même son petit piano de bois blond au Théâtre de la Marjolaine mais à une condition précise : ce n'est qu'un prêt. Il demeure propriétaire de l'instrument tant et aussi longtemps que Marjolaine Hébert reste propriétaire du théâtre. Il ne veut pas que ce brave compagnon passe entre les mains d'un éventuel acheteur et surtout pas à un Américain spéculateur sans culture ! Marjolaine promet de respecter l'entente : le piano restera dans la famille. Le flambeau passe en 2004 à Marc-André Coallier qui demande à Claude Léveillée la permission de le garder sous le toit du Théâtre de la Marjolaine. Ce précieux symbole de la belle époque des premières comédies musicales, peint en rouge depuis, est devenu l'emblème de la boîte à chansons d'Eastman qui porte le nom de *Piano rouge* en l'honneur de Claude Léveillée.

Marc-André étant le digne fils de son père, l'animateur radio Jean-Pierre Coallier, Claude ne pouvait lui opposer un refus ; Claude se sentait redevable à l'homme qui avait généreusement fait tourner sa musique sur les ondes radiophoniques, comme son protégé. La chanson québécoise, selon Claude Léveillée, doit beaucoup à l'amour que porte Jean-Pierre Coallier à la chanson francophone et à son avis, plusieurs devraient se le rappeler.

## Le « grand truc »

Pour Dubé et Léveillée, 1974 est leur année « cinéma ». Richard Martin fait une adaptation cinématographique de la pièce *Les Beaux Dimanches*[3] de Dubé ; les acteurs principaux sont Jean Duceppe, Catherine Bégin et Denise Filiatrault. Claude compose la musique et enregistre un 33 tours avec des pièces instrumentales écrites pour le film. La pièce-titre *Les Beaux Dimanches* est la seule chantée par Léveillée.

Et l'étroite collaboration des deux créateurs se poursuit ainsi : une œuvre Dubé fait naître une œuvre Léveillée. L'écrivain est fier d'être souvent l'instigateur des belles musiques de Claude : «Lorsque j'avais à choisir un compositeur pour créer un support musical à ce que j'écrivais, la plupart du temps le nom de Claude Léveillée s'imposait. La première saison de *Côte de sable*, j'avais

---

3. Leméac, 1968.

d'abord choisi pour thème d'ouverture et de fermeture *As Time Goes by* de Herman Hupfeld, la musique thème du film *Casablanca*. Je voulais que cette série soit imprégnée du sens profond de l'émission : le temps qui passe. Mais à la deuxième saison, Louis-Georges Carrier avait plutôt préféré demander à Claude un thème original. C'est à ce moment que Claude a composé *Un retard*. Dès lors, les musiques originales composées par Claude furent mon premier choix, lorsque j'en avais le pouvoir. »

Juin 1975. C'est sur la scène du bateau-théâtre *L'Escale* qu'est créée la nouvelle pièce de Marcel Dubé, *L'été s'appelle Julie*. En fidèle complice, Claude compose une fois de plus la trame musicale. Il assiste au dîner de presse pour aider à la promotion de la pièce de son ami. Le concept d'un bateau-théâtre se promenant d'une ville à une autre ne le laisse pas indifférent : si c'est possible de rendre le théâtre vagabond, c'est aussi possible pour la musique, non ? Un nouveau rêve germe dans son esprit. Pour l'instant, il est trop tôt, mais l'idée va faire son chemin. L'imaginatif Léveillée en fera peut-être quelque chose ? C'est une histoire à suivre…

Les rencontres professionnelles entre Marcel et Claude sont prétextes à de bons dîners entre amis. Les repas bien arrosés au restaurant La Diva, en face de Radio-Canada, servent de contexte à des conversation comme celle-ci :

– Claude, un jour, tous les deux, on fera le grand truc !

– Créer une fois dans sa vie, une seule fois, quelque chose qui fait l'unanimité…, répond Claude.

– Oui ! On fera un ballet où se mêleront l'opéra, le théâtre, la musique et les paroles. LE SPECTACLE GLOBAL !

– Je te suis quand tu veux ; je suis prêt ! Marcel, quand est-ce qu'on le fait ce grand truc ?

– Bientôt… Bientôt, on va le faire.

Pendant des années, chaque fois que Claude parlera à Marcel, il lui demandera la même chose :

– Marcel, quand est-ce qu'on le fait, ce grand truc ?

– Bientôt… bientôt…, lui répondra immanquablement Marcel.

En juillet 1976, à l'occasion des Jeux olympiques de Montréal, Marcel doit monter un spectacle à l'Expo-Théâtre de la Cité du Havre. Pour la première fois, le Comité international olympique autorise pour les Jeux d'été la présentation d'un programme culturel au contenu exclusivement national auquel ne participeront que des artistes canadiens, surtout des Québécois. Marcel fait appel à la troupe de ballet jazz d'Eddy Toussaint et l'on demande à Eva Von Gencsy de chorégraphier le tout en deux semaines. Plusieurs styles se côtoient : la danse classique, des mouvements de jazz, le charleston et un soupçon de folklore. Ce sera *Fleur de lit*.

Claude, quant à lui, compose la trame sonore en trois semaines. La critique dira de sa musique qu'elle est hallucinante et étrange. L'argument de Marcel Dubé parcourt l'Histoire. Avec de nombreux sauts temporels, il s'inspire notamment de certains moments du temps de la colonie et de la bataille des plaines d'Abraham. Fleur de lit, le personnage principal, est une Québécoise qui se transforme au fil de trois siècles. Elle rencontre le poète Nelligan, vagabonde ensuite dans les années folles… C'est aussi l'histoire du Québec qui pousse comme un champignon fragile. Et le public s'amuse. À ce spectacle très nationaliste, on ajoute une teinte d'internationalisme ; ainsi sont évoquées la bombe d'Hiroshima et l'ère de la technologie. Claude assure la narration. Le lendemain de la première, les critiques sont mitigées mais le public a aimé. Mais ce n'est pas encore le grand truc…

En 1978, dans le cadre du 370e anniversaire de la fondation de la ville de Québec, on y était presque. Marcel raconte :

« C'est l'un des plus grands moments et l'un des plus beaux que j'ai vécus dans ma vie. Mon mandat était de faire un grand événement, un spectacle en plein air dans la cour du Petit Séminaire de Québec. Je choisis de raconter l'histoire d'Hélène Boullé, l'épouse du fondateur de la ville, Samuel de Champlain. Elle n'avait que douze ans lorsqu'il l'a épousée. J'ai demandé à Claude de composer un concerto, l'Orchestre symphonique de Québec et le chœur de l'église Saint-Dominique en assureraient l'exécution. Claude me dit :

– Je ne veux pas une chanteuse ordinaire, je veux que ce soit chanté en *humm*…, sans paroles.

– Tu penses à qui ?

– Je veux Danielle Licari. C'est elle qui a fait le magnifique *Concerto pour une voix* de Saint-Preux.

– Es-tu fou ? Elle ne voudra pas et on n'a pas le budget pour une vedette française !

– Laisse-moi m'arranger avec ça. Je vais l'appeler personnellement, elle va venir, je te le jure.

« Et quelques jours plus tard, Claude m'annonçait qu'il fallait lui payer le billet d'avion et, si je me rappelle bien, avec un cachet de 3000 dollars, elle serait là. Claude l'accueillerait chez lui.

« Le spectacle devait avoir lieu le 3 juillet. On ne demandait que cinq dollars pour le prix du billet, mais à vingt-quatre heures du spectacle, nous n'en avions vendu que huit ! C'était désastreux. Pendant toute une nuit, j'ai reçu des appels du représentant du bureau du premier ministre René Lévesque, puis du président du Conseil de la langue française et du responsable de la publicité. Ils ne me laissaient pas dormir, tous exigeaient la même chose :

– Il faut rendre le spectacle gratuit sinon il n'y aura personne ! On va se couvrir de ridicule et se taper le bide du siècle !

– Non, non et non ! je leur répondais. Je suis professionnel, pas question de déprécier le spectacle ! J'ai un budget à respecter et tout le monde doit être payé équitablement.

« Je suis resté fermement sur mes positions jusqu'à sept heures du matin. Un collègue m'avait dit que s'il faisait beau cette journée-là, on était sauvés ! Il a fait beau, la soirée était magnifique, 1500 personnes ont afflué, nous devions même en refuser, et ce fut ainsi complet trois soirs d'affilée. *Le petit concerto pour Hélène* était magnifique et la narration de Claude fabuleuse. Il a une voix tellement humaine. »

Mais ce n'est toujours pas le grand truc…

Marcel commande à Claude la musique pour un poème symphonique d'après un écrit d'Herménégilde Chiasson, jeune poète acadien de trente-sept ans. L'œuvre sera jouée le 2 juillet 1979 dans le cadre du 375e anniversaire de l'Acadie. Chiasson est un touche-à-tout : un jour réalisateur, un jour journaliste, un autre, scénariste, puis auteur… l'art sous toutes ses formes. À partir de cet événement, la poésie sur musique symphonique sera le nouveau créneau de Marcel et Claude.

Ils se préparent pour le grand truc…

Le 2 juillet 1980, les spectateurs de la salle Louis-Fréchette du Grand Théâtre de Québec ont peut-être assisté, pour un billet à moins de dix dollars, au projet le plus ambitieux de Dubé-Léveillée. En effet, une production du Comité organisateur des Rencontres francophones de Québec, dont le thème cette année-là tournait autour de « Questionnement 80 », a permis aux créateurs de faire naître *Un printemps inachevé ou Cinq Saisons pour un piano*, un poème symphonique de grande envergure faisant appel à 110 artistes sur scène. Gilles Pelletier et Dorothée Berryman défendaient les textes de Marcel Dubé qui avait écrit :

*Dans la marche d'un pays vers son identification, il y a certaines heures graves, et il arrive que l'une d'elles sonne au printemps, d'où un printemps inachevé. Mais rien de ce qui est né ne doit mourir et toute promesse doit se réaliser un jour. Le germe de la liberté ne s'embau.ne pas, le cri d'espérance ne peut toujours se taire et il n'y a pas de saisons mortes ; il ne peut y avoir qu'un printemps inachevé [...]*

Par la poésie, par la musique, on se consolait, on berçait un peuple dont la blessure était toute fraîche. Le 20 mai 1980, six semaines avant la première du spectacle, une majorité de Québécois avait refusé le projet de souveraineté-association proposé par le gouvernement péquiste. *Un printemps inachevé* était une autre façon de dire « à la prochaine fois » comme l'avait annoncé de façon si touchante le premier ministre René Lévesque le soir de la défaite du Oui. Le printemps est semence, l'idée va germer un jour prochain. À quand la récolte ?

*Un printemps inachevé ou Cinq Saisons pour un piano* reste gravé dans la mémoire de ceux qui se trouvaient au Grand Théâtre de Québec. Ils en cherchent encore la trace, un enregistrement sur disque. Claude Léveillée n'a pas l'habitude de laisser une œuvre vivre une fois, pour seulement quelques représentations sur scène. Ses musiques, comme celle des *Éphémères*, spectacle jamais représenté à cause d'un conflit syndical à la Place des Arts en 1963, ou *Fleur de lit*[4], spectacle de courte vie, ont pu être entendues sur des albums parus quelque temps après leur création. *Printemps inachevé* n'aura pas le même privilège. Toutefois, les bandes existent. Il n'est jamais trop tard pour bien faire ; si la souveraineté du Québec tarde à se pointer le nez sur les mappemondes, le disque prend aussi son temps. C'est donc pour une prochaine fois…

---

4. Certaines pièces musicales du ballet *Fleur de lit* se retrouvent sur l'album *Black Sun*, Polydor 2424 171 (1978).

Marcel Dubé n'est pas qu'un partenaire de création pour Claude Léveillée, il est aussi un ami fidèle, celui qu'on appelle quand les choses ne vont pas très bien. Encore aujourd'hui, le temps n'a rien effacé. L'ancrage est solide, les marées de la vie n'ont pas érodé leur amitié.

À l'époque, Claude a même eu recours à Marcel pour prendre en charge une amoureuse avec qui il venait de rompre.

– Marcel, je viens de terminer ma relation avec Ginette. Elle le prend très mal et semble avoir beaucoup de peine. Tu veux bien t'occuper d'elle quelques jours ?

– Comment pourrais-je ?

– Elle va arriver à l'aéroport de Québec demain. Si tu peux aller la chercher et peut-être, je ne sais pas, moi, l'emmener au restaurant et lui remonter un peu le moral. J'ai peur qu'elle fasse des bêtises... une bêtise irréparable.

Et Marcel était au rendez-vous du cœur brisé.

Tonnerre de Brest ! Que le temps file ! Avant de libérer mon invité, je ne peux m'empêcher de lui poser, en rafale, encore quelques questions :

– Trouvez-vous que votre ami Claude est cultivé ?

– Non ! Mais j'y mets un bémol, il crée sa propre culture !

– Et si je vous dis : Léveillée l'inquiet ?

– Oui, à s'en rendre malade. Je l'ai déjà vu paralysé avant de monter sur scène.

– Et Léveillée le séducteur ?

– Non, il est très maladroit avec les femmes. Enfin, il n'est pas un séducteur comme on a l'habitude de l'imaginer. Il est plutôt un grand amoureux, il cherche l'amour absolu, comme moi, pour le temps que cela dure.

– Claude Léveillée, disons, le généreux ?

– Sa générosité est de nous faire vivre de grands moments, il est un hôte très avenant. Je me rappelle, il nous avait invités, mon épouse Francine et moi, la veille d'un Jour de l'An. Il y avait parmi ses invités un ami suisse, Ricco Émiard, qui venait d'écrire de magnifiques paroles de chanson en hommage à Léo Ferré. Claude nous a réunis au salon et nous a dit : "Je vais partager avec vous ce que j'ai de plus intime et de plus impudique, ma dernière composition, la musique que j'ai composée pour mon ami Ricco sur ses

*Dans* Côte de sable *avec Nathalie Naubert, 1960-1961.*

magnifiques paroles, *Salut frangin.*" Ce soir-là, j'ai pleuré, nous pleurions tous. Claude était allé se cacher dans une autre pièce, par pudeur, et je lui ai crié : "Il n'y a que chez toi, Claude, qu'on puisse vivre d'aussi grands moments !"

Je sais de quoi parle l'ami Marcel. J'ai vécu quelques naissances musicales chez Claude et il est très troublant d'entendre pour la première fois une inédite, une œuvre qui vient à peine de naître, qui a encore les notes un peu mouillées, et de voir son compositeur, juste à côté, qui tremble encore de sa délivrance, attendant le verdict.

Minuit trente, il est temps pour Marcel et moi de nous séparer. Mais juste avant, j'ai envie de lui dire une dernière chose :

«Marcel, vous l'ignorez peut-être, mais je crois qu'avec Claude, vous l'avez fait, votre grand truc !»

## LE VOISIN

Gilles Vigneault arrive chez son ami et voisin Claude Léveillée avec un pot de compote de pommes qu'il a cuisinée lui-même[1]. Joignant l'utile à l'agréable, je profite alors de la visite du poète pour entreprendre l'entrevue que je souhaitais faire avec lui pour en savoir un peu plus sur sa collaboration artistique avec Claude.

Nous commençons par le commencement...

– Vous vous êtes rencontrés au *Chat noir* après son ouverture du vendredi 13 janvier 1961, n'est-ce pas?

– Oui, c'était après un spectacle que je donnais avec Gaston Rochon, mon pianiste. Claude était le directeur artistique et dirigeait la boîte avec Jean-Paul Ostiguy. Il était venu me voir à la fin et la conversation était à peu près celle-ci :

"Je m'appelle Claude Léveillée.

– Je le sais, je vous connais, et j'aimerais bien jouer du piano comme vous!

– Est-ce que vous auriez d'autres textes sur lesquels vous n'auriez pas de musique?

– Mais oui, probablement, j'en ai sûrement d'autres, je vais regarder ce que je peux trouver."

«L'idée de collaborer avec Claude Léveillée m'emballait. Il était connu, déjà un professionnel du milieu, et comme je débutais à peine à Montréal, je me disais que Claude allait m'introduire dans le métier. Bien que j'avais l'intention de composer mes propres

---

1. Son ami Claude s'est régalé et pour lui faire honneur, il a dégusté cette compote sur un sublime petit foie gras. Ça goûtait... le ciel, m'a-t-il dit.

mélodies sur certains de mes textes qui attendaient leur musique, je me suis dit à ce moment que plus on chanterait sur mes écrits, plus je serais connu comme parolier. Je crois que c'est la semaine suivante, pour mon second spectacle, que je lui ai apporté une série de textes. En fait, je me rappelle précisément lui avoir remis une pile de 56 textes que j'avais rapaillés dans mes affaires.

– Cette pile-là, monsieur Vigneault?

Je dépose sur la table, devant lui, le trésor de poésies précieusement conservé par Claude pendant plus de 45 années.

– Il a tout conservé!

– Vous devez avoir donné à Claude des copies et non des originaux.

– Lorsque je faisais des copies, c'était avec du papier carbone, mais il m'arrivait souvent de tout mettre dans le même dossier. Je ne m'en inquiétais pas, je me disais que ce n'était pas grave si je les perdais, je n'aurais qu'à en écrire d'autres! J'étais dans une période tellement prolifique. Mais voyez, j'avais raison de ne pas m'inquiéter; la preuve, c'est que tout est là. C'était entre bonnes mains!

– Vous allez peut-être retrouver de vieux écrits perdus. J'ai tout numérisé pour vous les remettre.

– Je vais fouiller là-dedans avec grand plaisir.

Gilles se rappelle que parmi les textes remis à Claude se trouve *Le rendez-vous* qu'il avait soumis au Concours de la chanson canadienne sur une musique de sa plume signée du pseudonyme, alors obligatoire, de Raoul D'Ailleurs. Gilles Vigneault avait reçu par retour de courrier le verdict du jury de l'émission télévisée : la musique est intéressante, mais le texte n'est pas extraordinaire et finalement ne présente guère d'intérêt! L'année suivante, Claude Léveillée décida de participer au même concours en déposant le même texte mais sur la nouvelle musique qu'il avait composée. Cette fois, tous les éloges furent rendus à Claude Léveillée : magnifique musique sur des paroles d'une grande poésie! Gilles en rit aujourd'hui et n'y voit pas un affront; cela justifiait plutôt sa collaboration avec Claude.

Dans la fameuse pile, il se souvient que se trouvaient déjà les textes de *Comme guitare*, *Il en est passé*, *Il n'y a pas de bout du monde*, *Les Coffres de l'automne*, et *L'Équateur*. Cette dernière chanson s'est

« *Léveillée, il est sans défense, en proie à tout. Du verre. Un rien le casse.* *Tout à coup c'est un homme. On oublie. On cogne. Impossible de lui garder* *rancune, il se met au piano et tout est pardonné.* »

*Gilles Vigneault*

rapidement retrouvée sur l'album éponyme de Claude Léveillée, enregistré en décembre 1961 et paru le 30 mars 1962[2]. La maison de disques avait flairé le courant de ferveur patriotique de la jeunesse qui réclamait de la chanson d'expression française créée par nos Canadiens français : des mots, des voix et de la musique d'ici. Tous avaient soif d'une identité, d'un pays...

À l'époque, Gilles Vigneault était aussi sous contrat avec Columbia et il enregistra son premier album en février 1962[3]. Léveillée et Vigneault se retrouvaient ainsi côte à côte, un vinyle chacun à leur actif, faisant leurs premiers pas dans l'industrie musicale, haut lieu de diffusion mais aussi de compétition...

En 1962, on récompensa Gilles Vigneault du Grand Prix du disque canadien de la radio CKAC pour son album éponyme (rebaptisé, depuis, *Jack Monoloy*) et Claude Léveillée reçut du même jury le prix de la meilleure composition.

## Le beau partage

Gilles Vigneault raconte : « De temps en temps, je voyais réapparaître un de mes textes que Claude me ramenait en me jouant au piano la musique qu'il venait de composer. De belles surprises ! C'était pour moi un enchantement de voir mes textes si bien mis en musique, de façon si à propos. Et je n'étais pas du tout ennuyé par le fait que c'était quelqu'un d'autre que moi qui le faisait. Par contre, je ne les chantais pas. Et là, vous allez me poser la question : "Pourquoi ne les avez-vous jamais chantées ? " »

J'acquiesce, heureuse que la question vienne de lui. Étrangement, c'est encore une énigme pour Claude qui ne comprend toujours pas pourquoi et qui n'a probablement jamais abordé le sujet directement avec Gilles.

– Ce n'était pas par prétention, orgueil, ou dédain, au contraire ! Une fois, j'ai chanté un texte de Pierre Calvé, *Quand les bateaux s'en vont*, pour faire plaisir à Joël Le Bigot et faire un clin d'œil à Pierre. C'est la seule fois, mais je n'ai pas enregistré cette chanson.

– Vous avez déjà chanté *Le rendez-vous*, non ?

---

2. Columbia FL-289/FS-535.
3. Columbia FL-292/FS-538.

– Oui, c'est arrivé à l'occasion parce qu'on me l'avait demandé. C'était ponctuel. Pas d'enregistrement, par contre. La raison pour laquelle je ne chantais pas ces chansons-là, c'était beaucoup pour ne pas embrouiller les gens. J'ai l'impression que cela aurait pu créer une méprise telle qu'on aurait pu croire que certaines de mes chansons étaient de Claude et que certaines autres qu'il chantait étaient les miennes. J'avais peut-être tort, je ne sais pas. Mais Claude m'a souvent cité comme parolier, le cas échéant, avant de chanter une chanson, ou il le mentionnait dans le programme.

– Vous ne vouliez pas souffrir la comparaison ?

– Il y avait peut-être de ça, mais j'en doute. À la vérité, je trouvais cela moins mêlant. Et je me disais que des textes, je pouvais toujours m'en écrire. J'étais dans une période où je pouvais en écrire 50 par année ! Ça n'avait pas de bon sens, c'était presque trop, mais ça devait sortir ! Et je ne lui livrais pas des textes sur lesquels je n'avais pas le goût de mettre de la musique, mais plutôt parce que je n'en avais pas trouvé. Et je savais qu'avec ces textes entre les mains, lui, il trouverait. Il faut savoir que plus les textes sont écrits de façon régulière, en prosodie et en métrique française, plus c'est facile de trouver une musique qui, souvent, est incluse dans les textes, presque suggérée. Mais après, cela demande un certain talent, et Claude avait ce talent certain pour faire de la beauté avec cela, quelque chose de plus.

– Lorsque vous écrivez, entendez-vous la musique dans votre tête ?

– Très souvent, et ça, c'est quand ça va bien ! Quand ça va mal, on entend la musique toute seule et on n'a pas les paroles. Quand ça va un peu mieux, on a seulement les paroles et pas la musique. Quand ça va très, très bien, on entend les deux en même temps, au moins pour un refrain ou un couplet qui devient un monstre comme on dit dans le métier.

– Claude vous a aussi offert des musiques vierges de paroles…

– Oui, je me rappelle une fois que j'étais passé à l'improviste chez lui avec Alison, ma compagne. On avait mangé ensemble et il nous avait gardés à dormir. Il m'avait dit qu'il aimait beaucoup un de mes textes, je crois que c'était *Ma jeunesse*, sur lequel la musique était déjà écrite. Mais il en avait aussi composé une très belle. On s'est demandé quoi faire, et je lui ai dit que j'allais trouver une solution. Et pendant la nuit, j'ai écrit une autre chanson exactement sur le même "piétage", la même métrique, et je l'ai glissée sous sa porte en partant le lendemain matin. »

Et Gilles Vigneault se met à chanter *La nuit, l'hiver :*

> *Ma maison sommeille*
> *Fermée à l'hiver*
> *J'ai mis mon oreille*
> *Au secret de l'air*
> *Quel œil me surveille*
> *Plus haut que la tour*
> *Quelle est la merveille*
> *Eau froide d'alentour*
> *C'est la lune...*

Et il poursuit : « Une autre fois, une nuit où j'étais chez lui, il me fit entendre une musique qu'il avait composée pour Édith Piaf. C'est elle-même qui avait écrit les paroles de *Non, la vie n'est pas triste,* mais Claude n'en était pas enchanté. Il m'avait dit :

"Pourrais-tu mettre d'autres paroles là-dessus ?

– Mmmouui, si tu penses que ça a du sens, oui on peut, que je lui ai dit, un peu hésitant."

Il s'est alors mis au piano, je lui ai demandé de me jouer l'air et j'ai commencé à prendre des notes. C'était le soir, Claude cognait des clous et il s'endormait sur le piano ! Je le réveillais et lui demandais de me jouer l'air encore ; j'en écrivais un bout et il allait se rendormir dans un fauteuil, tout près. Je devais le réveiller encore de temps à autre et il jouait tant bien que mal, à demi endormi ! Je lui disais :

"Allez, joue-moi ça, que je retienne la musique...

– Mais je te l'ai joué tantôt !"

« Et là je persistais :

"Comment veux-tu que je travaille dessus si tu es toujours en train de dormir ?"

« Et le pauvre Claude jouait comme un somnambule mais le faisait très volontiers. Et chaque petit bout achevé l'encourageait. C'est lui alors qui me disait :

"Lâche pas, c'est bon !" »

C'est ainsi que vers trois heures du matin, sur cette musique se signaient les paroles :

*Ah ! Que les temps s'abrègent*
*Viennent les vents et les neiges*
*Vienne l'hiver en manteau de froid*
*Vienne l'envers des étés du roi*
*Même le roi n'aura point oreille*
*À maison vieille où déjà ta voix…*
*L'hiver* [1963][4]

– On a travaillé quelques fois comme ça, admet Gilles, mais plus souvent qu'autrement, mes textes étaient le point de départ.

– Donc, Claude vous commandait des textes…

– Oui, et je crois qu'au début, il s'attendait à deux ou trois textes, mais c'est mon enthousiasme naïf de débutant qui m'avait fait apporter 56 textes et il n'a pas dit que c'était trop. Il m'a seulement dit qu'il y pigerait. Il semblait en avoir trouvé plusieurs qui faisaient l'affaire !

– Bien qu'au départ, vous offriez beaucoup de textes à Claude, vous ne lui en aviez pas réservé d'exclusivité ?

– Non, Claude savait déjà que je voulais chanter mes propres chansons. J'ai fait appel à plusieurs autres compositeurs par la suite comme Henri Hamel, Gaston Rochon, Pierre Calvé, Claude Gauthier, Laurence Lepage, Bruno Fecteau, Marie Savard, Robert Bibeau…

– Ne vous est-il pas arrivé de regretter votre don en voyant qu'il avait tant de succès ?

– À la vérité, jamais ! Claude m'a fait parfois de belles surprises comme avec le texte de *Avec nos yeux, Avec nos mains*. Je n'imaginais pas qu'on puisse faire une chanson avec ces paroles et je n'avais pas prévu en l'écrivant qu'il soit possible d'y mettre une musique. Lorsque Claude me l'a fait entendre, ainsi qu'à d'autres, nous étions tous ravis. Je l'ai chantée une fois, celle-là. Il avait pigé ça dans *Étraves*, le premier bouquin de poésie que j'avais écrit.

## La chanson aux sept vies

En fouillant encore dans les vieux manuscrits, Gilles Vigneault trouve le texte de *Bois des amours* et se met à fredonner :

---

4. Éditée en 1963 sous étiquette Columbia Mono FL 303/ Stéréo FS 603 ; réédition ESP-1411, Harmonie HFS-9084.

*Je vais droit devant moi*
*Sans m'attarder d'automne*
*Je n'ai pas coupé de bois*
*Je pars avec le froid*

Mais à ma stupéfaction, je reconnais l'air d'*Un retard*. Je soulève l'ambiguïté et ouvre une boîte de Pandore.

« Claude m'avait demandé d'écrire des paroles sur cette musique que j'aimais beaucoup. Et franchement, j'étais assez content du texte qui lui collait parfaitement. »

Je reprends le texte entre mes mains et me mets à le chanter, et c'est alors que je sens combien cette perle de poésie de Vigneault est dans son écrin musical avec la composition de Claude Léveillée. Chaque vers, chaque pied glissant sur les notes comme un patin sur la glace dans des arabesques sans chute. Et c'est alors que s'élucide le mystère de la chanson *Pour les amants*, car monsieur Vigneault vient de m'offrir le chaînon manquant. Il faut savoir que Claude Léveillée n'est pas homme à laisser une œuvre musicale dormir inutilement dans un fond de tiroir et qu'il aime bien donner une deuxième, voire une troisième vie à une chanson.

En 1965, Claude avait écrit la musique pour la comédie musicale *Il est une saison*, présentée au Théâtre de la Marjolaine, à Eastman. Parmi les chansons composées se trouvait *Bois des amants*, sur des paroles originales de Louis-Georges Carrier, qu'interprétait alors Dorothée Berryman. En 1967, Claude réarrangea ensuite le matériel musical de cette chanson qui servit de base à une nouvelle pièce, *Un retard*, chantée bouche fermée par Nicole Perrier sur l'album *Une voix, deux pianos* du tandem Gagnon-Léveillée. Seules des oreilles avisées pouvaient reconnaître *Bois des amants*...

En 1968, André Gagnon partit à Londres pour enregistrer son quatrième disque et demanda à Claude l'autorisation d'inclure *Un retard* en version instrumentale et il y ajouta une introduction plutôt rythmée. Le nouvel arrangement remporta un vif succès sous le titre *Only for lovers*. Cette nouvelle version, entendue quelque part aux États-Unis, vint aux oreilles du pianiste américain Roger Williams qui en fit la pièce titre de son nouveau disque[5]. La pièce

---

5. Roger Williams, *Only for lovers*, Kapps Records KS-3565-U.S.A. (octobre 1968).

instrumentale se retrouva vite au top des palmarès américains. Dans la foulée de ce nouvel intérêt que portait le marché états-unien aux compositions de Claude Léveillée, on lui demanda de composer des paroles en anglais sur sa pièce instrumentale. Claude confia l'écriture à l'auteur et parolier américain Will Holt, alors très sollicité sur Broadway, et la chanson porta le titre *Don't ask why*. Comme elle était éditée sur un 45 tours, Claude composa aussi la musique d'une chanson pour la face B, *If I call Montreal*, sur des paroles de Francine Forest.

Entre-temps, Claude confiait à Louis-Georges Carrier l'écriture, pour le Québec, de nouvelles paroles en français pour la musique d'*Only for lovers* qu'avait composée André Gagnon, question de mieux harmoniser le texte à son nouvel arrangement. Tandis que Louis-Georges écrivait les paroles françaises, que Will Holt travaillait sur la version anglaise, Claude avait aussi demandé à Gilles Vigneault, qui ignorait tout de ce qui précède, de trouver un texte pour cette même musique…

Gilles apprit donc par cœur l'air d'*Un retard*. Fort inspiré par la mélodie, il ne tarda pas à écrire *Bois des amours* qu'il remit à Claude en août 1968. Voilà que se posait un cas de conscience, mais aussi un problème de répartition des droits d'auteur… Gilles et Claude, bien que très satisfaits, n'osaient pas utiliser le texte de *Bois des amours*. Mais les paroles allaient si bien sur la musique! L'offense aurait pu être énorme pour l'ami Louis-Georges. Voyant la grande déception de Gilles, Claude décida d'offrir une nouvelle musique à *Bois des amours* qui allait paraître sur *L'étoile d'Amérique* (1969), le nouveau disque de Claude. Bien qu'elle ait eu moins de retentissement, elle vivait entre-temps une autre vie. Dès la première diffusion en juin 1968 d'*Un retard* avec Nicole Perrier, la pièce fit son petit bonhomme de chemin en devenant l'indicatif musical du *Monde de Marcel Dubé* à Radio-Canada. Pour une large part du public, on retiendra davantage ce titre qui s'est ainsi installé dans la mémoire collective québécoise.

Je ne peux résister à l'envie de demander à Gilles Vigneault s'il voudrait boucler la boucle, si Claude et lui s'offriraient le plaisir d'entendre sur un prochain album le texte de *Bois des amours* sur la musique qui l'a inspiré. Je vois ses beaux yeux bleus s'illuminer un moment, puis je verrai ceux de Claude, une fois informé de cette idée, mouillés par l'émotion. Mais, comme il y a quarante ans, une pensée va à Louis-Georges et cette chanson restera la chanson aux sept vies ou aux sept titres. On ne joue plus avec l'histoire.

## Le beau métier

Gilles Vigneault continue d'éplucher la pile de manuscrits. Soudain, il lance :

« Ah, voilà une drôle d'histoire de chanson ! »

Il vient de mettre la main sur un texte inédit, daté du 13 décembre 1958, qui a failli devenir une chanson Léveillée-Vigneault.

« Dans ce texte, j'écrivais :

> *Autour de la terre, il y aura toujours des moments de guerre,*
> *des moments d'amour,*
> *On aura beau dire, on aura beau faire...*

« J'étais assez content, mais peu de temps après j'entendis Brel chanter à la radio :

> *Mais on a beau faire on a beau dire*
> *Qu'un homme averti en vaut deux*
> *On a beau faire on a beau dire*
> *Ça fait du bien d'être amoureux...*

« Alors, j'ai oublié ça, la chanson n'a pas vécu et Claude n'a rien composé sur ces mots. Avais-je entendu Brel avant, par hasard ? Je ne sais pas. Mais mon texte était fini. »

J'ai convenu avec Gilles Vigneault qu'il pourra reprendre possession des textes dont il n'a plus de copies, sauf ceux annotés par Claude. S'ils ont inspiré une musique, je lui en remettrai alors une version numérisée pour ses propres archives. Il m'apparaît important qu'un poète comme lui puisse retrouver ses poésies perdues et légitime que son auteur puisse s'offrir le plaisir de porter son regard de maître sur sa création. Il en est le père, et Claude en bon parrain en a pris grand soin.

Sa main se pose ensuite sur *Les eaux de pluie*, un texte daté du 19 novembre 1962. Gilles semble fébrile de l'avoir recouvré et, convaincu qu'il est demeuré sans musique, il va le ranger du côté des esseulés. Un peu gênée, je l'arrête dans son geste.

— Je crois, monsieur Vigneault, que celui-là est devenu une chanson ; Claude a composé une musique...

– Je ne l'ai jamais entendue, je ne crois pas !

– Il m'apparaît étrange qu'il y ait autant de copies retapées à la dactylo, il y a sûrement travaillé.

– Mais en effet, ce ne sont pas des copies que j'ai dactylographiées, vous avez raison. Mais je n'ai pas souvenir d'une musique…

L'ennui, avec un compositeur comme Claude Léveillée qui ne note pas sa musique sur des partitions, c'est que si quelqu'un ne l'a pas fait pour lui, il n'y a que les bandes sonores qui permettent d'en retrouver la trace. Heureusement pour *Les eaux de pluie*, elle fut chantée à *La Butte à Mathieu* et un enregistrement en concert en est la seule version, parue seulement en 1999 6.

En voyant ses propres annotations sur un texte, Gilles Vigneault m'explique qu'il l'avait décortiqué pour comprendre sa structure. J'écoute le maître :

« Prenez *Si l'amour passe et meurt*, cette rime est masculine, et dans *Et si l'amitié reste*, la rime est féminine. »

Il poursuit ainsi en m'expliquant que le potentiel de transposition d'un texte en chanson dépend notamment de la distribution des rimes masculines et féminines dans le couplet « pour que ça adonne », complète-t-il. Gilles Vigneault décortique les strophes devant moi avec une envie de corriger ses vers de six pieds et le seul alexandrin dont la pause à l'hémistiche rétablit le rythme. Sa démonstration sur la métrique d'un poème m'apparaît comme une leçon de mathématiques.

« Bah ! C'est le métier… Il faut en faire beaucoup et ça vient tout seul », me dit-il en riant.

Nous poursuivons ainsi l'examen des manuscrits et trouvons une bonne soixantaine de textes que Gilles a écrits lorsqu'il présentait des chansons dans le cadre de l'émission *Harmonies du soir*, diffusée à Radio-Canada en juillet 1959, et à l'occasion d'une émission de variétés qui était en ondes en 1961.

« Je lui avais apporté une boîte, un fourre-tout, en lui disant d'y piger à sa guise. Il y avait des textes que j'avais écrits pour des émissions, mais il pouvait y avoir des idées de chansons qu'il aimerait que je développe. Mais il y avait tellement de textes désuets qu'il

---

6. *Au temps des boîtes à chansons : Les années de la Butte à Mathieu*, Étiquette Richelieu RIC 2 9951– (1999).

ne s'est jamais servi de tout ça. Je lui en apportais trop. D'ailleurs, un jour, dans mon grand enthousiasme alors que je passais lui en apporter encore, il m'avait dit : " Gilles, tu me fatigues, tu me fatigues. Gilles, t'en a trop ! " »

Et Gilles se met à rire. Il me raconte que dans sa période de prolifique création, il avait attrapé une manie, la maladie du papier. Il récupérait chez un imprimeur des retailles de papier qui avaient l'avantage d'être extrêmement longues, ce qui lui permettait d'insérer une seule feuille dans sa machine à écrire et d'y taper dix à quinze textes d'affilée en s'épargnant les changements de page. Comme il est capable de se moquer de lui-même, il me lance : « Voilà des maladies d'auteurs, mais ce n'est pas grave. On n'en meurt pas ! »

Je sais que lorsque Claude parle de Gilles, de son don pour la poésie et les beaux mots, et devant cette abondance qui l'habite constamment, il me dit de son ami poète : « Sa mine de plomb est sans fin, jamais elle ne s'épuise. »

## Madame Leyrac et les autres

Parmi les évènements majeurs qui ont révélé la collaboration Vigneault-Léveillée, il importe de souligner l'apport d'une grande interprète de leurs oeuvres, Monique Leyrac. Gilles Vigneault tient à le souligner :

« Monique Leyrac a été une ambassadrice de la chanson québécoise et elle a concrétisé ce que nous avions fait ensemble, Claude et moi. Elle a interprété ces chansons-là et leur a donné vie souvent d'une façon différente de celle de Claude. Certaines même ne furent jamais interprétées par Claude ! Monique a pris évidemment les meilleures et les plus belles réussites en musique et en paroles, et elle en a fait un disque extraordinaire. On peut lui dire merci puisqu'elle a rendu un grand service à nos chansons et c'est un des plus beaux disques qui se sont faits ici, en tout cas sur le plan interprétatif !

« Et elle a ouvert une porte ; si Madame Leyrac, une des plus grandes interprètes que nous avons eues, chantait nos chansons, nous pouvions nous voir interprétés par d'autres aussi, ce qui n'était pas négligeable ! Après quoi, cette grande voix qu'est aussi Madame Renée Claude nous a honorés en chantant *El senor* ainsi que beaucoup d'autres, et aussi Pauline Julien… Ces grandes dames ont fait des choses magnifiques avec nos chansons. »

En février 2008, à la demande de *La Presse*, 50 personnalités de l'industrie de la musique ont fait leur liste des meilleurs disques québécois de l'histoire. L'album *Monique Leyrac chante Vigneault et Léveillée*[7] s'est retrouvé parmi le top des 50 meilleurs albums qui comprend aussi les premiers disques de Léveillée et de Vigneault. L'année 1963 fut un millésime du meilleur cru.

Après ces années de collaboration mutuelle intense sur le plan professionnel, une certaine distance s'établit, elle était normale : Gilles n'est pas qu'un parolier et Claude n'est pas qu'un compositeur. Ils menaient tous deux des carrières parallèles. On retrouve tout de même deux textes de Gilles Vigneault sur les disques de Claude en 1965 et 1969.

Bien qu'éloignés sur le plan professionnel, les deux artistes sont géographiquement très proches l'un de l'autre : Gilles Vigneault s'est installé en 1970 à Saint-Placide, le village voisin de celui de Claude. Gilles passait souvent chez son ami qui lui avait notamment demandé de lui apporter des fourrures des Montagnais de Natashquan. Une simple visite pour le plaisir devenait bien souvent un prétexte à se rendre au piano. Mais même s'ils étaient de bons voisins, l'amitié qui les réunissait n'était pas à l'abri des petits irritants du voisinage facile. Claude est un loup solitaire qui n'aime pas les visites à l'improviste. Gilles apprit de la bouche d'un autre que Claude se plaignait des siennes. « Si c'est comme ça, on ne dérangera plus le loup… Plus un pas dans sa tanière ! » Ce n'était pas une véritable brouille, peut-être une petite délimitation territoriale ?[8] C'est ce que Gilles décida, mais ça, c'était pour les relations non professionnelles. La collaboration artistique continuait et en 1972, Claude tomba sous le charme d'un conte que Gilles avait écrit, *Le Dict de l'aigle et du Castor*. Il trouvait le texte si beau qu'il mit le conte en musique.

---

7. Étiquette Columbia FL-301/FL-601 (1963).
8. Chut ! Secret d'alcôve révélé par Claude Léveillée : en fait, ce qui le dérangeait, c'étaient les épanchements de Gilles qui était tombé follement amoureux de sa belle Alison, des « minouches-minouches » à n'en plus finir sur le divan de Claude !

## Mon pays

Résolument nationalistes, les deux artistes étaient régulièrement invités sur la même scène pour les manifestations patriotiques et lorsqu'il était temps de chanter le pays, le Québec, on pensait à Léveillée et Vigneault. En juin 1976, c'était Guy Latraverse qui organisait le spectacle de la Saint-Jean-Baptiste. Gilles précise un détail :

« Je dois me vanter ici et dire que c'est moi qui avais trouvé le titre *1 fois 5*. Mais tous les autres étaient d'accord. On en a bien ri. »

Les cinq « Jean-Baptiste », Robert Charlebois, Yvon Deschamps, Jean-Pierre Ferland, Claude Léveillée et Gilles Vigneault livrèrent ce soir-là un spectacle qualifié d'historique sur le mont Royal. On estimait la foule en liesse venue les applaudir à 300 000 spectateurs. La fierté d'être québécois était à son comble et le vent nationaliste gonfla les voiles du mouvement indépendantiste. En novembre 1976, le Parti Québécois avec à sa tête René Lévesque remporta les élections provinciales. Le spectacle *1 fois 5* devint l'emblème de la fête quasi tribale du peuple québécois.

Pour l'occasion, les cinq artistes écrivirent chacun le couplet d'une chanson commune, *Chacun dit je t'aime*. L'album double tiré du spectacle et paru l'automne suivant remporta un prix prestigieux de l'Académie Charles-Cros[9].

Mais Claude et Gilles avaient chanté le pays bien avant. En janvier 1965, Claude Léveillée s'envolait pour l'Europe afin d'enregistrer son disque *Claude Léveillée à Paris n° 1*[10]. Avant de traverser l'Atlantique, lorsque son avion survolait le territoire du Québec, il regarda par le hublot et fut soudain habité d'un émerveillement devant la beauté des terres découpées au gré des champs, des forêts et des villes. Puis, pris de vertige par l'étendue de notre terre, c'est à bord de cet avion qu'il écrivit *Mon pays*, juste avant d'entrer dans le studio parisien :

*Mon pays, c'est grand à se taire*
*C'est froid, c'est seul, c'est long à finir à mourir*

---

9. *1 fois 5*, album double, Kébec-Disc KD 923-924 (1976) ; réédition en CD, Gestion Son Image GSI-2117.
10. Columbia FL-318-FS 618 (1965).

*Entendez-vous les vents, les pluies, les neiges et les forêts*
*Mon pays quand il te parle*
*Tu n'entends rien tellement c'est loin*
*Loin, loin, loin, loin, loin, loin...*

Ne cherchez pas ce que la muse Calliope faisait en 1965. Elle inspirait les poètes en leur faisant ouvrir bien grand les yeux sur leur pays. Claude Léveillée par le hublot de son avion et Gilles Vigneault parti pour la Côte-Nord jouer dans *La neige a fondu sur la Manicouagan*, un film réalisé par Arthur Lamothe pour l'ONF. Voici comment Gilles raconte la naissance de sa chanson *Mon pays* :

« J'avais un rôle dans ce film aux côtés de Jean Doyon, Margot Campbell et Monique Miller qui, à cette époque, était mariée avec Claude. Et moi, je jouais son amoureux ! Nous, les gars, avons agacé Claude avec ça bien longtemps. Ce n'était qu'un rôle, elle était loin d'être amoureuse de moi ! D'ailleurs, on la taquinait parce qu'elle ne pouvait s'empêcher d'appeler son Claude tous les soirs de la Manicouagan ! Nous devions souvent arrêter le tournage, il faisait 35 degrés sous zéro et les caméras gelaient. Alors Lamothe me demanda avec son accent français du Gers :

"Écris-moi une chanson sur le pays.

Et je lui ai répondu en rigolant, me retournant et lui pointant le décor :

– Mon pays ? Mais regarde ça, c'est pas un pays c'est l'hiver !

Alors Arthur rétorqua :

– C'est ça qu'il faut que tu me dises !

Alors j'ai commencé, sans trop y croire...

*Mon pays ce n'est pas un pays, c'est l'hiver*
*Mon jardin ce n'est pas un jardin, c'est la plaine*
*Mon chemin ce n'est pas un chemin, c'est la neige*
*Mon pays ce n'est pas un pays, c'est l'hiver*

Je lui ai montré ça, puis il m'a dit :

– Mais c'est ça, c'est ce que je veux, continue ! "

Je n'avais pas d'instrument avec moi sauf un petit harmonica qui jouait d'un côté en do et de l'autre en ré. En revirant l'harmonica, ç'a donné l'air et Gaston qui était avec moi a pris en note toute la mélodie. »

À l'instar de Félix Leclerc, Gilles Vigneault et Claude Léveillée sont nos poètes qui, par leurs écrits, ont montré leur grande sensibilité envers tout ce qui touche notre pays. On parle d'eux comme d'un triumvirat d'immortels.

Immortels… Je laisse les derniers mots à Claude Léveillée qui, en parlant de son ami Gilles Vigneault, semble le confirmer dans son éternité : « Gilles est cet être qui n'en finit plus de naître. »

*Claude Léveillée à la Manic dans les années 1960.*

Paroles : Louis-Georges Carrier
Musique : Claude Léveillée

## Bois des amants

À bien voir les amants
On s'aperçoit souvent
Que les passions muettes
Ne sont pas tant discrètes
Que tel pensant haïr
Ne fait que se mentir
Que ces affreux jaloux
Sont merveilleux époux
Que sentiment secret
N'est souvent que reflet
D'une timidité
Qu'on voudrait regretter
Mais à bien voir les amants
Quels que soient tous leurs défauts
On aimerait bien souvent
Pouvoir en faire tout autant
À bien voir les amants
On s'aperçoit souvent
Que les plus belles larmes
Font partie de vos charmes
Que le moindre soupir
Provoque le désir
Que l'ennui merveilleux
C'est celui d'être à deux
En cherchant l'inconnu
En cherchant l'absolu
D'un paradis perdu
Qui vous sera rendu
Mais à bien voir les amants
Quels que soient tous leurs défauts
On aimerait bien souvent
Pouvoir en faire tout autant
Mais à bien voir les amants
Quels que soient tous leurs défauts
On aimerait bien souvent
Pouvoir en faire tout autant

*Paroles : Louis-Georges Carrier*
*Musique : Claude Léveillée*

## Pour les amants

*Si je pense à demain*
*C'est pour mieux partir là-bas*
*Me tracer d'autres chemins*
*Que je ne connais pas*
*Sur ma vie tu as glissé*
*Sans laisser de souvenirs*
*Je ne crois pas au passé*
*Moi je vais vers l'avenir*
*Je suis seul dans ma peau*
*Je défends mes illusions*
*Et si le ciel est trop haut*
*La route est ma chanson*
*J'aime le temps d'un instant*
*C'est ainsi. Et pourquoi pas ?*
*Je repars à chaque instant*
*Je m'en vais et ne m'en veux pas*
*Je ne sais pas qui je suis*
*Mais je cherche toujours*
*Au fond des jours et des nuits*
*L'espoir d'un autre amour*
*Adieu, bye-bye, bonjour*
*Le temps est au départ*
*Pourquoi prendre des détours*
*Ma vie est en retard*
*Moi je suis seul dans ma peau*
*Je défends mes illusions*
*Et si le ciel est trop haut*
*La route est ma chanson*
*J'aime le temps d'un instant*
*C'est ainsi et pourquoi pas*
*Je repars à chaque instant*
*Je m'en vais et ne m'en veux pas*
*Si je revenais un jour*
*Vers toi je tendrais les bras*
*Mais en te disant toujours*
*Je repars et ne m'en veux pas*

## Tout quitter pour une femme

Sa maison est lumineuse, à son image. Femme de passions, Louise Latraverse collectionne celles-ci comme ses magnifiques théières qu'elle manie avec un art, une maîtrise toute rituelle lorsque vient le temps de servir le thé. Et quiconque la côtoie ressent immanquablement cette générosité qui émane de sa personne et cette éternelle jeunesse qui pétille dans son œil. Sage et philosophe, Louise Latraverse goûte la vie sans se plaindre des aléas qu'elle impose parfois. Car pour elle, on a toujours le choix d'être heureux ou malheureux. Et il suffit d'un regard pour la voir rayonner de cet amour passionné pour son métier de comédienne. Pas étonnant qu'elle ait charmé Claude Léveillée… ou est-ce l'inverse ?

Bien souvent, à écouter le récit des amours passées, je constate que la phase de rupture se relate interminablement, tandis que le prélude amoureux se décrit à la vitesse de l'éclair. Comme s'il fallait avoir honte d'avoir cru un moment que cet amour était celui d'une vie. Mais Louise Latraverse ne loge pas à cette enseigne. Elle n'est pas avare des bons souvenirs qu'elle garde de sa relation avec Claude Léveillée et elle prononce encore son nom avec une tendresse et une affection sincères.

À l'automne 1960, récemment arrivée de Chicoutimi, Louise croise Claude une première fois par l'entremise de leur réseau d'amis communs, dont Élizabeth Chouvalidzé et Margot Campbell.

Claude est revenu de chez Piaf en juin et s'est exilé à New York durant les mois de juillet et août afin de se consacrer à la comédie musicale qu'il compose pour Broadway. En attendant qu'aboutissent ses projets avec Édith Piaf à Paris et Anita Loos à New York, il doit reprendre son métier de comédien à Montréal pour gagner sa vie. En octobre, alors qu'il vient d'avoir 28 ans, il tombe follement amoureux de la belle Louise Latraverse sur le plateau de *Côte de sable*, à Radio-Canada.

L'idylle défendue ne reste pas longtemps secrète dans le milieu artistique et ce n'est pas sans heurts que Micheline, alors l'épouse de Claude, vit cette période difficile.

La séparation est houleuse et Claude culpabilise. Ses parents très catholiques lui reprochent d'avoir enfreint ses vœux de mariage et abandonné femme, enfant et devoir pour un coup de foudre. Mais lorsque Claude Léveillée tombe en amour, il s'y jette à corps perdu et rien ne peut le retenir. C'est cet homme qui a écrit que *L'amour ne se raisonne pas, il se donne.* Louise raconte : « Claude était très malheureux de ce qu'il faisait subir à sa femme. Moi, j'étais la méchante maîtresse. Mais nous étions si amoureux, si passionnés. »

Claude considère Louise comme la femme des femmes. Elle est rayonnante, enjouée, intelligente ; il lui trouve une ressemblance avec la belle actrice italienne Pier Angeli, la flamme pour qui brûlait James Dean. Pour elle, il fait retenir une table tous les soirs au Chat noir et exige qu'on place une rose au centre de la table.

Les parents de Louise n'étaient pas des gens stricts et sévères. Ils ne s'opposaient pas à ce qu'elle pratique son métier de comédienne, mais ils ne voyaient pas d'un bon œil que leur jeune fille de 20 ans fréquente un homme de huit ans son aîné, marié et père de surcroît. Ils avaient peur qu'elle gâche sa vie.

Malgré leurs réticences et bien qu'en 1961 le concubinage déclenchait encore beaucoup d'opprobre dans la société, Louise choisit elle-même un appartement, rue Coronet, pour y vivre avec son beau Claude. « Ah ! Je me souviens comment je l'avais décoré, je choisissais tout ! J'avais même fait fabriquer des chaises par un ébéniste. On recevait des tas d'amis, c'était un lieu de rencontre pour tout ce qui bouillonnait de nouveau chez les artistes. Et on commençait à parler d'indépendance avec Gilles Vigneault et Pierre Bourgault. J'ai vu naître de si belles chansons, là et dans le garage du docteur Jean-Paul Ostiguy, le propriétaire du Chat noir. »

Elle raconte ce qui l'a charmée chez Claude : « C'est un grand romantique, il aimait faire des surprises, des cadeaux, et il est très attentionné aux petites choses. Il m'a offert de beaux bijoux et souvent des fleurs. C'est un séducteur mais pas dans le sens de tombeur ou de collectionneur de femmes dans la lignée des Don Juan. Claude était plutôt séduisant, avec son allure de poète tourmenté, cet air de saule pleureur qu'il a dans le visage, et puis ce côté mystérieux qui nous donne envie de le percer. »

Quand je lui demande quel type de femme il faut être pour devenir la muse de Léveillée, Louise répond : « Claude s'entoure de femmes dans sa vie ; il n'aime pas les hommes, enfin très peu. Bien sûr, il y a Popol.[1] Les femmes aimées de Claude sont belles mais aussi intelligentes, avec de l'esprit. Ce sont des femmes qu'on admire, dont il peut être fier d'être accompagné, pas de simples trophées de chasse. Les actrices sont des séductrices et lui, il est séduisant. »

Mais la passion dure un temps. Vient alors un moment où ils retombent de leur nuage. Claude est centré sur lui-même. Être à ses côtés, ce n'est plus être à deux. Lorsqu'il compose, qu'il est en création, il faut disparaître ; Louise n'est plus chez elle. On ne peut plus s'amuser, rire, respirer. Quand Léveillée travaille, on ne badine pas car lui, il souffre !

Et il y a toujours eu chez la belle Louise cette envie de mordre dans la vie à belles dents. « Ce n'est pas drôle de passer du rôle de reine à plus de rôle du tout. Un temps, il nous pose sur un trône, puis un jour, on est assis à même le sol. La chute est de haut ! Moi, j'étais trop indépendante pour cela. J'avais ma propre carrière, je voulais m'amuser, sortir, me vivre. Et les hommes me tournaient autour... »

Le temps de la rupture s'annonçait, puis il y a eu cet élément déclencheur. Là-dessus, je lui rappelle un évènement enfoui très loin dans sa mémoire et qui demeure bien frais dans celle de Claude après toutes ces années : le soir où la nature décida qu'il n'était pas encore le temps pour elle de devenir mère, et pour Claude d'être à nouveau père.

« Mon Dieu, oui ! J'ai fait une terrible fausse couche... Je me rappelle tout le sang dans le lit. Mais le Bon Dieu a été gentil avec moi, dans le fond ; ce n'était pas une bonne chose que j'aie un bébé

---

1. Paul Buissonneau.

à ce moment-là. » Au souvenir de Claude, les parents de Louise furent appelés au secours de leur fille et en la voyant dans cet état, le père en colère somma Claude de ne plus s'approcher de sa fille et l'accusa de ce qui venait d'arriver. Claude s'enferma dans la salle de bains, se mit à genoux sur la mosaïque froide du plancher et pria Dieu de ne plus être attiré par les femmes.

Il ne fut pas exaucé, Dieu merci ! Car Dieu est mélomane et sait dans son infinie sagesse que, sans femmes à aimer ou à pleurer, Claude Léveillée ne ferait plus de musique.

Louise quitta l'appartement de la rue Coronet en laissant tout derrière elle et trouva une épaule accueillante chez Popol. Sans cris, sans drames, chacun prit son chemin ; ils ne se tenaient plus la main.

Alors que je m'apprête à quitter Louise pour aller retrouver Claude, la comédienne me confie un rôle de messagère : « Attends ! Je veux lui offrir quelque chose à ce très cher Claude. Je me rappelle qu'il a la dent sucrée. Voici deux petits pots de confiture que j'ai faite moi-même, et un mot pour lui. »

Comme quoi certaines amours laissent encore un goût sucré qu'on aime à se rappeler…

*Louise Latraverse à 19 ans.*

*En concert à l'auditorium Le Plateau, 1962.*

## De comptable à impresario

Guy Latraverse a 22 ans et c'est en tant que frère de Louise Latraverse, l'amoureuse de Claude, que le jeune étudiant de l'École des Hautes Études commerciales fait connaissance avec Léveillée qui courtise sa sœur au salon, chez leurs parents. En marge de cette alliance amoureuse naîtra non seulement une alliance professionnelle, mais aussi une carrière florissante pour Guy Latraverse.

Heureux d'avoir un beau-frère habile avec les chiffres, Claude lance une perche au jeune Latraverse en lui proposant de s'occuper de sa comptabilité ; Guy accepte. Comme bien des artistes, Claude abhorre les affaires comptables. On ne peut avoir tous les talents ; la musique, la poésie, ça va, mais les réalités financières sont barbantes et trop complexes. Mais il ne s'agit pas simplement de tenir un grand livre et d'aligner des chiffres dans les colonnes de débits et de crédits. Guy est chargé de percevoir les cachets de Claude, quérir sa paye de comédien à Radio-Canada, faire les dépôts bancaires, payer les factures, négocier l'achat de sa nouvelle voiture, une Karmann-Ghia, et aussi, tâche dont Claude tente le plus de se libérer, négocier la pension alimentaire de son ex-épouse qui digère très mal la rupture.

C'est le 13 octobre 1962 que se dessinent les premiers traits d'un nouveau plan de carrière pour Guy Latraverse. « Claude me téléphone en panique afin que je le rejoigne en toute vitesse à l'auditorium Le Plateau. Il me dit qu'il a négocié sans aucun contrat un cachet de trois cents dollars avec une jeune fille de seize ans, mais qu'il voit la salle se remplir de mille sept cents personnes qui paient de trois à quatre dollars le billet. Le profit est démesuré et totalement injuste pour lui ! Il me demande de venir arranger cela. Je m'empresse de le rejoindre en m'assurant d'être accompagné par un confrère étudiant en droit à l'Université de Montréal. La jeune fille fait venir son père et je leur dis que c'est du vol pur et simple. Je négocie avec fermeté à la hausse pour porter la somme à près de mille cinq cents dollars, si je me rappelle bien. Nous sommes ensuite allés fêter ce succès au restaurant et c'est alors que Claude en me félicitant m'a dit que dorénavant, j'étais son impresario ! »

Guy considère que les artistes sont mal protégés. Souvent, on leur demande la gratuité pour leurs services. Pourtant c'est leur métier, leur gagne-pain. Ne peuvent-ils pas vivre décemment ? Il devient alors agent, organisateur de tournées et producteur sans rien connaître de ce métier. Mais il est malin, débrouillard et il sait calculer.

Il se bâtit un bottin téléphonique de salles de spectacles assez fourni avec les dizaines de boîtes à chansons qui ouvrent partout au Québec et il épluche la liste des collèges, surtout ceux fréquentés par des adolescentes car Claude remporte beaucoup de succès auprès d'elles.

« Je proposais les récitals de Claude sous différentes formules, selon qu'il jouait en solo ou avec des musiciens ; le cachet variait de sept cents à mille dollars. »

Guy Latraverse ne signe aucun contrat avec Claude Léveillée, il perçoit simplement sa commission selon les normes du milieu artistique et dit encore aujourd'hui ne pas croire aux contrats entre un impresario et un artiste. À quoi bon imposer une relation entre eux par des articles contractuels, si le cœur n'y est plus ? Mariage forcé fait deux malheureux.

Après le succès remporté au Plateau, Guy se souvient d'une réussite encore plus grande :

« Au Palais Montcalm, c'était plein à craquer ! C'est fou comme les gens de Québec l'aimaient. Claude pouvait s'y produire vingt fois et la salle se remplissait toujours. Un triomphe ! D'ailleurs, je crois que la ville de Québec a vécu et vit toujours une grande histoire d'amour avec Claude Léveillée, même plus que Montréal. »

C'est d'ailleurs la seule ville où il y a eu émeute un soir de spectacle. Des vitrines furent fracassées et on a voulu faire porter

*Claude Léveillée, Guy Latraverse et André Gagnon, 1985.*

le chapeau à Léveillée en exigeant qu'il paie la facture. Claude a nié toute responsabilité ; il ne contrôlait pas l'enthousiasme de ses fans et il suffisait de quelques fauteurs de trouble dans une foule pour déclencher du grabuge. Claude n'est pas un chanteur de charme qui se déhanche sur scène ni une vedette du rock-and-roll appelant à la révolte. Il y a erreur sur la personne.

Guy n'est pas seulement son gérant, mais aussi son ami. L'été, il profite du terrain que Claude vient d'acheter à la campagne et il ira de nombreuses fois y faire du camping avec sa blonde Michelle qu'il épousera plus tard. De son côté, Claude est assuré d'être hébergé chez son ami Latraverse quand il a besoin d'un pied-à-terre à Montréal.

Maintenant agent officiel de Claude Léveillée, c'est avec lui que Guy Latraverse devient producteur pour la première fois à 25 ans. Léveillée est en deuil à la suite de l'avortement du spectacle *Les Éphémères* de Paul Buissonneau qui devait prendre l'affiche au nouveau temple du spectacle montréalais, la Place des Arts récemment inaugurée. Claude lance le projet fou d'en occuper la plus grande scène, celle de la prestigieuse Salle Wilfrid-Pelletier.

« Là, je tremblais de tous mes membres parce que je m'embarquais dans la production d'un spectacle à la Place des Arts, avec près de trois mille sièges à remplir ! Il fallait vendre toute la salle parce que sinon, il y avait un risque de déroute financière importante. Et Claude n'était pas rémunéré au bordereau, il ne recevait pas de cachet fixe pour ce spectacle : il serait payé à la participation et nous étions alors à un partage de 60/40, si ma mémoire est bonne. Mais en plus de ça, on enregistrait le concert pour la télévision de Radio-Canada. Le 27 avril 1964, c'était une première dans cette salle pour un auteur-compositeur québécois et pour ajouter au stress, on en faisait un enregistrement *live* pour son prochain album. Cet évènement allait prouver que s'amorçait la conquête du public québécois par la chanson québécoise ! »

La réputation de Guy Latraverse est maintenant solide. Son écurie d'artistes s'élargit.

« Robert Charlebois dans *L'Osstidcho*, j'avais jamais vu rien de tel de toute ma vie. Je me suis dit que je ne pouvais pas passer à côté de ça et lorsque j'ai découvert Yvon Deschamps, je me suis dit que c'était un génie ! » Se greffent également autour de lui les vedettes européennes qu'il invite à venir se produire au Québec. Et ce ne sont pas les moindres : Charles Aznavour, Enrico Macias, Dalida, Guy Béart, Léo Ferré, Petula Clark, Mireille Mathieu et bien d'autres. Guy Latraverse devient le chef d'une entreprise reconnue. Il fonde et exploite de nombreuses compagnies dont Kébec-Spec, Kébec-Disc et aussi Kébec-Films pour la production d'œuvres cinématographiques.

On pourrait s'interroger sur les raisons d'une rupture professionnelle entre Claude Léveillée et Guy Latraverse. Claude n'arrive pas à l'expliquer, pas plus que Guy d'ailleurs. «On n'est pas fâchés, il ne s'est pas passé une affaire, un coup de Jarnac, il ne m'a pas poignardé et moi non plus… Il s'est créé une distance, tout simplement. Il s'agissait peut-être d'un désamour, d'un manque d'intérêt, je ne sais pas, il n'y a pas d'explication précise. »

Hormis le temps qui éloigne, n'avait-il pas trouvé difficile de travailler avec Claude ? «Oh ! ce n'était sûrement pas le plus facile ! J'ai géré la carrière d'Yvon Deschamps pendant 25 ans ; il a un langage simple, direct, pas compliqué. Avec Jean-Pierre Ferland, on est pareils : deux gars qui se parlent en allant droit au but et tout s'arrange. Ce n'était pas compliqué non plus avec Diane Dufresne, je suis fou d'elle ! J'en suis passionné et je n'ai aucune difficulté à m'entendre avec elle parce qu'au fond, je dis oui à tout ce qu'elle demande. Mais Claude, c'est un ombrageux, un brumeux, il a de gros états d'âme. Il n'est pas toujours content, on ne sait pas toujours comment le prendre. C'est le genre de gars qui peut te faire réagir en disant : "Coudonc ! J'en ai marre, moi, là ! J'ai d'autres choses à faire. J'en ai assez de ce genre de *feeling.* " En réalité, je le répète, Claude n'a rien fait de précis pour provoquer une séparation professionnelle. Mais que voulez-vous, il n'est pas positif, alors vient un temps où on se dit : qu'est-ce que je fais là ? »

Lorsque je lui demande s'il avait goûté à des crises de colère de Claude, d'emblée il dévoile honnêtement un aspect de sa personnalité qu'il assume complètement. «Je dois vous avouer quelque chose : JAMAIS un artiste, quel qu'il soit, ne m'a fait une colère, car ils devaient se douter que j'allais tout foutre par la fenêtre parce que je suis un violent, un colérique. Moins maintenant, depuis que j'ai été diagnostiqué maniaco-dépressif, mais il y a vingt ans, c'était une tout autre histoire. »

Guy conserve une profonde affection pour son copain des premières heures. Il le retrouve en 1976 lors de la production du spectacle *1 fois 5* et tout au long de sa carrière, il ne manque pas de le produire avec plaisir aux Francofolies de Montréal. Et Guy était là pour célébrer les cinquante années de carrière de Claude en 2003, jusqu'au spectacle en son hommage à la Place des Arts en 2005.

Plusieurs se targuent d'avoir été impresarios de Claude Léveillée. Pourtant, lorsqu'on demande à l'intéressé qui sont ceux, dans sa vie, qui peuvent porter ce titre, il répond : « Guy Roy et Guy Latraverse. Mes deux Guy ! »

## BROADWAY, *ON AND OFF*

Quand il rentre de Paris le 1ᵉʳ juin 1960, Claude Léveillée doit repartir de zéro au Québec. Enfin, presque, car soyons honnêtes, ce n'est pas vraiment pour lui le point zéro. Auréolé du prestige que lui a conféré son passage aux côtés de Piaf, il se fait regarder différemment. Il porte des complets européens de coupe impeccable, il a un soupçon d'accent parisien et les femmes lui jettent des oeillades admiratives auxquelles il n'est pas habitué. Ce grand timide avouera plus tard que c'est avec une certaine fierté qu'il reçut ce nouvel intérêt que lui manifestait la gent féminine.

Un dos se redresse, un torse se bombe…

Mais il doit gagner sa vie. Il ne peut attendre après Édith Piaf dont la santé chancelante met en péril la création du fameux ballet *La Voix* et les droits pour la musique de ses chansons ne sont pas près de garnir suffisamment son compte de banque.

Même alitée à Paris, Piaf veille de loin sur son petit Canadien. Si elle ne peut en ce moment chanter sur la musique de Claude Léveillée, elle peut tout de même lui faire profiter de ses relations professionnelles.

Sa grande amie, la compositrice Marguerite Monnot, voit sa comédie musicale à succès *Irma la douce* présentée à Broadway. Le producteur David Merrick[1] a décidé d'investir dans ce spectacle

---

1. David Merrick (1911-2000), surnommé *The Abominable Showman*, fut producteur de nombreuses comédies musicales sur Broadway et remporta plusieurs Tony Awards, notamment pour *Hello Dolly!* qui fut portée à l'écran avec Barbra Streisand dans le rôle titre.

qui a triomphé en 1956 à Paris, puis à Londres. Et déjà, on connaît bien la compositrice de Piaf aux États-Unis pour la musique de sa chanson *La Goualante du pauvre Jean*, puisqu'elle y a atteint le numéro un des ventes sous le titre *The Poor People of Paris* chanté par Dean Martin.

Bien que l'ancien amant de Piaf, le peintre américain Douglas Davis, vive à New York, il reste en contact avec l'entourage de la diva. Il s'est aussi pris d'affection pour Claude lorsqu'il était à Paris. Le réseau se met donc en place pour présenter Claude Léveillée à certaines des plus importantes personnalités du monde artistique new-yorkais et hollywoodien.

À la mi-juin, Douglas Davis écrit à Claude :

*Cher Claude,*

   *Je sais que les choses doivent vous paraître très sombres depuis les dernières nouvelles plutôt mauvaises, donc je voulais vous écrire une note un peu plus encourageante. J'ai dîné avec deux amis – Anita Loos qui a écrit* Gentlemen Prefer Blondes *et plusieurs autres succès, et Bob Downing[2], directeur de production pour* My Fair Lady *– je leur ai parlé de vous et de votre talent, et les deux m'ont dit que New York avait justement besoin de quelqu'un tel que vous ! Downing sera à Paris au milieu du mois de juillet (j'y retourne le 17) et il veut vous rencontrer. Madame Loos désire aussi vous rencontrer si elle s'y rend, sinon lorsque vous serez à New York. Elle a un autre projet de pièce et elle cherche justement quelqu'un pour faire la musique ! Elle dit que tous les « grands » sont soit vieux, soit morts,*

---

2. Robert Downing (1914-1975), acteur et critique, fut directeur de production sur Broadway pour des comédies musicales à succès comme *A Streetcar Named Desire* et *Cat on a Hot Tin Roof*.

*et aucune relève talentueuse n'est encore apparue. J'attends*
*avec impatience de vous voir en juillet pour vous en dire*
*plus. Entre-temps, donnez-moi de vos nouvelles, comment*
*vous allez, vous et Édith. Mes salutations à Michel Rivgauche*
*et Marguerite Monnot.*

*Douglas Davis*

Sans doute que ce courrier est d'abord parvenu à Paris, puis
qu'on l'a fait suivre à Montréal. Claude joint Davis par téléphone
pour lui expliquer qu'il laisse Édith recouvrer la santé avant de
retourner en France. Toutefois, l'aventure new-yorkaise l'intéresse
puisque quelques jours plus tard, Douglas lui écrit ceci :

*Cher Claude,*

*Après vous avoir parlé, j'ai téléphoné à Madame Loos*
*pour lui dire que vous vouliez venir. Elle a pris un rendez-*
*vous avec Herman Levin, le producteur de* My Fair Lady,
*mardi à 15 h 00 pour entendre votre musique. Elle a aussi*
*mentionné qu'elle serait intéressée de faire une comédie musi-*
*cale avec sa pièce* Happy Birthday. *Donc, ce voyage pour-*
*rait être fructueux. J'attends de vos nouvelles et j'ai très hâte*
*aussi d'entendre votre nouveau disque.*

*Sincèrement, Doug*
*P.-S. Venez lundi en soirée si vous préférez.*

Claude Léveillée fait donc la rencontre d'Anita Loos pour la
première fois le 30 juin 1960 à New York. Mais qui est donc cette
dame à qui il va présenter ses compositions ?
Anita Loos est née le 27 avril 1888 à Sisson, en Californie.
Très tôt, elle sut qu'elle vivrait de sa plume. Son premier scénario,
*The New York Hat* (1912) pour la Biograph Company, mettait en
vedette Mary Pickford et Lionel Barrymore. Dans sa longue car-

rière, elle écrira pour les plus grands du cinéma, dont Jean Harlow, Spencer Tracy, Joan Crawford, Clark Gable et bien d'autres stars tout aussi célèbres de Hollywood.

New-yorkaise d'adoption, Anita Loos devient chroniqueuse pour le magazine *Vanity Fair*, collabore régulièrement au *New Yorker* et *Harper's Bazaar* publie en feuilleton un de ses plus illustres textes, *Gentlemen Prefer Blondes*, qui deviendra un roman en 1925, puis un best-seller traduit en 14 langues dans le monde entier.

L'adaptation théâtrale de *Gentlemen Prefer Blondes* est créée sur Broadway au Times Square Theatre le 28 septembre 1926 et remporte un succès impressionnant au fil des 199 représentations en tournée qui suivent. En 1928, le réalisateur Malcolm St. Clair en fait une adaptation cinématographique avec Ruth Taylor et Alice White. En 1949, *Gentlemen Prefer Blondes* est reprise sous forme de comédie musicale sur Broadway et Loos en coécrit le livret avec Joseph Fields. Mais c'est surtout le film réalisé par Howard Hawks en 1953 et mettant en vedette Jane Russell et Marilyn Monroe qui fera la grande renommée de *Gentlemen Prefer Blondes*. Les deux actrices seront par la suite invitées à signer de leurs mains et de leurs chaussures le fameux trottoir du Grauman's Chinese Theatre sur le *Walk of Fame* de Hollywood Boulevard.

En 1955, la réussite au grand écran se poursuit alors qu'Anita Loos écrit une suite à *Gentlemen Prefer Blondes* tirée de sa nouvelle *But Gentlemen Marry Brunettes* parue en 1928. Mais Anita Loos est aussi séduite par l'aura de Paris, la Ville lumière, et surtout par l'œuvre de la romancière Colette. En 1951, elle a adapté la nouvelle *Gigi* de Colette pour Broadway et le spectacle au Fulton Theatre mettait en vedette une jeune actrice découverte peu avant par Colette elle-même lors du tournage de *Nous irons à Monte-Carlo* : la magnifique Audrey Hepburn. Anita revient à ses amours parisiennes en octobre 1959 avec une comédie musicale adaptée de deux romans de Colette, *Chéri* et *La fin de chéri*.

Quand Anita Loos rencontre Claude Léveillée pour la première fois, elle est encore dans sa phase « parisienne » et l'idée de recourir aux talents d'un compositeur d'Édith Piaf l'enchante. Anita lui présente David Merrick et aussi Gladys Shelley avec qui elle veut collaborer pour que celle-ci écrive les paroles des chansons de sa nouvelle comédie musicale qui s'intitulera *Parnasse*.

À cette époque, Gladys Shelley est une belle blonde filiforme de quarante-neuf ans et d'un chic exemplaire. Jeune fille, elle a été *Miss Camay* pour la populaire marque de savon et a épousé Irving Rosenthal, le riche propriétaire du célèbre Palisades Amusement Park. N'ayant pas eu le bonheur d'avoir d'enfant, Gladys jette son dévolu maternel sur ses nombreux chihuahuas qu'elle traite comme ses bébés. À l'époque où elle rencontre Claude, elle en possède un qu'elle a baptisé Debussy.

Gladys Shelley est une originale, mais aussi une parolière et compositrice chevronnée qui a signé de nombreux tubes et a été interprétée par les plus grands. Fred Astaire, Connie Francis, Vic Damone et Mel Torme ont tous chanté ses succès, de même que Bing Crosby qui a immortalisé *A Merry American Christmas*. Gladys a bien tenté l'expérience Broadway en 1946 avec *The Duchess Misbehaves*, mais ce fut un bide. Nul doute qu'elle veut aujourd'hui prendre sa revanche sur les critiques new-yorkais et qu'elle voit une occasion rêvée de le faire dans cette collaboration au livret de *Parnasse* avec la grande Anita Loos et Claude Léveillée, le jeune compositeur de Piaf.

Mais afin d'attirer les puissants producteurs, il faut une vedette incontestable et une salle disponible où tout ce beau monde peut répéter en même temps. Et il faut d'abord le livret, la musique et les paroles pour attirer la star qui appâtera, telle une tendre brebis, ces loups du business qui pourront aligner les dollars.

Monter une comédie musicale est probablement ce qu'il y a de plus long et pénible dans le monde du spectacle. Claude, toujours en attente du ballet *La Voix* que projette Édith Piaf, se lance dans une autre aventure où il va apprendre, avec bien des désillusions, le dur métier de compositeur à Broadway. Mais avant, revenons au 30 juin 1960, le jour où il fait la rencontre d'Anita Loos. Laissons Claude raconter lui-même.

## Une poignée de « trente sous »

New York, me voilà arrivé par train ; je suis trop fauché pour y aller en avion. Bon sang qu'il y a du monde ici ! Trop pour rien ! Je me sens perdu. Et toutes ces enseignes lumineuses qui clignotent... Les affiches publicitaires de cigarettes émettent même des halos de fumée !

Douglas Davis n'est pas là pour m'accueillir. Il m'a dit de me rendre directement à son atelier du 312 East, 35th Street, et bien qu'il n'y soit pas, la porte sera déverrouillée. En sortant de la gare centrale, je hèle un taxi jaune qui me dépose à son adresse, dix rues plus loin, devant un chauffeur étonné d'une course si brève. Comme prévu, j'entre et en guise de comité d'accueil, j'aperçois là une bonne douzaine de pigeons qui picorent et roucoulent au beau milieu de ce qui sert à Doug de salon ! Les fenêtres sont toutes béantes. Certes, j'imagine que l'atelier d'un peintre a besoin d'aération, mais voulez-vous bien me dire pourquoi il laisse tout ouvert même pendant son absence ? Comment je fais sortir ces volatiles maintenant ? Et si, parce qu'ils n'aiment pas être dérangés dans leur visite de l'habitacle humain, ils décidaient de reproduire la terrible attaque des oiseaux d'Hitchcock ? Allez, ouste ! Repartez par où vous êtes entrés !

Je vais casser la croûte avant mon rendez-vous avec Madame Loos. Je me rends cette fois à pied sur la 44th Street près de l'hôtel Algonquin. J'entre dans le plus typique snack-bar new-yorkais, je m'assieds sur un tabouret devant le comptoir et très vite, un homme muni de son calepin de commandes et d'un stylo me demande :

– *OK! And for you, sir?*

– *Well, I want...*

Je ne sais pas comment passer ma commande en anglais ; je regarde dans l'assiette de mes voisins puis je pointe un hamburger.

– *You want a burger with fries?*

– *I want the same, like this!*, lui dis-je en pointant précisément le hamburger en question.

– *Yes mister, but with french fries?*

– *Just like this, don't* échapper *this!*

Je n'aime pas aller au restaurant dans les pays étrangers ; je ne veux pas me retrouver avec le mauvais plat devant moi. On ne sait jamais ce qui peut aboutir là-dedans lorsqu'on ne se fait pas comprendre. Un hamburger à New York, je ne me trompe pas, c'est simple, ça se prononce pareil en français non ?

Bon, ce sera mon régime alimentaire pour les États-Unis.

Je vais ensuite à mon rendez-vous et me dirige donc vers le 171 West, 57th Street, à deux coins de rue de Central Park. L'édifice est cossu, la façade est ornée d'un auvent en demi-lune et sous le porche, un valet m'ouvre la porte en me saluant de la tête et me tendant une main... Je crois qu'il s'attend à un pourboire. Bon, j'ai bien une pièce de vingt-cinq cents dans les poches.

– *For you*, lui dis-je en posant la pièce dans sa main.

– *Thank you sir*, me dit-il, toujours en inclinant la tête.

Je me dirige vers le comptoir du concierge.

– *Excuse me sir, I have an appointment with Miss Anita Loos.*

– *Yes sir, let me call her at her appartment...*

Après l'appel, il me reconduit devant l'ascenseur et en me saluant, il me tend la main... Heu... Je crois bien que le message n'est pas subliminal ; il est clair que je vais larguer encore une pièce. Bordel, le simple fait d'entrer dans cet édifice vient de me coûter deux cafés !

J'entre, un garçon d'ascenseur me demande à quel étage je veux monter et presse le bouton. Aussitôt arrivés, il retient la porte ouverte en me saluant et me tend discrètement la main. J'imagine qu'il se prend pour un sherpa qui m'a aidé, moi, pauvre explorateur des altitudes, et que cela exige rémunération pour ses bons services ! Eh, bien, c'est que je n'ai plus de pièces, moi !

– *Sorry, I don't have money.*

Il fait comme s'il n'avait rien demandé et en même temps, le rictus de son visage me donne l'impression bien nette qu'il me considère comme le premier radin qu'il a rencontré à ce jour. Je hausse les épaules et vais cogner de trois petits coups légers à la porte de Madame Loos.

C'est un *butler* qui m'ouvre, un vrai de vrai, comme dans *Autant en emporte le vent*, de race noire avec un large sourire de dents blanches et un peu de gris dans ses cheveux crépus. Il me dit :

– *Mister Le... Vel... Leur, excuse me sir, Li... Vil...*

– Léveillée... *But just call me Claude, more simple like that!*

Il m'offre un sourire plein de gratitude pour l'avoir libéré de cet effort de prononciation et me fait entrer dans le salon d'Anita Loos qui m'attend, bien assise sur un divan de style Louis XV recouvert d'une housse de plastique. D'ailleurs le piano et tous les meubles en sont recouverts ! À ses côtés se trouvent Gladys Shelley et son chien qui semble bien excité et qu'elle tente de calmer en lui embrassant le bout du museau.

Anita est un petit bout de femme de quatre pieds et onze pouces, toute menue et pesant à peine 90 livres. Elle a les cheveux remontés en chignon et des boucles de danseuse de flamenco festonnent ses pommettes. La septuagénaire est encore très coquette et vive d'esprit, avec des yeux très expressifs. Quant à Gladys, c'est une femme racée, blonde, les cheveux aux épaules et d'une taille aussi fine qu'une allumette qu'on pourrait faire craquer entre les doigts ! Si elle a quarante-neuf ans, ses jambes en ont seulement vingt-huit !

Elles m'accueillent toutes deux avec beaucoup de chaleur, me demandent des nouvelles de cette chère Édith, et je leur fais entendre *Les vieux pianos*, *Ouragan* et *Boulevard du Crime*. Elles adorent. Modestie oblige, je tairai tous les qualificatifs dont elles m'ont comblé, mais c'était franchement très flatteur.

Anita Loos me présente à David Merrick comme elle me l'avait promis. En nous rendant à son bureau, elle m'explique que c'est un monsieur hyper important, qu'habituellement il faut attendre des mois pour le rencontrer, que je dois être conscient du privilège qu'il nous accorde. Bref, c'est le Bon Dieu de Broadway ! Il m'apparaît assez sympathique avec ce genre à la Clark Gable portant un costume sur mesure, les cheveux noirs bien lissés vers l'arrière, une moustache fine et des yeux assez globuleux. Il fait de l'humour noir et rigole beaucoup avec Anita. Il nous reçoit assis dans son fauteuil de cuir sombre, derrière un somptueux bureau en acajou, et semble intéressé.

En rentrant chez Anita qui est très heureuse de l'accueil de Merrick, celle-ci invite Gladys à nous rejoindre pour fêter cela. Cette dernière ne tarde pas à arriver puisqu'elle habite à cinq minutes de là, au 875, 5th Avenue, dans un des immeubles les plus chics entourant Central Park.

Gladys et Anita échangent des idées qui fusent les unes après les autres : il s'agira d'une comédie musicale qu'elles baptiseront *Parnasse*, un, deux, trois, adjugé ! Gladys me dit que je dois écrire une musique entraînante et typique pour les « bazoums »… Là, devant mes yeux en points d'interrogation, elle éclate de rire et me dit :

– *Oh ! Dear Claude, you are too young !*

Elle m'explique qu'il s'agit des jupes à volets que les danseuses de French Cancan font virevolter pour mettre en valeur une cascade de jupons et elle se lance dans une démonstration, ma foi, assez époustouflante et de surcroît essoufflante, et je ne peux qu'applaudir. La fière Gladys a été danseuse dans ses jeunes années et ses magnifiques jambes en témoignent encore.

Je suis prêt à me mettre au boulot tout de suite, je n'aime pas ce qui traîne. Vous voulez une comédie musicale ? Je vais vous la composer, moi ; il me faut un piano, c'est tout ! Ah ! Que j'envie les guitaristes, parfois, leur instrument est portatif et de plus, ils peuvent cacher leur ventre derrière. Mais moi, je suis pianiste et je n'ai pas de ventre.

J'explique à mes marraines américaines que je ne peux constamment faire des allers-retours entre Montréal et New York, que je n'ai les moyens de m'offrir que le train à l'occasion, l'avion étant trop dispendieux, que le luxe de l'hôtel m'est inaccessible et qu'il n'est pas question pour moi de crécher indéfiniment au studio de Douglas Davis. Et en plus, simplement pour se rendre jusqu'à leurs appartements, il faut en avoir plein les poches juste pour les pourboires.

Mon désarroi les fait bien rire et elles règlent d'un coup de téléphone mon problème de logement : une première nuit à l'hôtel Algonquin (à ce qu'il paraît, on y parle français), puis on me prêtera un appartement qui appartient à un fonctionnaire, je crois, avec l'assurance d'y trouver un piano de sept pieds. J'y travaillerai pendant tout le mois de juillet jusqu'à 19 heures chaque soir. Il semble que ma destinée est de me faire enfermer pour composer.

Anita et Gladys s'amusent alors à plonger une main dans chacune des poches de mon pantalon pour y glisser une poignée de « trente sous » ! Quel sentiment bizarre, je me sens comme un gigolo ! Alourdi par les tas de pièces qui pourraient déchirer à tout moment la doublure de mes poches, je peux redescendre de l'appartement dignement, sans emprunter l'escalier. Je sème avec munificence dans chaque main tendue une rutilante pièce de vingt-cinq cents.

– Voilà ! *A quarter for you !*

– Merci, *sir*…, me répondent-ils tous en souriant.

Vous voyez ? Une simple poignée de « trente sous » et on me parle en français ! On est en business ! Oups… en affaires ! Je ne dois pas rester ici trop longtemps, l'anglais s'immisce en moi subrepticement en très peu de temps. Et ça me donne mal à la tête.

# THEATRE DE LYS

Fredana Productions Presents

## ANITA LOOS'

New Musical

## "GOGO LOVES YOU"

*Book by*
**ANITA LOOS**

After the French Play "L'Ecole Des Cocottes"

*Music by*
**CLAUDE LEVEILLEE**

*Lyrics by*
**GLADYS SHELLEY**

*Starring*
**JUDY HENSKE**

*Co-Starring*
**ARNOLD SOBOLOFF**

*with*
**DOROTHY GREENER**

*Directed by*
**FRED WEINTRAUB**

*Musical Numbers Staged by*
**MARVIN GORDON**

*Musical Arrangements and Direction by*
**EVERETT GORDON**

| *Settings by* | *Lighting by* | *Costumes by* | *Prod. Stage Mgr.* |
|---|---|---|---|
| KERT LUNDELL | JULES FISHER | ALFRED LEHMAN | HEINZ HOHENWALD |

**Cast Album On MERCURY RECORDS**

SHOWCARD

Sept. 29 & Oct. 6

*L'interprète principale de Gogo Loves You, Judy Henske.*

## Sur le seuil de Broadway

Pendant son séjour à New York, Claude entendra la chanteuse de jazz Lena Horne interpréter magnifiquement sa musique. En tout bien tout honneur, il reconnaît aujourd'hui qu'elle était accompagnée d'un fameux pianiste ce jour-là ; sans le jurer, il croit que c'était probablement son mari Lennie Hayton, un des premiers chefs d'orchestre et arrangeurs de la Metro-Goldwyn-Mayer, qui avait ajouté une intro de son cru à la composition de Claude. Celui-ci ne s'en est pas offusqué le moins du monde car il trouvait cela franchement bon.

Lena Horne avait travaillé avec David Merrick en 1957 dans le spectacle de variétés *Jamaïca* et ce bouillant producteur avait obligé les membres syndiqués de la troupe à travailler avec des collègues de race noire malgré leur racisme persistant. Lena Horne restait fidèle à Merrick parce qu'elle-même subissait la ségrégation dans le milieu du cinéma où on ne lui offrait jamais de premier rôle en raison de sa couleur de peau, car la MGM craignait que ses films soient boycottés dans les États du Sud. De plus, son union interraciale avec un juif lui vaudra bien des injures. Si Claude avait eu un pouvoir de décision sur la distribution des rôles, il l'aurait engagée sur-le-champ ! Mais attention, les choses ne vont pas si vite à Broadway. C'est ce qu'il apprendra bien assez tôt.

Parmi les principaux éléments qui servent à l'élaboration d'une comédie musicale figure en tête de liste un bon scénario ; ça, c'est le boulot d'Anita Loos. Elle tient un bon synopsis, un titre, *Parnasse*, mais ce n'est qu'un début. Sa notoriété lui vaut toutefois d'être entendue des grands producteurs. Viennent ensuite, *ex æquo*, la musique et les paroles, mission qui revient au talentueux tandem Léveillée-Shelley. Mais il leur faut quand même une histoire pour orienter leur création et ils ne peuvent investir leur précieux temps à travailler sans filet financier. Pour cela, ils doivent compter sur l'appui des producteurs. Cependant, ceux-ci désirent surtout une star qui assure d'entrée de jeu la rentabilité du projet par sa seule présence en tête d'affiche. Et pour qu'une étoile de Broadway accepte le rôle, elle doit savoir dans quoi elle s'engage : y a-t-il un bon scénario ? Les chansons sont-elles accrocheuses ? Le théâtre est-il sur Broadway même ou *off* ? Est-il réservé ? Pour quand ? Et tout ce beau monde est-il libre d'engagements pour les dates prévues de répétitions et de spectacle ?

Il s'agit presque d'une formule algébrique :

**S + (CH = [Pa + Mu]) + ST = Pr + Th + D = CM**

Où un **S**cénario auquel on ajoute des **CH**ansons (**Pa**roles et **Mu**sique) et une **St**ar donne un **Pr**oducteur plus un **Th**éâtre et la **D**isponibilité pour arriver au total : une **C**omédie **M**usicale !

Et ajoutez à cette équation une foule d'autres variables car une comédie musicale ne se fait pas sans un chorégraphe, un directeur musical, un metteur en scène, un décorateur… Et la liste s'allonge. Car à cet enchevêtrement complexe s'ajouteront des éléments hétéroclites comme les agents, les avocats, les éditeurs, les comptables… Beaucoup de monde à rencontrer, plusieurs intéressés, mais encore rien de concret à signer.

Plus tard, Claude aura un rendez-vous chez Goudy Music avec Jean Dalrymple, la directrice de la New York City Center Light Opera Company. Madame Dalrymple a aussi une solide réputation en tant que représentante de grands artistes et musiciens comme Leopold Stokowski, le chef d'orchestre et compositeur britannique qui a fait les arrangements pour le dessin animé musical *Fantasia* de Walt Disney, Mary Martin, créatrice du rôle de Maria dans *The Sound of Music* sur Broadway, et aussi le célèbre violoniste Nathan Milstein.

En comprenant mieux les ramifications du réseau culturel new-yorkais, on s'aperçoit vite que tout ce beau monde est relié, chacun renvoyant l'ascenseur à l'autre soit par amitié ou par intérêt. Il est donc naturel de voir dans l'agenda de Claude Léveillée, en date du 25 juillet 1960, une audition avec Tommy Valando, pionnier de l'édition des œuvres musicales de Broadway et ami de Jean Dalrymple. Trois jours plus tard, on lui présente la candidate pour le rôle principal de *Parnasse*, Geneviève Coulombel, qui joue à ce moment-là dans la comédie musicale à succès *La Plume de ma tante* au Royale Theatre de Broadway, une production de David Merrick qui prépare pour le mois de septembre *Irma la douce* de Marguerite Monnot.

Outre David Merrick, d'autres producteurs recevront les attentions d'Anita Loos : elle présente notamment son projet et son nouveau compositeur à Herman Levin qui a produit *Gentlemen*

*Prefer Blondes* et dont la production de *My Fair Lady* tient l'affiche sur Broadway depuis quatre ans déjà – et tiendra encore jusqu'au 29 septembre 1962 au terme de 2717 représentations. Levin n'a pas toujours été producteur : diplômé en droit, il a longtemps travaillé à l'administration municipale avant de se lancer dans les arts. Sa formation juridique en fait un négociateur féroce qui sait protéger ses intérêts quand il signe des contrats avec des artistes.

Bien qu'encouragé par toutes ces rencontres enrichissantes, Claude Léveillée ne se rend pas compte à quel point ceux qui gravitent autour de sa prochaine création sont des personnages importants. Il veut bien s'investir sérieusement, mais pas au point de s'installer en permanence à New York. Car pendant la période de composition, aucun cachet n'est versé et Dieu sait que la vie est chère dans la *Big Apple*. Il revit le même scénario qu'à Paris et de surcroît en anglais, une langue qui ne lui est pas sympathique…

Claude avise donc Anita et Gladys qu'il doit retourner à Montréal ; femme et enfant l'y attendent, il doit gagner sa vie et pourvoir aux besoins de sa famille. Les deux marraines lui assurent qu'aussitôt qu'un producteur aura signé, il pourra recevoir une avance.

Claude ne doute pas que cela puisse être possible, mais il les prévient qu'il travaillera de chez lui pour ce qu'il lui reste à composer. Il attendra les paroles de Gladys par la poste et leur fera parvenir la musique sur bande, ainsi que les partitions qu'un autre notera car il ne sait pas écrire la musique.

Pendant le mois d'août, il fait quelques allers-retours mais à Montréal, il reprend vite contact avec ses amis de Radio-Canada. Alain Zouvi l'attend pour reprendre la coanimation de *Domino*, une émission pour enfants. Il est bien beau, ce métier de compositeur, mais Claude n'est-il pas d'abord et avant tout comédien ? Et de plus, un nouvel ami, Marcel Dubé, vient de lui confier un rôle dans un téléroman dont il vient d'achever l'écriture, *Côte de sable*.

Broadway, ce sera pour plus tard. On met ça à *OFF*. Claude aura des nouvelles épisodiques de New York et parfois de Paris…

# Nouvelles de Paris et de New York

*Richebourg (France), septembre 1960*

*Mon cher Claude,*

*Tu dois m'en vouloir de ne pas t'avoir donné signe de vie avant aujourd'hui, mais les nouvelles que je t'aurais écrites n'eussent pas été brillantes. Enfin, maintenant les choses semblent s'être arrangées. Édith est à Richebourg chez Loulou, ce n'est pas encore ça, mais le plus dur est passé et je pense que d'ici quelques mois tout cela n'aura été qu'un seul cauchemar. Édith n'a pas encore la force d'écrire elle-même, c'est ce qui te vaut l'honneur de lire ma digne écriture ! Tes lettres lui sont bien parvenues et l'ont énormément touchée. Ses dispositions envers toi ne sont changées en rien. Elle aurait voulu te l'expliquer elle-même, mais comme je te l'écris plus haut, elle n'en aurait pas la force. Écris-lui, cela lui fera plaisir.*

*J'embrasse ta femme ! Et te serre les cinq doigts de la main droite. Mon amitié gentil Claude et à bientôt peut-être ?*

*Claude Figus*

*P.-S. Une grosse bise à ton bébé que je ne connais pas.*

New York, le 4 octobre 1960

*Cher Claude,*

*Qu'est-il donc arrivé à la lettre que vous deviez nous écrire à Anita et moi ? Nous attendons toujours de vos nouvelles, de connaître votre nouvelle adresse et de savoir si vous avez trouvé votre nouvelle maison, etc. etc. Donc, s'il vous plaît, écrivez-nous rapidement et dites-nous ce qui vous arrive !*

*Les choses avancent très bien concernant le spectacle. Anita a eu une idée divine pour l'ouverture, qui enthousiasme beaucoup Baron Pollan[3]. Baron nous a dit que Geneviève sera de retour très bientôt et il lui demandera de commencer à apprendre quelques chansons qu'elle pourra présenter à certaines personnes importantes pour la suite des choses. En passant, la chanson* Parnasse *sera maintenant chantée en solo par Geneviève et sera aussi la première du spectacle selon la nouvelle ouverture.*

*J'ai passé un après-midi avec Luke à l'appartement d'Anita, il nous a raconté quelques petites anecdotes, à propos de Geneviève, qu'Anita voudrait utiliser dans le scénario. C'est un charmant garçon. Il joue présentement un rôle ici à New York avec Janine au Viennese Lantern[4]. Geneviève m'a aussi envoyé une très jolie invitation à son mariage.*

*Écrivez-nous aussi vite que possible et faites-nous connaître votre nouvelle adresse et quelles sont vos disponibilités au cas où il faudrait que vous veniez travailler ici.*

---

3. Agent de Geneviève Coulombel.
4. Lieu de rendez-vous d'après-théâtre, d'inspiration viennoise.

Irma la douce *connaît un succès retentissant et Baron veut montrer le nouveau scénario d'Anita à son producteur.*

*Irving, Mama et Debussy se joignent à moi pour vous transmettre nos meilleurs vœux et salutations.*

*La musique de* Madchen *est de retour dans le deuxième acte avec le même titre mais des paroles différentes. Ce sera chanté par César.*

*Au revoir,*
*Gladys*

*P.-S. Roger Stevens est encore dans le projet.*
*J'ai repoussé mon autre projet de spectacle.*

Claude Léveillée reçoit donc cette bonne nouvelle ; les choses progressent à New York. Avec la possibilité d'un producteur comme Roger Lacey Stevens qui compte à sa longue liste de réalisations depuis 1932 des succès comme *Cat on a Hot Tin Roof* et *West Side Story* qui tient présentement l'affiche et fait un tabac, on devrait voir *Parnasse* bientôt poindre à l'horizon.

La stature de Roger L. Stevens est considérable. Directeur administratif de l'Actors Studio, il est l'associé de plusieurs compagnies de production en plus d'être un important magnat de l'immobilier. Stevens était à la tête d'un groupe d'acheteurs qui, en 1951, a fait l'acquisition de l'Empire State Building pour 34 millions de dollars. En 1961, le président John F. Kennedy lui-même lui demandait de veiller à l'établissement d'un centre culturel national qui, dix ans plus tard, portera le nom du 35$^e$ président des États-Unis, The John F. Kennedy Center for the Performing Arts. Il semble être dans les bonnes grâces de la Maison-Blanche puisque plus tard, sous la présidence de Lyndon B. Johnson, il sera nommé Conseiller spécial des Arts de 1964 à 1968. Stevens a pour dicton : « Tout projet auquel je participe se réalise. »

*Parnasse* s'en vient *ON* Broadway !

New York, le 26 octobre 1960

Cher Claude,

Merci pour votre très belle lettre, ce fut merveilleux d'avoir de vos nouvelles.

Je n'ai pas répondu plus tôt parce que j'attendais qu'Anita Loos termine sa nouvelle version du scénario, laquelle est arrivée hier. C'est excellent. Je vous en envoie une copie sous pli séparé. Baron Pollan est plus qu'enchanté par cette version. Cela aura pris un peu plus de temps que nous escomptions pour le faire, mais ça valait la peine d'attendre. Puisque maintenant l'histoire est vraiment mieux ficelée, plus solide et plus commerciale. Tous les personnages sont réalistes et le tout se tient magnifiquement.

Geneviève arrive tout juste de sa lune de miel et est maintenant impatiente de commencer à travailler sur notre spectacle. Elle a reçu une copie du nouveau scénario. Je lui enverrai les copies des chansons, elle pourra donc commencer à les apprendre et pourra aussi en chanter quelques-unes pour nos besoins.

Anita voudrait maintenant considérer Herman Levin comme producteur, quoiqu'en fait c'est Roger Stevens qui est le réel producteur. Des gens de son bureau ont téléphoné plusieurs fois dans les dernières semaines. Ils me demandent de leur fournir des enregistrements des chansons qu'ils pourraient envoyer à quelques metteurs en scène potentiels.

Cependant, Baron, Anita et moi avons le sentiment que ce serait une erreur de notre part de leur envoyer les chansons sur ruban. Mais Herman Levin est un type important et j'ai le sentiment que ce serait vraiment très bien qu'il *s'implique dans le projet. Anita lui a envoyé le scénario aus-sitôt qu'il a été dactylographié. Je suppose que les choses vont réellement commencer à bouger maintenant. Je fonde de grands espoirs dans ce spectacle. Après avoir vu* Irma la douce, *je suis convaincue que nous avons de loin une musique supérieure en notre possession. On m'appelle sans cesse de chez Victor Records Corporation à propos de notre musique.*

*Aussi, une autre compagnie, Frank Loesser Publishing, m'a téléphoné plusieurs fois pour demander d'écouter notre musique. J'ai tout mis ça en suspens parce que je veux que ce soit vous qu'on écoute jouer votre musique, plutôt que quelques soi-disant « génies » musicaux qui pourraient la jouer affreusement. La journaliste Hedda Hopper a appelé Anita pour en savoir plus sur l'histoire de notre spectacle. Anita garde le secret sur l'intrigue du scénario, elle se permet seulement de parler de votre grande musique et de mes paroles. Cela va sûrement apparaître dans tous les journaux d'un jour à l'autre.*

*S'il vous plaît, écrivez-nous très bientôt et dites-nous comment vous allez. J'ai essayé de vous appeler mais je n'ai obtenu aucune réponse. Avez-vous trouvé un appartement ? Comment se déroule votre émission de télévision ?*

*Anita se joint à Irving, Debussy et Elvira ainsi qu'à moi-même pour vous offrir nos meilleures salutations à vous et à votre famille.*

*Sincèrement,*
*Gladys Shelley*

La rumeur se répand chez les compagnies de disques. C'est à qui sera le premier à mettre la main sur la musique d'un nouveau compositeur, un certain Léveillée, tellement talentueux que Piaf elle-même a chanté sur sa musique !

*Paris, le 27 octobre 1960*

Mon cher ami,

J'ai un petit moment et je viens près de vous pour vous donner encore quelques nouvelles. Comme vous le savez, nous habitions toujours chez Édith, Bd Lannes. Je dois vous dire qu'Édith est maintenant comme nous ne l'avons pas vue depuis 10 ans. Violaine est là avec nous et nous faisons toujours le maximum pour tout bien mener jusqu'aux débuts à l'Olympia à Paris en décembre. Vous voyez que ça bouge.

Maintenant, parlons de vous. Mon cher ami, il y a des moments très difficiles dans la vie, mais pensez que n'importe quelle blessure arrive à se refermer avec le temps. Vous êtes jeune, vous avez beaucoup de talent. Bien sûr la jeunesse donne des blessures plus vives, mais dans quelques années, vous réaliserez le bonheur sous une forme plus vaste. Il faut tellement de choses pour n'en faire qu'une, et plus tard en faisant un retour en arrière, vous réaliserez peut-être à ce moment-là que ce qui fut ne serait plus suffisant aujourd'hui. Ayez confiance et courage et ménagez votre santé qui vaut des fortunes. C'est dans les moments difficiles qu'il faut au contraire réagir. Laissez-moi vous donner un conseil d'ami : I. Fumez moins, II. mangez tranquillement à heures fixes et pas de cafés crème debout et III. dormez, dormez. Si vous faites ces trois choses, vous pourrez tout surmonter, sinon vous serez déficient et le moral et la santé descendront.

Maintenant une bonne nouvelle qui sera un médicament extraordinaire pour vous – j'ai parlé de vous avec

*Édith – en voici un passage : « Dis à Claude qu'en ce moment, je ne peux le faire venir ; par contre s'il peut faire l'effort de venir à Paris, ici quand il y en a pour trois, il y en a pour quatre. » Que pensez-vous de cela ? J'aimerais bien savoir votre pensée à ce sujet. Courage, serrez les poings, regardez face à vous la tête haute, respirez profondément de temps en temps et regardez aussi le ciel bleu. À vous lire, merci pour votre si gentille lettre. Édith, Violaine et Danielle vous embrassent. Moi je vous serre la main, comme vous le savez.*

*Marc Bonel*

*New York, le 29 octobre 1960*

Cher Claude,

*Je joins l'article de journal où l'on mentionne votre nom. J'ai pensé que cela pourrait vous réjouir. Il est publié dans le* New York Daily News *et aussi dans d'autres journaux un peu partout au pays.*

*Nous sommes tous épatés par le nouveau scénario d'Anita. Geneviève en est folle !*

*Lundi prochain, nous devrions avoir des nouvelles en ce qui concerne le producteur.*

*Je viens de refuser une offre pour un autre spectacle parce que je veux me concentrer entièrement sur le nôtre. Je sens si fortement en moi qu'il s'agit du BIG ONE.*

*Irving, Mama, Debussy se joignent à moi pour vous offrir nos meilleurs souhaits.*

*Salutations,*
*Gladys*

*New York, un vendredi de novembre 1960*

*Cher Claude,*

*Je joins les paroles de* Square Dance. *Pourriez-vous nous envoyer aussitôt que possible, je vous en prie, le refrain de cette pièce ?*

*Les auditions vont bon train. Nous attendons des nouvelles du producteur. Paul Mann a bien joué lundi dernier mais aucun autre pianiste n'a réellement votre touche, cette couleur que vous avez. Baron et Anita partagent mon opinion à ce sujet. Paul est un excellent pianiste et aime aussi votre musique ; en considérant qu'il est lui-même un compositeur, c'est un compliment. Il a écrit la chanson thème* Put Your Dreams Away *pour Frank Sinatra. Il dit qu'il commence à apprivoiser notre musique.*

*Tommy Valando a appelé plusieurs fois. Il est très emballé par le spectacle et pourrait approcher George Abbott pour la mise en scène. Hier, il a eu le scénario d'Anita.*

*Mon avocat a aussi dit qu'il aimerait présenter le projet à Mike Todd Jr.*

*Donc, je vous prie de me faire parvenir le refrain de* Square Dance *aussitôt que possible pour le cas où nous aurions une audition avec Abbott ou Jerome Robbins.*

*S'il vous plaît, écrivez-nous le plus tôt possible et encore une fois, faites-moi savoir quels sont les jours où vous êtes libre, au cas où Abbott voudrait entendre la musique. Je termine maintenant parce que je veux vous envoyer cette lettre rapidement.*

*Je sais que vous serez heureux d'apprendre que Tommy Valando est encore obsédé (il en est complètement dingue) par la musique.*

*Avec nos vœux les plus chaleureux.*

*Gladys*

Mais la valse des producteurs continue. David Merrick n'est plus dans le décor, il s'occupe de Laurence Olivier et le fait jouer dans *Becket* aux côtés d'Anthony Quinn. Quelques années plus tard, en 1964, il produira *Hello Dolly!*, une comédie musicale qui battra des records de longévité avec 2844 représentations. Et ce qui triomphe à Broadway se rend toujours à Hollywood. *Hello Dolly!* sera tourné pour le cinéma en 1969 sous la direction de Gene Kelly avec une certaine Barbra Streisand dans le rôle-titre.

Roger L. Stevens est toujours intéressé par le projet mais ses négociations avec Arnold Weissberger, l'avocat d'Anita, sont féroces. Voilà pourquoi on lorgne du côté d'un coproducteur éventuel comme Mike Todd Jr. qui marche dans les traces de son père, Michael Todd Sr., qui fut le producteur de *Around the World in Eighty Days* fut aussi, avant sa mort accidentelle, le mari d'Elizabeth Taylor. Todd junior a hérité de la société de son père, Cinerama, mais il a un autre projet en 1960, le *Smell-O-Vision*. Il ne fera pas *Parnasse*, trop occupé à produire son film qui projette des odeurs en plus de l'image et du son…

Quant à George Abbott, ce serait génial de l'avoir comme directeur artistique. À 73 ans, il vient de recevoir le prix Pulitzer et un Tony Award pour *Fiorello!*, sa comédie musicale inspirée de la vie du célèbre maire de New York Fiorello La Guardia. Bien qu'il affirmera à Anita Loos ne pas être certain d'avoir la santé pour s'occuper du projet, il vivra tout de même jusqu'à l'âge vénérable de 108 ans!

*New York, le 18 décembre 1960*

*Cher Claude,*

*J'ai quelques bonnes nouvelles, je me presse donc de vous les faire connaître. J'ai tenté de vous rejoindre par téléphone, mais sans succès.*

*Monsieur Michael Myerberg, producteur et propriétaire du Brooks Atkinson Theatre, est fou de notre spectacle et veut signer immédiatement un contrat. Il a entendu les enregistrements que vous avez envoyés et il aime notre musique. Son théâtre sera disponible très bientôt et il est très enthousiaste pour aller de l'avant avec notre spectacle. Il pourrait le prendre dans son Brooks Atkinson Theatre au printemps. Il a adoré toutes les chansons… Il est très emballé à propos de Geneviève. Nous sommes maintenant en attente de l'approbation de Baron Pollan pour l'entente.*

*Je crois que ce serait gentil de votre part que vous appeliez Geneviève pour lui souhaiter, ainsi qu'à Ted, un joyeux Noël. Je suis certaine qu'elle aimerait l'entendre de vous directement.*

*Aussi, Madame Loos n'a pas terminé d'écrire la nouvelle version de second acte. Je suis certaine qu'elle fera un excellent travail lorsqu'elle sera dans de meilleures dispositions.*

*Le numéro de Geneviève est le Plaza-5-4881, 414 East 52st, New York City ; et celui d'Anita Loos : Circle-5-4053,171 West 57st, New York City.*

*Je regrette tellement que vous n'ayez pu être là lorsque Monsieur Myerberg a entendu votre musique ; son enthousiasme était comme celui de Geneviève lorsqu'elle l'avait entendue à Framingham.*

*J'espère que vous aurez un joyeux temps des Fêtes et que tous vos rêves vont devenir réalité cette année.*

*J'ai des nouvelles de Doug, il a dit qu'il sera ici en janvier. S'il vous plaît, écrivez-moi bientôt pour me faire connaître votre opinion concernant ce nouveau producteur.*

*Avec tous nos bons vœux d'Irving,*
*Mama, Elvira,*
*Debussy et Gladys.*

Un producteur et propriétaire de théâtre ! Deux chapeaux sur un seul homme, Michael Myerberg. Il a acheté le Mansfield Theatre en 1945 et l'a loué pendant cinq ans à la CBS-TV. En 1960, il a décidé de lui faire retrouver sa vocation première et de lui donner un nouveau nom, le Brooks Atkinson Theatre, en hommage au journaliste culturel qui avait le pouvoir suprême de mettre à mort ou de gracier une nouvelle production sur scène par la simple publication de ses critiques.

Là, ça y est, *Parnasse* arrive *ON* Broadway !

Pendant la période des Fêtes de 1960, l'avocat d'Anita Loos, Arnold Weissberger, tente de conclure l'entente avec l'agent Baron Pollan pour que Geneviève Coulombel signe un contrat en bonne et due forme. La confiance ne semble pas régner entre l'avocat et l'agent. On peut lire, dans la correspondance que Weissberger envoie à Claude les précautions que prend l'avocat afin de faire parvenir directement, en copie conforme, les propositions chez Geneviève car il préfère qu'elle se fasse sa propre opinion. On lit donc qu'au 4 janvier 1961, Geneviève ne fait plus partie de la distribution. Elle semble toutefois avoir sollicité le droit de pouvoir chanter une chanson de Gladys et Claude, *A Soldier Boy*, qu'elle veut intégrer à son spectacle personnel. Weissberger suggère fortement à Anita, Gladys et Claude de lui refuser cette faveur. Car si la chanson devenait un succès par la voix de Geneviève, cela pourrait nuire énormément à l'éventuelle vedette de *Parnasse*. On réclame le retour des copies du scénario et l'on transige longuement les droits musicaux, sans toutefois signer quoi que ce soit. *Parnasse* n'a plus de vedette mais Anita pense dénicher une artiste de renommée encore plus importante à New York ou à Paris.

*New York, le 10 mars 1961*

Mon cher Claude,

*J'ai été désolée de lire votre lettre, premièrement parce que je souffre d'une semblable dépression moi-même, deuxièmement parce que vous êtes si loin de nous et qu'il m'est impossible de vous écrire aussi souvent que je le voudrais.*

*Mais ni Gladys ni moi ne perdons notre foi en notre comédie musicale et en votre merveilleuse musique. Je me lève chaque matin vers quatre ou cinq heures et je travaille sur le scénario jusqu'à une heure de l'après-midi, ce qui me laisse évidemment épuisée… trop pour écrire une simple lettre. Mais je travaille sept jours par semaine et la pièce est ma seule priorité dans la vie. Est-ce que Gladys vous a dit que nous avons joué la musique pour Zizi Jeanmaire et Judy Garland ? Toutes deux ont adoré vos mélodies. Judy a dit : « Je suis trop grosse pour jouer le rôle, mais je pourrais certainement chanter ces chansons dans mon répertoire. » Quant à elle, Jeanmaire m'écrivait tout récemment : « Le projet me met l'eau à la bouche ».*

*De toute façon, rien ne peut être fait tant que je n'ai pas fini le livret. Règle générale, cela me prend un an pour faire un bon travail mais je me presse autant que je peux et qu'il m'est humainement possible de le faire.*

*Nous pourrions avoir des contrats signés avec Myerberg et Stevens, mais nous devons commencer à pressentir un autre producteur qui pourrait présenter la pièce plus tôt. Nous avons des difficultés avec Myerberg qui avance trop lentement et nous craignons qu'il ne puisse jamais présenter le spectacle cette année. Quand je finirai le livret, nous pourrons l'envoyer à d'autres producteurs. Et alors nous serons prêts à avancer rapidement.*

*Hier, nous avons fait entendre la musique à mon grand ami John C. Wilson qui avait mis en scène* Gentlemen Prefer Blondes *et aussi* Kiss me Kate *et toutes les comédies de Noël Coward. Votre musique l'a complètement enchanté. Il a dit : «Broadway n'a jamais fait entendre de musique comme ça avant.» Je lui ai donné à lire le premier acte du livret cette fin de semaine. Il serait un metteur en scène absolument divin pour le spectacle hormis le fait que sa santé n'est pas très bonne et qu'il n'a pas vraiment travaillé depuis cinq ans. Mais il serait un merveilleux guide et critique et il pourrait nous faire des suggestions.*

*Mon cher, chéri Claude, vous êtes trop jeune maintenant pour réaliser quel est le prix que vous devez payer pour devenir un très, très grand génie! Toute votre vie, vous devrez traverser ces terribles périodes de dépression, de doute et de désespoir. Certains oublient vite les mauvais jours aussitôt que se pointe le soleil et que les choses recommencent à bien fonctionner. Même pour les plus pessimistes, les choses finissent toujours par s'arranger. Je suis certaine que Beethoven et Bach ont eu ces périodes insupportables de doute. Et l'épreuve de l'attente d'une décision est souvent insoutenable. Il ne sert à rien de vous dire «courage». Mais pensez à la joie que vous aurez lorsque vous serez assis à votre piano et que vos divines mélodies commenceront à déferler. C'est là votre récompense et, avec votre génie, vous y accéderez. Donc, n'oubliez jamais cette joie lorsque les blues vous prennent.*

*Peut-être puis-je vous rappeler que la comédie* Bye Bye Birthday *a pris cinq longues années à se réaliser, de même pour* Irma la douce. *Je ne pense pas que l'on doive atten-*

*dre cinq ans parce que ni Gladys, ni moi ne cesserons de nous vouer à la réalisation du projet. La patience est une vertu qui écorche de temps en temps, mais qu'il faut apprivoiser.*

*À tout moment, vous pourriez recevoir un de mes télégrammes. Et vous pouvez toujours appeler Gladys à frais virés. Alors, n'hésitez pas à le faire.*

*Vous avez toute mon admiration et mon affection dévouée.*

*Rappelez mes voeux à Madame et à Pascal que je souhaite un jour rencontrer. Nous vous envoyons une tonne d'amour.*

*Anita*

*P.-S. Comment vont les choses du côté de la petite boîte de nuit que vous avez ouverte ?*

À lire le ton d'Anita Loos qui se veut rassurant, on devine que Claude lui a fait part de son inquiétude de voir le projet toujours remis à plus tard et tous les obstacles auquel il se bute. Il se sent impuissant à Montréal, mais que pourrait-il faire de plus à New York ? Anita doit terminer l'écriture de la pièce et Claude ne peut aller lui tenir la main. Et ce n'est pas lui qui pourrait se permettre de solliciter les talents de monstres sacrés comme Judy Garland ou la fameuse Zizi Jeanmaire, ancienne chanteuse et danseuse de l'Opéra de Paris qui se consacre maintenant au music-hall.

Le 30 mars 1961, Gladys Shelley écrit à Claude. Elle l'informe que le projet pour lequel Geneviève Coulombel avait déserté *Parnasse* n'a pu être présenté pour des raisons financières et que, libre d'engagements pour l'été, elle serait à nouveau disponible. Galdys mentionne aussi que Myerberg ne cesse de téléphoner à Anita pour lui manifester son intérêt à diriger le projet, que Stevens est toujours en attente du scénario final et que Jeanmaire se languit de lire la dernière version du scénario. Gladys indique également qu'une foule d'éditeurs de musique continuent de lui téléphoner pour publier la musique de *Parnasse*. Un mois plus tard, Anita Loos écrit succinctement à Claude pour le rassurer que tout avance… lentement mais sûrement, puis en juillet, sa lettre indique qu'elle travaille à une version finale du fameux scénario.

New York, le 7 juillet 1961

Cher Claude,

J'étais vraiment très heureuse d'avoir un mot de vous et de savoir que votre tournée était très intéressante et agréable. Vous nous manquez énormément à tous et nous serons extrêmement contents de vous voir ici à nouveau.

À propos de notre projet, j'y travaille chaque jour et je commence à sentir qu'il prend vraiment forme. En regardant dans mon agenda de l'an dernier, j'ai remarqué qu'il y avait seulement un an, hier, que j'avais commencé à travailler sur Parnasse dans sa forme finale. Cela me réjouit beaucoup parce que j'y ai travaillé si intensément que cette année m'en a paru deux ! Je me réjouis de mes progrès parce que, mon cher Claude, il est rare qu'une intrigue bien ficelée aboutisse en si peu de temps.

À la mi-août, il y aurait une possibilité que ma Gladys et moi nous déplacions en voiture au Canada. Dans ce cas, j'apporterai le scénario avec moi. Si je le finis avant ce temps, je vous en posterai une copie.

J'aimerais beaucoup que vous prêtiez le scénario à Jacques Languirand afin qu'il le lise. Il est excellent scénariste et j'adorerais avoir ses critiques et suggestions. Si M. Languirand pouvait venir à New York dans un avenir prochain, j'aimerais beaucoup le rencontrer. Pouvez-vous lui demander de me téléphoner ?

Doug Davis est rentré de Paris mais est reparti le lendemain pour visiter sa famille à Atlanta car sa grand-mère est souffrante. Il a dit qu'il y resterait au moins deux semaines et qu'il viendrait à New York ensuite. Doug m'a dit que Piaf *était une fois encore à l'article de la mort, mais que cette fois-ci elle avait perdu le désir de se battre. Gladys et Irving vont bien tous les deux, ainsi que Debussy ; la même vie suit son cours normal. Gladys a une nouvelle chanson,* Make it Last, *qui connaît un certain succès. Je vais lui demander de vous envoyer un enregistrement.*

*Si j'écris si rarement, c'est parce que je passe près de cinq heures par jour à écrire le scénario, après quoi je suis épuisée. Mais comprenez-moi bien, je suis persévérante et jamais, au grand jamais, je ne ménagerai mon énergie pour que notre projet connaisse une conclusion heureuse.*

*Je vous souhaite le mieux dans vos affaires personnelles, la réussite et le bonheur. Plus j'écoute la musique des nouveaux compositeurs, plus j'ai la certitude que vous vous dirigez vers un grand avenir. Je souhaite et prie que cela commence avec* Parnasse.

*Tous nos vœux affectueux vous accompagnent.*

*Votre dévouée,*
*Anita Loos*

*Paris, le 1ᵉʳ décembre 1961*

*Mon cher Claude,*

*Depuis déjà plusieurs jours, je me propose de t'écrire. J'ai vu Madame Anita Loos. Elle se porte bien. Elle a pour toi beaucoup d'estime. Elle croit en ton talent, sans aucune réserve. C'est du reste une position que je partage. Elle fera certainement pour toi tout ce qui est en son pouvoir.*

*Elle a dû toutefois s'occuper, ces derniers temps, d'un autre spectacle ; une traduction en anglais d'une pièce française qui a été produite à Londres et qui le sera bientôt à New York. Mais elle se propose de remettre en chantier, le plus rapidement possible, votre œuvre commune. Elle m'a avoué candidement qu'elle travaillait très lentement.*

*Malgré les retards, votre affaire me paraît en très bonne voie. Je sais qu'elle a rencontré ici Zizi Jeanmaire ; il est de plus en plus question qu'elle soit la vedette de ce spectacle. Ne désespère donc pas de voir aboutir ce merveilleux projet...*

*D'autre part, tu te souviendras qu'à plusieurs reprises, je t'ai parlé du plaisir que j'aurais à travailler avec toi. J'ai déjà une pièce,* Diogène, *qui pourrait peut-être être mise en chanson et en musique pour devenir une espèce de « musical comedy » modeste. Mais j'ai actuellement une autre pièce en chantier :* L'Âge de pierre. *Je ne crois pas utile à l'étape actuelle de t'en parler trop longuement. Mais j'envisagerais assez sérieusement de produire cette pièce au cours de l'été prochain, peut-être dans le cadre des festivals de Montréal, sinon, à l'automne. Dans ce cas, j'en serais moi-même le producteur. Il m'intéresserait beaucoup d'avoir une musique originale pour cette pièce, qui ne comporte aucune chanson, aucun ballet, mais qui gagnerait à être soutenue pour plus d'effets.*

*Accepterais-tu de travailler à cette pièce avec moi ? Accepterais-tu, d'autre part, si cette première expérience nous réussissait, de travailler aussi, par la suite, sur* Diogène – *que je remanierais de manière à mieux te servir ?*

*Ces propositions sont le signe de l'intérêt que je te porte, et tu te souviendras que je ne suis pas, en ce qui te concerne, un admirateur de la dernière heure...*

*Si je peux t'être utile à Paris, ne manque pas de faire appel à moi.*

*Comme toi très certainement, j'ai appris avec consternation la mort de Marguerite Monnot. Nous en avons du reste parlé, Anita Loos et moi. Pour ne rien te cacher, Anita Loos avait beaucoup d'admiration pour cette personne, mais elle en a bien davantage pour toi.*

*Confiance, Courage, Patience…*

*Bien amicalement,*
*Jacques Languirand.*
*12, avenue Céline*
*Neuilly-sur-Seine*
*(Seine) France*

Cette missive sera la dernière en provenance de Paris jusqu'à la mort de Piaf en 1963. Claude perd peu à peu l'espoir de voir un jour sur scène le ballet *La Voix*. Toutefois, la correspondance de New York continue et à partir de décembre 1961, Gladys Shelley et Anita Loos écrivent à Claude à quelques mois d'intervalle. Gladys lui envoie une copie de son nouveau succès *Oliver Twist* et lui demande s'il est possible de le faire jouer sur les ondes canadiennes. Elle glisse aussi que *Variety*, le spectacle qu'elle a monté avec Anita Loos, a obtenu une excellente critique dans la presse et que Chappman Music veut en publier la musique. Le nom d'Anita Loos suscite encore beaucoup d'intérêt dans le milieu artistique. Même l'agent de la chanteuse Eartha Kitt s'intéresse aux chansons de *Parnasse*.

De son côté, Anita Loos félicite Claude pour la sortie prochaine de son disque éponyme[5] chez Columbia. Elle souligne le prestige qu'il peut tirer de cette importante maison de disques dans toute l'Amérique. M^me Loos lui propose même de lui écrire un texte biographique pour la pochette. Et, bien qu'elle souhaite à Claude ses « plus ardents souhaits pour *Parnasse* en 1962 », rien ne bouge. Mais dès mars 1962, les nouvelles se veulent encourageantes, bien

---

5. *Claude Léveillée*, 1962, Columbia, Fl-289/FS-535

qu'il découvre d'abord avec étonnement que *Parnasse* n'est plus! Vive *Gogo Loves You*, le nouveau titre de la comédie musicale.

Plus tard, Gladys lui écrit pour lui demander de composer une mélodie pour *Neverland*, une chanson «joyeuse et lumineuse» pour *Gogo*. Elle ajoute qu'aucun nom de producteur n'est encore arrêté. En mai 1962, Anita Loos précise que le producteur David Merrick a le livret en main pour lecture et commentaires.

À partir de juin 1962, les lettres de New York s'espacent au rythme d'une à tous les trois mois. Parfois moins. Et la valse-hésitation continue : un pas en avant, deux en arrière.

Carte postale en provenance d'Italie :

*Le 2 juin 1962*

*Cher Claude,*

*Je suis en Europe pour voir Lollo Brigida[6] et Zizi Jeanmaire au sujet de notre music-hall, ainsi que pour tenter de trouver un metteur en scène français. Gladys et moi sommes «telle-ment tristes[7]» du tragique accident qui est arrivé à votre très cher Doug Davis. Nous ne l'oublierons jamais puisque c'est grâce à lui que nous vous avons rencontré.*

*Je vais être de retour à New York le 14 août avec quelques bonnes nouvelles pour notre projet.*

*Beaucoup d'amour,*
*Anita Loos.*

6. Gina Lollobrigida.
7. Dans ses condoléances, Anita Loos avait poussé le respect jusqu'à écrire «tellement tristes» en français.

*New York, le 22 septembre 1962*

 *Cher Claude,*

 *Je crois que je vous ai écrit de France que Zizi Jeanmaire veut faire* Gogo.

 *Notre agente, Ninon Tallon, qui est maintenant rentrée à New York, a rencontré Zizi avec son mari Roland Petit, ainsi que le producteur Arthur Lesser (qui a produit* Irma la douce, La Plume de ma tante, *etc.) à Paris et ils se sont mis d'accord pour faire le spectacle à New York au début 1963. Les négociations sont maintenant en cours afin de trouver un théâtre et un metteur en scène, et ainsi fixer une date pour l'ouverture. Alors donc, après tout ce temps, il nous apparaît que nous allons enfin quelque part. Il peut vous sembler difficile de réaliser, étant si loin, à quel point nous avons tous travaillé sur le projet chaque jour depuis que nous nous sommes vus. Mais cela prend tout ce temps pour avoir un ensemble et trouver la bonne vedette, le bon producteur et la fondation dont nous avons besoin pour être capables de coordonner leurs efforts simultanément. Il reste des négociations finales avec une multitude de personnes et je vous en passe les détails. Mais maintenant que nous avançons dans cette voie, je vais vous tenir au courant de tout développement.*

 *En même temps, nous vous envoyons tous avec affection nos vœux de santé et de prospérité.*

*Anita Loos*

*P.-S. S.V.P., Offrez mes meilleures salutations*
 *à Jacques Languirand s'il est maintenant à Montréal.*

Décidemment, Anita Loos voit grand. Gina Lollobrigida comme vedette de *Gogo*, ce serait fantastique pour la belle actrice italienne et le tout New York se déplacerait. On battrait sûrement des records d'assistance masculine… Combien d'hommes ont soupiré devant cette déesse du cinéma ? Elle qui a joué auprès d'Humphrey Bogart dans *Plus fort que le diable* et incarné la belle Esméralda pour qui Quasimodo (Anthony Quinn) aurait vendu son âme dans *Notre-Dame de Paris* ? Mais Zizi Jeanmaire va peut-être signer avant ? Pour ce qui est d'Arthur Lesser, il est le producteur presque attitré des Parisiens à New York, de Maurice Chevalier, des Folies bergères et des Ballets de Paris de Roland Petit, dont il en est le représentant exclusif aux États-Unis.

Nous sommes donc en septembre 1962 et Anita semble croire que le spectacle pourrait être présenté au début de 1963. On peut imaginer Claude lui écrivant ou lui parlant au téléphone en lui posant une seule question : *« But when ? »*

Voilà deux ans maintenant qu'il a entrepris ce projet.

*New York, le 9 janvier 1963*

*Cher Claude,*

*Il serait probablement difficile pour vous de me croire, mais j'ai travaillé sur* Gogo *chaque jour depuis la dernière fois que je vous ai écrit. Il y a eu une énorme perturbation dans le show-business, une grève des journaux new-yorkais, et les théâtres en ont souffert énormément. Qui n'a pas un spectacle sur Broadway peut se considérer chanceux. Naturellement, comme toujours pendant les vacances, les affaires sont au ralenti et rien ne s'accomplit. Notre dernier projet pour* Gogo *concerne un nouveau jeune producteur qui porte le nom d'Uster. Il vient d'acheter deux théâtres new-yorkais. Il nous a fait une offre pour présenter* Gogo *dans l'un d'eux à la prochaine saison (on parle de septembre). L'offre semble bonne et il est maintenant en train de négocier avec plusieurs agents. Ceux de Gladys Shelley (Natalia Murray et Raoul Ronson) gardent la situation en main pour elle et M^me Tallon ainsi que mon avocat Arnold Weissberger tiennent les rênes pour moi. Nous espérons que vous pourrez vous libérer de votre engagement avec l'agence Morris. L'entente pourrait se conclure plus facilement. Au point où nous en sommes, il y a tellement d'agents maintenant que cela va prendre une éternité pour arriver à décider de quoi que ce soit. Ça pourrait beaucoup simplifier les choses si Jack Hutto n'était pas inclus dans les négociations. Mon avocat Arnold Weissberger dit qu'ici, il n'y a pas de raisons de faire appel à lui. Nous avons tous le sentiment que ces négociations pourraient avancer beaucoup plus vite sans Hutto, surtout parce qu'Uster ne veut pas perdre de temps (par ailleurs, nous attendons des nouvelles concluantes de Zizi Jeanmaire). La raison pour laquelle je n'écris pas plus souvent est que tout change beaucoup de jour en jour et que je préfère attendre un engagement définitif. Cela devrait arriver très bientôt et nous commencerons aussitôt que possible les arrangements pour l'ouverture à New York l'automne prochain. Merci pour votre jolie carte de vœux et je vous transmets mes meilleurs souhaits.*

*Très sincèrement vôtre,*
*Anita Loos*

L'agence Morris avait eu vent qu'un nouveau compositeur arrivait à New York et avait contacté Claude pour lui offrir les services de Jack Hutto, un homme fort sympathique qui semblait bienveillant. Et comme tout se transigeait en anglais, Claude trouvait rassurant d'avoir quelqu'un sur place pour veiller à ses intérêts. Anita était par contre d'avis que son propre avocat pouvait expliquer parfaitement à Claude ce qu'il allait signer sans qu'un intermédiaire soit nécessaire. Claude retira donc Hutto du dossier pour ne pas contrarier Anita Loos.

Mais les producteurs deviennent nerveux. Anita n'ose plus donner de noms à Claude et ne veut plus vendre la peau de l'ours avant de l'avoir tué. Il semble que le projet se retrouve sur une tablette. La correspondance ne se poursuivra que dix mois plus tard. Claude gardera tout de même le contact avec ses deux marraines américaines.

Broadway est à *OFF*.

*New York, le 20 avril 1964*

*Cher Claude,*

*Mille félicitations pour votre grand concert du 27 avril et plusieurs mercis pour les billets. Je tente de faire des plans pour y être et je vous le ferai savoir assurément pour jeudi. Nous sommes vraiment occupés avec* Gogo Loves You, *donc il est impossible de faire quelque arrangement à l'avance. Nous sommes tous très enthousiastes à propos de Fred Weintraub et le trouvons plein d'idées brillantes pour le spectacle. Je lui ai prêté votre album de chansons et il en est très emballé. Il est lui-même un bon musicien et un excellent pianiste, ce qui est très bien car la plupart des producteurs de Broadway ne connaissent rien à la musique. Gladys et moi sommes épatées d'apprendre que vous avez fait plusieurs récitals et que votre nouvel album vient de paraître. Soyez gentil de m'en envoyer une copie. Gladys se joint à moi pour vous envoyer ses salutations comme toujours*

*Anita Loos*

*P.-S. Si je vois que je ne peux aller à Montréal,*
*je vous retournerai les billets par livraison spéciale.*

Voilà donc le producteur de *Gogo Loves You*, Fred Weintraub de Fredena Productions. Contrairement à tous les producteurs pressentis depuis 1960, les Merrick, Myerberg, Stevens et autres vétérans, ce monsieur a pour tout antécédent, comme comédie musicale à son actif… un gros rien ! Le vide total. Mais il sait jouer du piano, il connaît la musique, contrairement aux autres, et de plus il assure la direction d'acteurs. Mais où sont passées les Zizi Jeanmaire et Gina Lollobrigida ?

Anita Loos et Gladys Shelley ont finalement pu assister au concert de Claude à la Salle Wilfrid-Pelletier de la Place des Arts. Dans une lettre datée du 1er mai 1964, Anita ne tarit pas d'éloges pour leur collaborateur canadien : « Nous ne pourrons jamais vous remercier assez pour les deux journées merveilleusement parfaites que nous avons vécues à Montréal, pour votre prévenance et votre hospitalité, surtout à un moment où vous étiez si occupé et si fatigué. Et jamais nous n'oublierons l'excitation de cette soirée sensationnelle à la Grande Salle ! (…) Vous allez devenir une très, très grande vedette dans le monde entier si vous le désirez, mais vous serez toujours un plus grand compositeur de mélodies. Il faut que je vous dise la merveilleuse confiance que Gladys et moi avons en Fred W. Il est de loin le meilleur et le plus écouté de tous les producteurs new-yorkais. Il nous a fallu longtemps pour le trouver, mais j'ai le sentiment qu'il valait la peine de l'attendre. »

En post-scriptum, elle écrit ceci : « Je joins les photos d'un nouveau membre de ma famille. Elle chantera peut-être vos chansons un jour. »

*New York, le 3 juin 1964*

*Cher Claude,*

*L'album Clo-Clo est arrivé et nous en sommes tous enchantés, mais pas autant que la petite fille qui chante et danse tout au long de l'album ! Mille mercis ! Hier, j'ai apporté des albums pour les faire entendre à Fred après les auditions et il a été très impressionné par vos photos en clown. Nos auditions furent épatantes parce que Fred a trouvé la parfaite Gogo – une fille amusante, pathétique et absolument unique. Elle a aussi une grande voix, mais Fred est tellement un grand perfectionniste qu'il dit toujours : « Je ne vais pas cesser de chercher. » Donc aujourd'hui, il auditionne d'autres chanteuses tout juste arrivées d'Europe. Je ne peux vous dire à quel point Gladys et moi sommes enthousiastes à propos de Fred. Il a la plus formidable énergie et du génie pour la direction. Il est tout ce que nous espérions. Personnellement, j'ai le sentiment que* Gogo *pourrait être notre premier spectacle avec lui et que nous (vous, Gladys et moi) pourrions poursuivre longtemps cette collaboration qui ne peut que déboucher sur un partenariat merveilleux et créatif. Il a maintenant l'appui et la confiance des grandes maisons de disques et tout l'argent nécessaire pour assurer notre production. Ses choix de décorateur et de concepteur des costumes sont très intéressants – ils sont tous deux nouveaux, jeunes et bourrés d'idées originales. Aussi, cher Claude, tout va extrêmement bien et nous sommes emballés par toutes ces choses. Aujourd'hui, nous rencontrons Fred pour parler des chansons et déterminer s'il en faut d'autres. J'espère que votre nouvelle comédie musicale se passe bien – faites-nous savoir quand elle sera produite et nous irons peut-être tous vous voir.*

*Entre-temps, nos affectueux sentiments à vous et à votre belle Monique (Jacques Languirand m'a dit qu'elle était la meilleure comédienne à Montréal !). Je vous donnerai de nos nouvelles au fil des développements.*

*Votre dévouée,*
*Anita*

## Broadway, la fin d'un rêve

Quatre années se sont écoulées avant qu'enfin se réalise la comédie musicale *Gogo Loves You*. L'adaptation anglaise de *L'École des cocottes* par Anita Loos est finalement à l'affiche du Theatre de Lys au 121, Christopher Street, dans le quartier Greenwich Village à New York. Ce théâtre est un cadeau offert par le riche industriel Louis Schweitzer à son épouse Lucille Lortel car il désirait voir jouer à New York cette comédienne qui se dévouait à son art dans le Connecticut. Le mari s'assurait ainsi de la proximité de sa femme dans sa ville.

Il faut donc parler, en ce vendredi 9 octobre 1964, d'un spectacle *Off Broadway*... S'y retrouver est peut-être un peu moins *glamour* qu'une représentation *On Broadway* où les productions disposent de plus gros budgets. Quoi qu'il en soit, de voir affiché en grosses lettres sur la marquise du théâtre « COMPOSER : CLAUDE LEVEILLEE » fait chaud au coeur ce soir-là quand Claude va assister à la grande première de sa comédie musicale avec, à ses côtés, ses amis Jean-Louis Millette et Paul Buissonneau. Il y a longtemps que Claude ne participe plus au processus de création ; il a écrit la musique depuis belle lurette et celle-ci est maintenant entre les mains de Fred Weintraub et du directeur musical Everett Gordon.

Après la représentation, toute la distribution et l'équipe de production ainsi que leurs invités se retrouvent pour le *party* et guettent le téléviseur qui doit diffuser la critique d'un chroniqueur culturel ayant assisté à *Gogo Loves You*. On retient son souffle, on croise les doigts... Hélas, c'est un massacre total !

Tous les critiques décrient unanimement la distribution et la mise en scène, s'acharnent sur Anita Loos et Gladys Shelley qui viennent selon eux de commettre, purement et simplement, une horreur. Mais dans cette fusillade d'injures, on épargne le compositeur Claude Léveillée qui n'aurait pu, à lui seul avec sa musique, faire avaler toutes les fautes commises par les autres.

Claude, évidemment, s'essuie le front en se disant qu'il l'a échappé belle, mais devant les autres, il n'ose pas montrer son soulagement d'avoir échappé au broyeur. Le complexe du survivant.

Dans le *New York Herald Tribune*, on peut lire : « La meilleure partie de *Gogo Loves You* est incontestablement la musique. » Pour sa part, le *New York Telegram* écrit : « Il y a beaucoup de charme dans la musique de Claude Léveillée. » Le lundi 12 octobre, Lewis Funke du *New York Times* souligne que Claude Léveillée a fait ce qu'il a pu pour soutenir le vide du texte, il a essayé. Il ajoute que plusieurs de ses compositions ont un rythme entraînant qui donne envie de le suivre en tapant du pied, mais qu'on devra attendre autre chose pour pouvoir juger de son talent.

Après seulement deux soirs de représentations, la comédie musicale *Gogo Loves You* est retirée de l'affiche. Des journalistes de Montréal rapporteront les impressions de Jean-Louis Millette et Paul Buissonneau.

Jean-Louis n'hésite pas à dire qu'il en est revenu écœuré : « Après avoir vu ce que j'ai vu à Broadway, je crois que je n'aurai plus jamais de complexe devant les comédiens et les metteurs en scène américains. Il n'y a qu'un mot pour qualifier ce genre de spectacle : l'amateurisme. »

(Jean Desrapes, *La Patrie*, semaine du 22 au 28 octobre 1964)

Avec sa fougue légendaire, un grand metteur en scène comme Buissonneau ne pouvait laisser passer sous silence tous les défauts que son œil de professionnel avait perçus : « Avant de me rendre au spectacle, j'avais rencontré Claude qui m'avait mis en garde. Cependant, je ne pouvais m'attendre à ce que j'ai vu. On aurait dit que les gens s'étaient concertés pour rendre la chose vulgaire. Tous les clichés du *Paris by night* y sont passés… La musique déformée… l'orchestration bâtarde… les chansons étaient chantées par des gens qui n'avaient pas de voix… les costumes formaient un mélange des plus hétéroclite… les décors étaient miteux… le jeune premier chantait une chanson d'amour à une grande jument (Judy Henske) qui semblait ne pas trop savoir que faire de sa haute taille… c'était d'un ridicule ! Ils ressemblaient tous à des monstres ! La chorégraphie était pauvre et mal mise en place. Les musiciens ne se sont rencontrés que la veille du premier spectacle. Ça dépasse l'entendement que des professionnels puissent s'embarquer dans un tel bateau sans plus de lucidité ! Ils ont couru après un four ! Tenez, je vous dirais que c'est une pièce idéale pour une école de critiques. Ici, les journalistes se seraient régalés ! Moi, dans la salle, j'étais gêné… j'avais hâte que l'entracte arrive. Une telle vulgarité est inconcevable ! Et dire que le producteur a dépensé 76 000 dollars pour un tel spectacle ! C'est incompréhensible ! Il a voulu tout faire lui-même, c'est lui qui a fait la mise en scène et a refusé à Claude Léveillée d'assister aux répétitions. Il n'y avait aucune direction d'acteurs, chacun jouant dans un style différent. C'est réellement catastrophique ! C'est un dur coup pour nous tous, car nous savons que Claude Léveillée est un gars qui a quelque chose à apporter. »

(Marcel Ouellette, Le Journal des vedettes, 24 octobre 1964)

Judy Henske ne refera plus Broadway. Elle aura par contre son heure de gloire par la suite car elle sera consacrée, quelques années plus tard, « *The Queen of the Beatniks* » et sera la muse, paraît-il, de Woody Allen qui s'inspira d'elle pour son personnage d'Annie Hall.

Fred Weintraub aura plus de flair lorsqu'il essaiera plus tard de rentabiliser un bâtiment qu'il vient d'acheter. Il invitera Andy Warhol à occuper comme il le désire cet entrepôt désaffecté, pourvu que l'on puisse citer son nom dans la publicité de l'immeuble. C'est ainsi que naîtra *The Factory*, cette sorte d'atelier artistique qui fera également office de studio d'enregistrement et de cinéma. C'est là que se produira régulièrement le groupe rock légendaire The Velvet Underground, dont Warhol est le producteur, et que l'artiste multidisciplinaire tournera plusieurs films expérimentaux improvisés, sans sujet ni scénario.

Anita Loos poursuivra sa carrière en tant qu'auteur de livres et vivra jusqu'à l'âge vénérable de 93 ans. Gladys survivra à ses chiens en atteignant ses 92 années d'existence.

*Gogo Loves You* met fin au rêve de Broadway pour plusieurs. Le rideau est tombé, les projecteurs du mythique boulevard passent à *OFF*.

Claude Léveillée n'attend plus rien des grands de Paris ou de New York, pas plus que d'autres correspondances qui pourraient l'encourager à voir un jour naître une comédie musicale ou un ballet de sa musique.

Un dicton de chez nous dit que le bonheur, c'est comme le sucre à la crème : lorsqu'on en veut, on s'en fait !

Et ici, au Québec, on a tout ce qu'il faut.

*The show must go ON!*

**ANITA LOOS**

171 WEST 57TH STREET, NEW YORK 19, NEW YORK

Oct 10 - 1960

Dearest Claude,

Thanks so much for your letter — we have missed you and your lovely melodies very, very much. However, there is nothing to do now but for me to get the book finished and for Genevieve to return on Oct 20th. Then we can have her to sing for auditions sometimes when it is important.

Irma la Douce is a big smash hit, which is good for us. Some of the reviews, however were bad and Gladys + I do not

think the score very terrific, We
liked the acting. *still*

New York is in a mess because
of Mr. K. and the election. It's always
something!!

My best love to you and the
family (especially Pascale) and
we hope to see you soon after
the 20th.

Ever devotedly

Anita Loos

**CLAUDE LEVEILLEE** (*Composer*) became involved with *Gogo Loves You* when Edith Piaf told Anita Loos about the young Canadian composer. Piaf had discovered him in a small Montreal cafe, and took him back with her to Paris, where he wrote many of the last songs she sang. Miss Loos, hearing his work, determined to write a show for which Mr. Leveillee could compose. A singer as well as a composer, Mr. Leveillee is a star of the first magnitude in his native Canada.

*Notice tirée du programme de* Gogo Loves You, *1963.*

## L'HOMME QUI POSAIT DES PIERRES

J'ignorais que j'étais si terrien, qu'il y avait autant de mottes de terre accrochées à mon âme. Je suis pourtant un gars de macadam depuis vingt-neuf ans, mais j'aspire à mieux. Je veux mon coin de terre à moi, un bout de planète où je serai maître et roi, du moins quelques acres pour commencer. Paul Buissonneau m'a appris à faire mes premiers pas sur les planches, maintenant il va m'instruire du plancher des vaches ! Je l'entends encore me dire qu'au Québec, nous avons la chance de posséder un territoire immense. Les Français ne laisseraient pas passer une si belle occasion de devenir propriétaires de domaines avec de telles superficies. On les entend déjà gueuler « Bordel, quel gaspillage ! »

Dans ma famille, du côté maternel, les Lalande ont longtemps habité dans le comté d'Argenteuil. Les souvenirs de vacances estivales de mon enfance sont imprégnés des champs, des vaches, des forêts et des vallons de cette région.

Un parent, Darius Paiement, me dirige vers une terre à vendre ; un bout de montagne, couvert en partie par une érablière et quelques champs où paissent de belles grosses vaches pacifiques et nonchalantes. Un acompte de 500 dollars comptants et deux autres versements promis au propriétaire, Marcel Lefebvre, et j'achète ! Le 17 octobre 1962, tout est payé.

Buissonneau vient poser des repères au sol, de grosses roches suggérant l'orientation de ma future cabane au Canada. « Le Sud est là, affirme-t-il. C'est par là que le soleil va entrer dans la maison. »

Oh! Je le vois déjà, mon havre de paix. Cela fait des années que je ne dessine que cela : deux étages, les chambres sous les combles, deux lucarnes, un perron long comme la maison, des fenêtres à carreaux, des portes sculptées ; une québécoise remplie d'antiquités. Une vraie maison de patriote, quoi !

Un jour, je me rends à la scierie du village pour acheter un peu de bois de construction et j'y fais la rencontre de Monsieur Lucien Lemay, anciennement barbier du village de Saint-Benoît qui a cessé d'exercer ce métier parce qu'il en avait ras le bol de gagner sa vie à coups de dix sous pour le rasage de la barbe et vingt sous par coupe de cheveux. Et aussi parce que le geste répétitif de couper aux ciseaux lui avait affecté les tendons de la main. De plus, à rester debout continuellement, il ne pouvait plus supporter la douleur aux talons. Il s'était donc investi dans un nouveau métier, celui de constructeur. Après quelques ventes de maisons, il pouvait profiter un peu plus de la vie et décider de faire ce dont il avait vraiment envie : travailler à son rythme, au grand air, bâtir, défricher, planter. Bref, c'était l'homme qu'il me fallait !

Monsieur Lemay était marié à la plus honorable des femmes, sa belle Denise qui avait dirigé de main de maître un restaurant fort fréquenté par tous les villageois. Madame Lemay cuisinait sans arrêt. Sa maison embaumait le *roast-beef*, le bon pot-au-feu, et que dire de son sublime pâté chinois. Elle m'invita à me joindre à leur table. J'y suis resté des années…

– Madame Lemay, vous me faites des tourtières cette année ?

– À deux jours de Noël, c'est bien le temps de me demander ça, mon Claude !

– Pas de petits cubes de patates dedans, c'est meilleur sans ! Et vos beignes sont si bons. Je veux les trous roulés dans le sucre…

Monsieur Lemay venait me porter mes boulettes qui ressemblaient à des petites planètes enfarinées, bien enveloppées dans un sac de papier brun.

C'est aussi Lucien qui venait me chercher à l'aéroport lorsque je revenais d'Europe, l'estomac dans les talons, le décalage horaire me déréglant. Il m'invitait à reprendre mes forces chez lui.

– Madame Lemay, vous avez un petit quelque chose pour moi ?

*Claude Léveillée et Lucien Lemay.*

– Mais Claude, vous êtes en retard, nous n'avons plus de poêle à bois comme dans l'ancien temps pour garder les repas au chaud! Attendez, j'ai un bon jambon que je peux réchauffer.

Monsieur et Madame Lemay étaient mes deuxièmes parents. J'étais le fils qu'ils n'avaient pas eu, le deuxième enfant de la famille car ils avaient une fille, Nicole, qui venait faire le ménage chez moi.

Je n'étais pas riche et j'expliquai à Lucien mes rentrées d'argent aléatoires; je pourrais le payer une fois par année. Il accepta et à un moment, il m'a même prêté une certaine somme d'argent pour me dépanner. Comme un deuxième père, Lucien me comprenait totalement, me protégeait et m'aidait à bâtir mon petit château. Il s'était lui-même construit une maison en face de ma terre, il n'avait qu'à traverser la rue et il était au boulot.

Grâce à lui, tout le monde au village savait que je récupérais les vieilles choses. J'ai donc hérité des portes de l'ancien magasin général et des balustres de l'église. Lorsqu'on voulait se débarrasser des belles vieilleries, on envoyait ça à Léveillée! Je décapais les portes selon des méthodes anciennes, avec le tranchant d'un verre brisé. Quel effet! Essayez, mais mettez des gants…

Pour expliquer à Monsieur Lemay ce que je voulais, je lui faisais un dessin et il me disait : «Ne vous en faites pas, Claude, j'ai tout compris!»

Avec lui, j'aurais pu bâtir tout un village et installer tous ceux que j'aime dans chacune des maisons. Ainsi, en cas de guerre, on aurait pu tenir ensemble avec des provisions, nos puits artésiens indépendants des aqueducs, quelques poules… Oui, on pourrait tenir longtemps en état de siège.

Au tout début, ma maison était mon *shack*, sans électricité. J'avais un foyer et lorsqu'il y faisait froid, en hiver, je couchais à côté dans mon manteau de loup. J'étais dans mon *bunker*. Il pouvait arriver n'importe quoi; que des bombes tombent, je m'en foutais. Personne ne pouvait venir m'emmerder. La paix, la sainte paix. C'était ma tanière à moi, qui suis un loup solitaire.

Avec Lucien, j'avais le projet de bâtir une résidence pour personnes âgées sur le haut de la montagne. Nous étions à planifier l'achat du terrain, les papiers et nos calculs étalés devant nous sur la table de la cuisine des Lemay. L'enthousiasme était là.

« Petit arbre deviendra grand »

– Est-ce que je peux savoir ce que vous mijotez ? demanda Madame Lemay.

– Un beau projet ! Une belle maison pour les vieux, ils profiteraient de l'air de la campagne ; ils seraient en bonne santé grâce à la nature !

– Et qui va faire à manger à toutes ces bonnes personnes ?

– Mais vous, madame Lemay. Vous serez directrice en chef des opérations !

– Ah bon ! Parce que vous me planifiez du travail avec tout cela ! L'idée ne vous est pas venue en tête de me demander mon avis par hasard ?

– C'est qu'on pensait que…

– Ne pensez pas pour moi ! J'ai assez de travail comme ça !

Oups ! Maman est fâchée. On passe à un autre projet.

Pour ma maison, je voulais des murs en pierres. Lucien m'expliqua qu'il fallait mettre des clous de six pouces pour tenir les pierres pendant que le béton durcissait. Je l'aidais et comme j'en ai brassé du ciment ! Je connais la recette par cœur : un sac de ciment, deux de sable, trois parties d'eau et on brasse, on brasse, on brasse.

– Attendez, monsieur Lemay, je veux mettre quelques choses entre les pierres, sous le ciment.

– Qu'est-ce que vous mettez là-dedans… C'est quoi, ces petits bouts de papier ?

– De la poésie, des pensées inavouées, perdues à jamais dans les murs. Elles seront emmurées éternellement avec l'âme de la maison.

– Ça prend bien un poète comme vous pour penser à des affaires de même !

– Ne le dites à personne, certains seraient assez fous pour venir briser les murs et les libérer.

– Allez, glissez vos bouts de papier ! La roche est pesante.

J'ai planté des centaines de conifères sur mon domaine. Avant, il n'y avait que des érables. J'étais l'homme qui plantait des arbres ! On ne peut imaginer, à les voir si frêles et si petits, qu'un jour ils seront immenses. On ne les voit pas grandir lorsqu'on a le nez collé dessus, mais Monsieur Lemay savait qu'il fallait projeter leur croissance dans l'avenir.

– Vous avez vu, monsieur Lemay, j'en ai planté trois nouveaux.

– Ben voyons, Claude, qu'est-ce que vous avez fait là ? Celui-là est beaucoup trop près de la maison.

– Mais non, regardez tout l'espace qui l'entoure.

– Oui, pour le moment ça va, mais dans vingt ans, trente ans, les branches vont cacher toutes les fenêtres… Sans parler des racines qui vont s'infiltrer dans les fondations !

J'ai appris que petit arbre deviendra grand. Aujourd'hui, je suis le père d'une forêt et des milliers d'oiseaux y font leur nid. Je nourris mes geais bleus au chant de vieilles poulies de corde à linge mal graissées. Mes cardinaux vermillon se camouflent dans les sorbiers. Mes pacifiques tourterelles tristes, je les compte : dix-sept, avant que le maudit faucon pèlerin s'en prenne à elles. Lorsqu'il se pointe le bec, je sors lui crier après. Il déguerpit comme un avion supersonique.

Je me suis aussi fait creuser une piscine en béton armé. C'est pour les autres ; moi, je n'aime pas me baigner, mais mon fils Pascal adore. Monsieur Lemay m'avertit du danger d'y retrouver quelquefois des petits animaux de la forêt pouvant obstruer le filtre. J'ai une goujonnette pour les récupérer jusqu'au jour où, stupéfaction, l'instrument de pêche s'avère inutile.

– Monsieur Lemay, venez vite chez moi. Y'a une vache dans ma piscine !

– Quoi ? Ne bougez pas, j'arrive !

Elle fait pitié à voir, la pauvre. Elle nage désespérément en tentant de s'accrocher au rebord de la piscine, les yeux exorbités, les naseaux écarquillés ; elle meugle au secours et s'épuise. Comment la sortir de son piège ? Lui passer une bouée autour du cou ? Une vache, ça ne s'attrape pas avec un filet de pêche ! Monsieur Lemay fait venir deux tracteurs en me disant qu'ils vont essayer de la sauver en la tirant avec des câbles, mais que le temps compte. Elle va se noyer d'épuisement. Si les hommes et leurs tracteurs ne réussissent pas, il faudra appeler la SPCA pour ramasser son cadavre. Je ne peux voir ça et je m'enferme dans la maison. Un peu plus tard, on me dit qu'elle est sortie saine et sauve. Heureusement, je ne me voyais pas lui faire le bouche-à-bouche ! Je ferai solidifier la clôture par où est passée cette étourdie.

Au fil des ans et de mes amours, pour chaque « elle », une aile. On ne peut bâtir un nouvel amour sur le foyer d'un ancien. Je dois brûler toutes les anciennes lettres d'amour pour qu'elles deviennent cendres, ensuite j'agrandis. Car à chaque fois, le nouvel amour est plus grand que le dernier. Ma reine doit se sentir chez elle, sans les traces et le parfum d'une autre. Tout est à refaire, tout est à construire pour devenir le Manoir de l'Aube. Car à l'aube, tous les espoirs sont permis.

J'ai bien essayé une fois, pour des avantages géographiques, de prendre un pied-à-terre à Montréal. J'étais comme un raton laveur terrorisé tentant de traverser une route. Et souvent, on sait comment cela finit. Le bruit de la ville, très peu pour moi. Les voisins et leur pollution sonore, non merci ! Je n'ai de repos que parmi mes arbres. Des vacances, pour moi, ce ne sont pas les plages et le sable blond, non ! C'est enfiler mes bottes de caoutchouc, une vieille paire de jeans, grimper sur mon tracteur pour transporter une pierre que la nature a sculptée au fil du temps et la poser au bord de mon étang, comme une œuvre d'art dans une galerie.

Pendant trente années, Monsieur Lemay fut toujours là pour venir à mon aide. Comme un intendant, bien sûr, mais aussi comme l'aurait été un père dans les moments difficiles de ma vie, un réel confident lorsque j'allais mal, très mal ; je trouvais chez lui un abri pour me couper du monde.

Je l'ai adopté, il a fait de même et ce fut volontaire.

En 1991, Lucien fut pris par surprise d'un cancer. Il n'y croyait pas, tellement rien n'y paraissait. Le 15 novembre, cette année-là, il nous quitta. Je me sentis dès lors l'orphelin de la forêt. Je l'ai pleuré.

Mais l'arbre qui cache la fenêtre de ma chambre et chaque pierre des murs du Manoir de l'Aube me parlent encore de lui. Je l'entends me lire des petits bouts de papier, mes poésies cachées. Il en garde le secret. Les murs ont des oreilles, mais aussi une voix, et nous avons encore beaucoup de choses à nous dire.

## L'AMOUR AMER, PAS POUR MILLER

Monique Miller arrive au restaurant Chez Lévêque directement de son salon de gym, dans une forme superbe. Je lui envie cette jeunesse éternelle plus que ses secrets sur sa relation amoureuse avec Léveillée. Évidemment, je voudrais lui arracher celui qu'elle semble posséder, la découverte de la fontaine de Jouvence. Plan A : Je vais la saouler. Le bon prétexte : je célébrerai précocement son anniversaire qui est le lendemain, le 9 décembre ! Plan B : Ah ! si j'avais un polygraphe, du sérum de vérité et pas ce voisin de table trop près qui semble épier notre conversation, je la ferais passer aux aveux, un projecteur éblouissant dans les yeux, en lui demandant dans un nuage de fumée : « Alors, Madame Miller, avouez tout, levez le voile sur ce printemps qui ne vous quitte jamais ! »

Mais bon, ce ne sera pas aujourd'hui.

À fouiller le passé de son sujet, on ne sait jamais ce qu'on trouvera. Que va-t-on déterrer ? Un coffre aux trésors rempli de lettres d'amour aux sceaux de cire brisés, tendrement pliées pour la nostalgie à venir ? Ou bien… une hache de guerre ? C'est avec cette appréhension que je rencontre la deuxième épouse de Claude Léveillée.

Peu de gens savent raconter leurs amours passées, telle une ardoise sous les traces poudreuses de la craie effacée. Déjà, on ne peut plus lire le verbe aimer là où la brosse de la rupture est passée. Mais avant, il faut tout conjuguer à rebours : je t'aimerai, je t'aime, je t'ai aimé.

Le futur, on le croit simple puisqu'on dit si aisément je t'aimerai toujours ; il est pourtant conditionnel au temps, à sa longue traversée. Parlons donc du passé...

Ce fut à titre professionnel, en 1962, sur le plateau du téléthéâtre de Radio-Canada *Par-delà les âges* de Jean-Robert Rémillard, que Monique Miller et Claude Léveillée se sont rencontrés. Rémillard se définissait à l'époque comme « anti-avant-gardiste ». Il s'était inspiré de la légende d'Orphée, une des plus sombres de la mythologie grecque, comme l'avait fait en 1957 Tennessee Williams. Claude Léveillée tentait, en s'évertuant à rouler ses « r », de prendre un accent s'apparentant à cette langue romane qui lui était inconnue. Il voulait être crédible dans le rôle d'Orpha, un immigré roumain témoin des horreurs de la dernière guerre, des camps de concentration et des fours crématoires. Il erre désespérément à travers le monde à la recherche de la femme qui ravira son cœur lorsqu'il s'engage comme garçon de ferme chez un agriculteur canadien, veuf et ivrogne, vivant avec ses filles sous l'emprise d'une belle-sœur acariâtre qui n'a inculqué chez ses nièces que la haine des hommes et la sécheresse du cœur. Une de ces nièces se nomme Eurydice, formée à l'école de la méfiance et de la haine de la chair. Elle veut refuser l'amour d'Orpha, mais son cœur s'offre malgré elle.

Comment la belle Eurydice, interprétée par Monique Miller, pourrait-elle résister à ce survenant qu'est Orpha lorsqu'il lui déclare : « Je connais une si belle aventure que j'ai oublié la méchanceté des hommes. Je ne crois plus aux fusillades à l'aube, ni à la torture dans les caves humides. Tu me fais oublier ces camps de bétail humain où des hommes et des femmes hurlaient à mort. Il n'y a plus de squelettes enchaînés ni d'enfants juifs qu'on ramasse à la brouette. Tu consumes, ô Eurydice, les fours crématoires et ton petit visage est toute la lumière du monde ! »

Pour Monique et Claude, ce fut leur premier baiser, il était professionnel, technique, appliqué pour plaire à la caméra. Mais des lèvres se touchent, des corps se frôlent. Le rêve s'immisce dans la réalité.

Le duo Miller-Léveillée est gagnant à l'écran, comme on peut le lire le 2 mars 1962 dans *Le Nouveau Journal* : « [...] J'ai beaucoup aimé le personnage d'Eurydice. Monique Miller en était l'interprète

*Claude Léveillée et Monique Miller.*

rêvée, ce qui ne veut pas dire qu'elle lui a donné une réalité de rêve, au contraire. Elle a réussi une interprétation merveilleuse où le réalisme quotidien et la poésie s'harmonisaient. Sans cet apport en apparence irréalisable, la pièce aurait été irrémédiablement faussée. Claude Léveillée, dans le rôle d'Orpha, s'est révélé un artiste doué d'un instinct très sûr. Il n'est pas commode, même au théâtre, d'être celui qui dérange les habitudes de tout le monde. Mais dans un rôle aussi particulier, le manque d'expérience, au lieu d'être une servitude, l'a servi. […] »

Ce billet était signé par un jeune chroniqueur télé nommé Gilles Carle qui œuvrait dans la critique sous plusieurs pseudonymes. Quelques mois plus tard, il confierait la musique de son premier court-métrage, *La patinoire*, au compositeur Claude Léveillée dont il avait reconnu l'immense talent.

Monique Miller a depuis longtemps une carrière florissante au théâtre. Deuxième d'une famille de cinq enfants, d'un père électricien et d'une jeune mère ménagère comme on disait à l'époque, elle devient l'une des protégées de Madame Audet qui dirige une école de diction réputée. Fière des résultats de son élève particulièrement douée, Madame Audet la fait auditionner à CKAC et à Radio-Canada. Elle joue des rôles d'enfant dans les revues du père de la dramaturgie québécoise Gratien Gélinas et dans ses aujourd'hui légendaires *Fridolinades*. Encore toute jeune fille, elle gagne déjà sa vie en jouant dans les radioromans. Elle n'a que treize ans lorsqu'elle abandonne l'école pour exercer son métier de comédienne professionnelle ; c'était avant que le métier soit syndiqué et que les lois sur le travail des enfants soient adoptées. Elle est de toutes les scènes, au théâtre, à la télévision et à la radio. Les années soixante sont florissantes pour les artistes de l'heure,

Claude Léveillée et Monique Miller sont consacrés stars et tout leur réussit. Ils sont de la même trempe et participent aux mêmes évènements. On les retrouve encore une fois ensemble à se donner la réplique dans *Inquisition* de Diego Fabbri, un téléthéâtre de Radio-Canada réalisé par Louis-Georges Carrier. Dans le magazine télé *La semaine à Radio-Canada* du 23 février au 1er mars 1963, on peut lire dans le synopsis de la pièce qu'il s'agit de quatre âmes à la recherche de Dieu, chacune d'elles le cherchant selon son tempérament et son expérience humaine.

Claude Léveillée y incarne Renato, un mystique déchiré entre la chair et l'esprit qui tente désespérément de s'accrocher à ce Dieu qu'il a renié en lui refusant le sacerdoce. L'objet de sa tentation est la trop belle et trop désirable Angela ; le personnage interprété par Monique Miller cherche aussi Dieu, bien qu'elle soit sûre de ne pas y croire. La diffusion d'*Inquisition* débute le 24 février 1963.

Claude Léveillée et Monique Miller se retrouvent encore une fois dans un face à face de comédiens professionnels. Les prochaines fréquentations, décisives pour l'avenir qu'on leur connaît, ont lieu en juin lors des répétitions du spectacle *Les Éphémères* que monte Paul Buissonneau et qui doit être présenté pour l'inauguration de la Place des Arts de Montréal en septembre. Mais un conflit syndical perturbe le travail en cours. Les quarante comédiens, le chœur de soixante chanteurs et tous les participants de ce grand projet ne peuvent attendre que les syndicalistes règlent leurs comptes. Ils doivent travailler et il est impossible de les réunir tous ensemble une seconde fois pour que le spectacle ait bel et bien lieu. En constatant le sort qui fut réservé à la pièce, les superstitieux pourraient prétendre qu'un tel titre en avait déjà signé le caractère éphémère…

Mais la pièce *Les Éphémères* aura permis à Claude Léveillée d'écrire de belles musiques. Il n'entend pas laisser tous ces mois de travail dans un tiroir. Trois ans plus tard, on verra apparaître *Les Fraises des bois, Chant des aïeux, Tambours crevés, Marche* et *Berceuse* sur son album *Claude Léveillée à Paris, volume 2*. Rien ne se perd, rien ne se crée, tout se transforme en amour ! Oui, Monique Miller admire le compositeur, Claude Léveillée admire la grande actrice, mais c'est plus que de l'admiration mutuelle. Le galant et chevaleresque Léveillée reconduit régulièrement la belle Monique à bord de sa Karmann-Ghia noire au toit blanc dont il n'est pas peu fier malgré le froid qui y règne parce qu'elle ne possède pas de chaufferette. C'est à bord de ce véhicule allemand aux lignes aérodynamiques qu'une main se pose sur cette autre qui manœuvre un pommeau de transmission et qu'un ardent « Je t'aime » est dévoilé. Ce n'est plus une réplique à un personnage, on ne joue plus ; l'amour, c'est sérieux. Un baiser passionné et non censuré par les règles de la télévision de Radio-Canada scelle ce pacte silencieux qui est « Je t'aimerai toujours… »

## Vivre à deux

C'était une promesse qui ne pouvait se tenir qu'à la condition de séduire une autre personne. Monique raconte : « Il y avait mon fils, Patrice, que j'avais eu de mon premier mariage. Ce ne fut pas difficile, Claude était très gentil avec lui et pour Patrice, je venais de lui amener le clown Clo-Clo dans sa vie ; il était déjà conquis ! J'ai dû simplement, au fil du temps, modérer Claude dans son désir de jouer au père avec mon fils qui en avait déjà un très présent et qui ne pouvait le remplacer. »

Claude a lui aussi un fils, Pascal, né d'une première union et dont la mère a la garde. Il se sent un peu « à demi père » avec son garçon comme avec l'autre. Claude désire avoir un nouvel enfant pour faire une vraie famille et tout recommencer dans l'ordre. Il entreprend donc de longues procédures de divorce qui aboutissent en avril 1965. Et huit jours plus tard, c'est dans la maison privée d'un pasteur entouré des membres de sa famille qui rêvent d'autographes que l'union officielle des deux stars est consacrée dans la plus stricte intimité, sans journalistes ni photographes.

Mais l'enfant de cet amour se fait attendre. « Claude ne cessait de me parler d'enfants ; il en voulait douze, à l'entendre. Je voulais bien en avoir un avec lui, j'y étais prête. Nous avons essayé autant comme autant mais non, je ne tombais pas enceinte ! Parfois, Claude met du rêve dans sa réalité. Il désirait faire de moi une femme à la maison s'occupant d'une ribambelle d'enfants. Je lui disais qu'il m'avait choisie pour ce que je suis, une comédienne de carrière. Nous avions une admiration mutuelle l'un pour l'autre, il ne devait pas me demander de ne plus être ce pourquoi il était tombé amoureux de moi ! Il était très jaloux et sans doute que ça l'aurait rassuré de faire de moi une mère à la maison. »

Le début des années soixante est sans doute la période où Claude Léveillée est en train d'inscrire profondément cette marque qu'il a gravée dans l'univers culturel québécois. Il travaille sans arrêt, enregistre un à deux albums par année ; on peut même compter dans sa discographie, seulement pour l'année 1967, trois nouvelles parutions ! Une comédie musicale pour le Théâtre de la Marjolaine à Eastman chaque été, une autre pour New York, les trames musicales des dramatiques de Marcel Dubé : Léveillée produit ! Il est appelé en France, surpris du succès de ses chansons là-bas. Les

Le couple Miller-Léveillée

producteurs français ont envie de miser sur lui et d'en faire une vedette. Mais pour cela, il doit se partager entre le Québec et la France. Il devient un client régulier d'Air France mais il n'aime plus se rendre dans les vieux pays, surtout lorsque cela l'éloigne de la femme qu'il aime.

Mais les nombreux séjours à Paris ne sont pas toujours aussi souffrants. Monique est plusieurs fois du voyage pour son travail avec la troupe du Rideau Vert qui joue au même moment dans la Ville lumière après un séjour à Moscou. Leurs fréquents départs font la une des journaux artistiques : *LES ÉPOUX MONIQUE MILLER ET CLAUDE LÉVEILLÉE S'INSTALLENT À PARIS ! – LES LÉVEILLÉE NOUS QUITTENT, PARIS LES DEMANDE.* Les titres et les articles des journaux semblent imprégnés d'un sentiment de fierté pour les deux compatriotes ambassadeurs et exportateurs du talent québécois. Mais à cela se mêle aussi une impression d'abandon, de leur part, du pays qui les a vus naître, comme si le Québec était devenu trop petit pour les deux stars. Claude fait des apparitions notamment sur les ondes de l'Office de la Radiodiffusion-Télévision Française (ORTF) en compagnie d'autres invités qu'il s'enorgueillit d'avoir côtoyés, comme Lila Kedrova, l'actrice russe qui remporta un Oscar pour son rôle dans *Zorba le Grec*, et Colette Renard qui avait créé le personnage d'*Irma la douce* dans la comédie musicale de Marguerite Monnot.

Claude est sous la férule de Félix Marouani, l'Impresario avec un grand I qui dirige sa carrière en France. Il y a des négociations pour faire découvrir Claude Léveillée comme vedette américaine avant les spectacles de Johnny Halliday et Sylvie Vartan, ou Alain Barrière et Hugues Aufray, mais ça n'aboutit pas. On aspire alors à lui faire suivre la tournée de Juliette Greco[1].

La stratégie de *planning* pour Léveillée à Paris impatiente souvent celui-ci. Comme un sentiment de déjà vu, il entend beaucoup de promesses ; bien des peaux d'ours sont vendues avant d'être mises à terre. Mais lorsque Monique est à ses côtés, Paris est amie.

D'ailleurs, Monique Miller peut se vanter d'être la muse de la chanson *Tu sais, ma chambre* que Claude écrit dans sa chambre

---

1. La tournée ne se concrétisera pas, mais Claude Léveillée chantera en covedette de Juliette Greco 30 ans plus tard, en octobre 1995, lors du Festival de Marnes à Paris.

d'hôtel parisienne au 19, Quai Voltaire. Combien le temps lui semble trop long sans sa douce. Il lui envoie par courrier, sur bande magnétique, la preuve de son ennui :

*Tu sais, ma chambre d'hôtel*
*Donne sur les toits*
*Les toits de Paris*
*Loin de mon pays*
*Oui… mais…*
*Je pense à toi tellement fort*
*Que j'en oublie mon sort*
*Je t'embrasse si fort*
*Qu'avec toi je m'endors*

Monique Miller me confie que la première fois qu'elle est allée à Paris avec Claude, ils se sont justement installés une dizaine de jours à l'Hôtel du Quai Voltaire devenu le pied-à-terre de la comédienne à Paris. L'établissement se dresse au bord de la Seine face au Musée du Louvre, dans le quartier de Saint-Germain-des-Prés sur la rive gauche. Le célèbre hôtel, une ancienne abbaye reconvertie au XIXe siècle, a accueilli des hôtes illustres comme Charles Baudelaire, Jean Sibelius, Oscar Wilde, Richard Wagner, Camille Pissarro et bien d'autres.

« Je n'en revenais pas de voir que Claude ne connaissait pas la ville et pourtant, il y était resté près d'un an alors qu'il composait pour Piaf, mais comme elle le retenait prisonnier, il n'avait rien vu, rien visité ; alors je l'ai sorti tous les soirs au théâtre. En ce temps-là, il y avait toujours de bons spectacles à Paris. Nous allions dîner vers sept heures du soir, un peu avant les autres clients, et les employés du Voltaire étaient très gentils, ils nous recevaient à leur table même si ce n'était pas l'heure. Claude et moi mangions, et nous buvions dans la même coupe de vin. À vrai dire, Claude ne buvait pratiquement pas ; il mouillait à peine ses lèvres, deux gorgées, pas plus, et c'était moi qui buvais le reste. Tout au long de mon mariage avec Claude, je ne l'ai pas vu boire plus que ça. »

Monique est presque l'agent touristique officiel de ses amis et collègues artistes venant à Paris. Elle partage ses découvertes avec les couples Girard, Tassé, Groulx, et remarque une très jeune actrice logeant seule à l'hôtel, Geneviève Bujold qui vient auditionner auprès d'Alain Resnais ; le cinéaste lui offre le personnage de la femme qui aide Yves Montand à échapper à la douane espagnole dans son film *La Guerre est finie*.

## Au Manoir de l'Aube

Lorsqu'ils sont au Québec, entre leurs allers-retours, ils habitent leur appartement de Montréal, au 5020 de la rue Victoria, pendant la semaine alors qu'ils travaillent, mais les fins de semaine et l'été se passent à la campagne, à leur maison de Saint-Benoît.

Claude joue souvent les chauffeurs pour Monique qui ne conduit pas ; elle est profondément citadine, urbaine dans l'âme et cinéphile avertie. Elle travaille le jour, va au cinéma tard en après-midi et Claude l'attend à la porte du cinéma à la fin de la projection. Il préfère de loin faire quatre allers-retours Saint-Benoît-Montréal plutôt que d'aller voir un film. Claude n'aime pas aller au cinéma et il explique ce manque d'intérêt pour le septième art par une sorte de déformation professionnelle, parce qu'il a trop conscience de la mécanique cinématographique ; en peu de mots, il voit les ficelles. De plus, il ne partage pas le plaisir de la lecture.

« J'ai plein de beaux souvenirs avec Claude. Certes, les voyages à Paris, mais aussi ce temps passé à la campagne. Combien j'ai pu lire au bord de la piscine, une quantité incalculable de livres ! Que j'ai lu ! Et puis nous recevions beaucoup d'amis ; j'en avais un peu plus que Claude qui n'est pas très sociable, mais les miens avec les siens, nous faisions de bonnes tablées. J'adorais cuisiner et Madame Lemay, si gentille, nous offrait des desserts, le genre de pâtisserie que l'on ne fait plus, des pâtés aux bleuets délicieux. »

Bâtisseur est sans doute le métier qu'aurait choisi Claude s'il n'avait pas été compositeur. Son rêve abandonné d'être reçu en architecture à l'université est compensé par ses projets de rénovation ou de construction. « Cette maison n'en finissait jamais de s'agrandir, elle n'était jamais finie », confirme la comédienne. À preuve, cette anecdote qu'elle me raconte.

Monique et sa sœur, la comédienne Louise Rémy, travaillent ensemble en prévision de l'Exposition universelle de Montréal, en 1967, et doivent répéter tous les jours. Claude a rajouté une aile à sa maison de campagne, un studio qui lui sert d'atelier de travail pour composer sa musique. Il se dit que l'immense pièce sera parfaite pour les répétitions des deux sœurs. Pour faciliter leur travail

*Monique Miller et Claude Léveillée dans* Inquisition, *1963.*

et faire en sorte qu'elles puissent profiter de l'été à la campagne, Claude a une idée…

Un jour Monique entend de gros mastodontes mécaniques, excavatrice et fardier, arriver de bon matin. Monsieur Lemay est au poste et lorsqu'elle demande ce qui se passe, elle entend Claude lui répondre : « T'inquiètes ! Tu vas voir ta sœur tout l'été, je lui bâtis une maison de campagne, ça ne sera pas long ! »

Léveillée est heureux, il bâtit. Monique l'est tout autant et peu de temps après, Louise Rémy, son mari Pierre Fournier qui travaille à CKAC, leurs deux bébés et la gardienne s'y installent pour l'été. Cent pas entre les deux résidences, c'est bien peu pour se retrouver au studio et y répéter en toute quiétude.

Il y avait ces petits bonheurs, et puis les aléas de la vie à deux ; une femme de théâtre toujours plongée dans un livre ou un texte à mémoriser, assise dans un fauteuil auprès d'un homme au piano cherchant l'inspiration… Un jour qu'Euterpe, la toute réjouissante, lui avait fait la grâce d'une magnifique pièce instrumentale, *Poissons*, Claude se retourna vers son autre muse, plongée dans un bouquin comme toujours :

– Tu as entendu ?

– Hum ?

– Ce que je viens de composer, là !

– Ah, oui ? C'est quoi ?

– C'est rien… c'est rien… Retourne à ton livre ; Mozart serait à côté de toi que tu t'en apercevrais pas !

– Oh ! Arrête… J'ai entendu, c'est bon ; je peux lire en même temps.

– Juste bon ?

– …

Pour avoir vu et entendu Claude lorsqu'il présente pour la première fois une dernière création, j'atteste qu'il est tremblant et fébrile comme une femme qui vient d'accoucher dans les pires douleurs. L'enfant chanson est encore ruisselant des effluves musicaux, l'instant est sérieux et pour l'avoir vécu, je sais qu'un clignement de paupières ou un moment d'inattention est *subito presto* interprété par Léveillée, le nerveux et inquiet, comme un manque d'appréciation. Il peut bondir comme un lion, se lever et éteindre le magnétophone en lançant avec frustration :

– C'est pas bon ! Je ferme ça tout de suite.

– Mais non ! Arrête…

– Ça ne t'intéresse pas, tu penses à autre chose, tu fatigues, tu voudrais être ailleurs.

– Mais non…

Ce jour-là, j'ai compris la fragilité du créateur. En pareil moment, je ne clignerai plus des yeux, quitte à en verser des larmes.

## L'amour amer ?

Lorsque l'amour se conjugue au passé pour l'un et que l'autre maîtrise à peine le temps présent, quand un cœur va vers un autre alors que son écrin garde encore une empreinte, ce temps mitoyen, cet espace où l'on est toujours là mais déjà ailleurs se remplit souvent d'amertume au moment où se dresse l'impossibilité du retour. Lorsque j'aborde avec Monique le souvenir de cette union de huit ans, dont cinq comme épouse de Claude, je lui demande si elle en est ressortie amère.

– Pas du tout ! D'ailleurs, je reste toujours en très bonne relation avec mes anciens amoureux. Un temps, on aime très fort, ensuite plus calmement, puis il peut arriver qu'un jour ce soit fini, c'est ainsi. Il ne faut pas chercher des coupables. C'est comme ça, c'est tout.

– Claude n'est pas aussi serein que vous face à cette rupture…

– C'est normal, je l'ai quitté, il est blessé. L'abandonné souffre toujours plus que celui qui quitte.

– Vous l'avez quitté pour un autre homme, un metteur en scène. Claude se sentait cocufié.

– Lorsqu'on quitte, c'est que c'est terminé. Et non, il n'était pas cocu. Je suis allée le voir et lui dire que c'était fini. Je ne voulais pas qu'il apprenne par d'autres que je me dirigeais vers un autre homme. Je l'appelais tous les matins pour m'assurer qu'il allait bien ; je n'aimais pas le voir aussi malheureux.

Le couple Miller-Léveillée se sépara en janvier 1968, et le divorce officiel reçut le sceau de la cour le 4 mars 1969. On vient de conjuguer aimer au passé, il est temps de dire :

Je vous aimais Madame,

Je vous aimais Monsieur,

Comme nous nous sommes aimés, tant aimés !

*Dans* Inquisition, *1963*.

## APPELEZ-MOI ZARLOFF, CAPITAINE ZARLOFF

Le bateau-théâtre *L'Escale* est probablement ma source d'inspiration pour cette nouvelle idée qui me trotte dans la tête. Si le spectateur ne va pas vers le théâtre, le théâtre ira vers lui. Les ports maritimes furent à travers l'histoire de la civilisation les portes d'entrée d'échanges culturels fabuleux. Que serait ce monde sans la route des épices ? Martial n'aurait pu écrire en commentant de joyeuses festivités romaines : « Ce sanglier est étendu sans vie. Que mes pénates s'engraissent joyeusement à la vapeur de son fumet ! Qu'on déboise une hauteur pour le feu de ma cuisine en fête. Il est vrai que mon cuisinier va dépenser un gigantesque tas de poivre, secrètement tenu en réserve pour cela. »

J'ai une envie d'y mettre mon grain de sel, à ce monde.

Faire connaître ma musique à l'Europe en l'abordant par ses côtes maritimes. Je me vois déjà arriver sur la Côte d'Azur par le port de Cannes ou de Nice, des haut-parleurs puissants projetant pour les côtiers et les plaisanciers cannois un « *Je me fous du monde entier…* » puissant et inoubliable.

Oui, c'est cela ! Il me faut un bateau pour prendre la France à l'abordage.

Je n'aurai plus à négocier avec les producteurs ni avec les propriétaires de salles. Mes musiciens seront de l'équipage et j'espère que McClish n'aura pas le mal de mer comme il a le mal de l'air… Hum ! Il faudra l'amariner.

J'apprends que mon ami et comédien Pierre Thériault, alias Monsieur Surprise, désire vendre son bateau. Il a eu des problèmes cardiaques et comme il est en convalescence forcée, il a besoin d'argent. J'aime mieux acheter de lui plutôt que d'un armateur quelconque. Je fais donc l'acquisition de son vieux chalutier de bois, le moteur est bon, me dit-on.

Le bateau de pêche maintenant à la retraite, réorientation d'affectation, je veux l'enregistrer comme bateau-chansons et le baptiser *Frédéric*. Mais j'apprends que ce nom est déjà pris par un autre bateau... Mille millions de mille sabords, espèce d'usurpateur d'identité ! Le nom Frédéric ne devait être utilisé que par moi ! Si je rencontre ce bougre d'olibrius, cet accapareur, cette canaille de pirate d'esperluette en mer, je le coule, je lui envoie volume à fond par la bouche de mes haut-parleurs, un opéra chanté par une bande de castrats ébouillantés ! Appelez-moi Zarloff, capitaine Pietrovitch Leveillevsky, dit Zarloff. Ma quête sera double : conquérir les vieilles terres par mes chansons et faire périr en mer ce voleur de nom. En attendant de le retrouver, j'accepte de baptiser mon bateau *Frédéric II*. Mais attention, ce n'est que partie remise.

Avant d'affronter l'Atlantique, il faut entreprendre le carénage de mon patouillard pour en faire un bateau digne de son nom. Il sera monté sur ber et un maître fûtier procédera avec son équipe au décapage des bordages de chêne, grattant pendant un printemps entier le vieux galipot. Je ferai aménager neuf cabines, une cuisine entièrement équipée, celle du Capitaine Zarloff, qui sera dotée d'un magnifique hublot de cuivre. Comme il sera beau, mon hublot ! J'imagine déjà le jour où, de mon œil de lynx scrutant l'horizon à travers ma lunette d'approche, je pourrai annoncer en criant : « Terre ! Terre à bâbord ! »

Le grand jour arriva où *Frédéric II* dut quitter son ber pour le mouillage. Je le regardais de la berge comme un père inquiet de voir son fils faire ses premiers pas...

Oh ! Il gîte dangereusement à tribord... Aïe !

Le charpentier me rassure en m'expliquant que l'équilibre va se faire dans un moment, et que les cabines ont été conçues dans cette perspective. En effet, quelques minutes plus tard, *Frédéric II* atteint sa ligne de flottaison parfaite.

Comme il est beau, comme il est grand : 65 pieds de la proue à la poupe. Il se rapproche du quai, les amarres sont lancées, des manœuvres de la Marina du Vieux-Port de Québec se chargent de l'amarrage. Je les vois exécuter un nœud de tournage aux taquets, qui consiste en un tour mort, deux huit et une demi-clef à l'envers. Je devrai prendre des leçons, mes années de scoutisme sont bien loin derrière moi.

J'ai l'intention de passer ma première nuit sur mon bateau. Je m'installe sur la couche de ma cabine mais voilà, à peine une demi-heure de passée et j'ai mal à la tête ; j'ai la nausée, une indécollable odeur de mazout est omniprésente. Je monte donc sur le pont et décide de dormir à la belle étoile.

Le lendemain, le dos courbaturé, mais consolé par un café bien chaud et très corsé, je me frotte la barbe, mets ma casquette de capitaine comme il se doit et appelle mon second, nul autre que Monsieur Lemay, mon complice terrien qui sera aussi mon lieutenant marin.

— Aujourd'hui, monsieur Lemay, on pourrait se rendre à l'Île d'Orléans faire une petite visite-surprise à Félix Leclerc.

— Bonne idée, ce n'est pas loin ; je détache les cordes ?

— Il faut dire qu'on largue les amarres, monsieur Lemay !

— Bon, je largue les cordes, O. K.

— Les amarres...

*Frédéric II* est accosté au quai entre deux bateaux. À la poupe, un magnifique deux-mâts en teck qui doit bien valoir un million de dollars. Il est rutilant, impeccable. Je commence par démarrer le moteur, doucement, ça ne devrait pas être compliqué. Je suis adroit dans les stationnements en parallèle dans les rues de Montréal. Il suffit de bien braquer...

— *Wo ! Wo ! Back up ! Back up !*, s'écrie Monsieur Lemay.

— Quoi ?

— Attention, le bateau en avant !

— Bordel !

Je mets le moteur en marche arrière... Oh ! Le somptueux voilier est vraiment près. Je me vois déjà avec une poursuite sur le dos pour dommage au bien d'autrui. J'avale ma salive, l'acide bouillonne dans mon estomac.

Des dockers se précipitent vers nous et nous crient de leur lancer les amarres. Monsieur Lemay s'exécute. C'était moins une... Je n'engraisserai pas les poches d'un avocat cette semaine.

Un homme d'expérience monte à bord et offre ses services de pilote :

— Monsieur Léveillée, vous avez besoin d'un petit coup de main ?

– Ce serait pas de refus, juste le temps de sortir mon bateau d'entre les deux autres.

– C'est votre première fois ?

– Ben, j'ai déjà navigué pour jouer un rôle de marin dans *Escale 80*. Je tenais la barre et tout allait bien.

– Je vois…Vous allez où, comme ça ?

– À l'Île d'Orléans. Plus haut.

– En aval. Dites-moi, monsieur Léveillée, vous connaissez la signalisation maritime ?

– Tu parles des bouées ? Ben oui ! C'est simple : vert, on passe, rouge, on passe pas !

– Bon, je vois… Je vais vous mener à bon port. Mais d'abord, je vous explique la différence entre une bouée bâbord et une bouée tribord, dépendant du fait qu'on navigue en aval ou en amont. Faut commencer par le commencement.

– Plus tard, je traverserai l'Atlantique pour aller en France. C'est un bateau-chansons.

– Je pense, monsieur Léveillée, qu'avant de vous lancer en mer, il vous faudrait prendre quelques leçons de navigation…

– Tu crois ?

– *For sure !*

Ça doit pas être bien compliqué, une boussole, une radio, des cartes maritimes, je m'y mettrai cet hiver…

Le temps d'hiverner le bateau
Et là, je tombe sur le dos
*Frédéric II* est long et gros
À compter les dollars par pied
Simplement pour rester à quai
V'là qu'il faut sortir le magot
Fini l'aventure-bateau
Capitaine tombe à l'eau
Et pour une bouchée de pain
Zarloff change son destin
Pour le prix d'un moteur
Quitte parce qu'il est l'heure
Je sais, la rime est facile. C'est que je reviens à la rame, voilà mon drame.
Zarloff tourne à *off* et puis bof !

LES ANNÉES 1970

*Tournée en Asie Centrale, 1973.*

# Un pays, un hôtel

Vous voulez un compagnon de voyage agréable ? Oubliez-moi ! Je sais bien, les plus aventureux rêvent de faire le tour du monde avec un petit baluchon, levant le pouce le long des autoroutes, sortant des circuits touristiques conventionnels pour manger chez l'habitant et s'imprégner de la culture locale, de ses us et coutumes.

Vous voulez pétrir de vos pieds nus le raisin mûr aux vendanges des coteaux de la Loire, moyennant quelques bouteilles pour tout salaire. Les plus téméraires iraient même déguster un banquet de fourmis rouges grillées en Tasmanie parmi les derniers survivants d'une quelconque peuplade aborigène. J'ai des petites nouvelles pour vous, elles sont empoisonnées, même cuites, ces bestioles ! Elles distillent l'un des plus puissants venins sur la planète ! Je vous aurai averti. Na !

Mais êtes-vous fous ? Avez-vous pensé que notre système digestif québécois est adapté à notre terroir et non aux mille épices indonésiennes ou au ragoût de phacochère à la mode mauritanienne ? Un ragoût de pattes de cochon et de boulettes à la façon de maman Laurette, voilà ce que votre estomac réclame pour votre plus grand bien. Je vous donnerai la recette un de ces jours.

Et si vous étiez malade, hein ? Parler à un médecin dans sa langue, n'est-ce pas s'assurer de recevoir l'antidote qui convient lorsque vous lui expliquez que c'était une piqûre de scorpion et non de morpion ?

Et si vous vous perdez lors de vos fameuses sorties des sentiers battus, qui vous dit que vous n'allez pas vous retrouver au cœur de la forêt colombienne en compagnie de guérilleros qui ne voudront jamais vous laisser repartir, de peur que vous ne révéliez l'emplacement de leur quartier général ?

Donc, mes règles de voyageur sont celles-ci :

*Primo* : on s'en tient au sandwich au jambon ou aux œufs sur le plat... On aura beau dire, un œuf de poule cosaque ou de wallikiki a un goût quasiment identique à ceux de nos pondeuses.

*Secundo* : on ne s'éloigne pas de l'hôtel à moins d'avoir un guide officiel et reconnu. Celui qui vous a accosté dans la rue, ce Moustapha Machin-Chose qui veut vous emmener dans un endroit fabuleux où vous aurez beaucoup de plaisir, eh bien, fuyez-le !

*Tertio* : ma règle la plus simple, concise et précise : n'y allez pas ! Rien de mieux que son chez-soi !

Pourtant, j'ai dû déroger des centaines de fois à cette troisième directive. On m'a invité sur plusieurs continents pour y poser le drapeau à l'emblème de la chanson du Québec. De mes voyages, je me souviens...

L'Union Soviétique. Le comité d'accueil ? Des centaines de soldats qui bordent la piste d'atterrissage de l'aéroport de Leningrad, tous armés de kalachnikovs. Ces sbires au garde-à-vous sont à leur poste pour donner volontairement aux arrivants une idée du pouvoir de l'État. On se tient tranquille.

Passer derrière le Rideau de fer, c'est se faire confisquer son passeport pour la durée du séjour. Étrangement, il est impossible d'obtenir une ligne téléphonique pour appeler au Canada. La méfiance règne partout, une suspicion maladive, contagieuse qui me fait chercher et trouver des micros-espions dans ma chambre. Cette crainte omniprésente qui empêche les gens de venir vous parler.

Je me souviens de cet homme qui, après un récital, voulait témoigner de son admiration pour le talent de mon batteur, Georges Angers, mais qui n'osait dire un seul mot, pas même en russe. Comme un sourd-muet, il faisait des signes d'appréciation en montrant Georges : il levait le pouce pour dire qu'il l'avait trouvé bon, puis il se désignait pour indiquer qu'il était aussi batteur et, balançant sa main de gauche à droite, mimait modestement qu'il n'était pas aussi doué. Quand ce bon Georges lui a offert ses baguettes, le pauvre bougre a contenu silencieusement sa joie évidente. En cachette, il a glissé son précieux cadeau dans son dos en le coinçant dans la ceinture de son pantalon. Il a regardé son gentil donateur en mettant un doigt devant sa bouche pour expliquer que c'était leur secret à tous les deux ; il n'avait pas le droit de recevoir quoi que ce soit des étrangers.

On constate vite que le peuple soviétique ne possède presque rien. Tous les gens que nous croisons pendant cette tournée souhaitent nous acheter nos jeans, nos chemises, tout ce que nous avons. Si nous avions acquiescé à leurs demandes, nous serions revenus nus comme des vers.

Je ne suis pas retourné chez moi les mains vides pour autant. Les roubles devaient demeurer dans le circuit économique soviétique ; de toute façon, ils n'avaient aucune valeur en Amérique. Je suis allé chez les artistes pour marchander quelques œuvres d'art et un vendeur, dans le plus grand secret, m'a offert d'échanger cette monnaie de singe pour des diamants noirs bruts. Je les ai glissés dans mes chaussettes, sous mes talons, et j'ai eu toutes les peines du monde à dissimuler la douleur que me causaient à chaque pas ces précieux cailloux. Je me tins pénard avec nos escortes soviétiques, puis avec les douaniers jusqu'à mon arrivée à Montréal, voulant éviter une fouille à tout prix.

Lors de cette même tournée de 1973 en Asie Centrale, vingt-sept récitals nous menèrent à Tachkent, la capitale de l'Ouzbékistan, à Frunzé[1], capitale du Kirghizistan si près des frontières de l'Afghanistan, puis à Alma-Ata[2], principale ville du Kazakhstan. Lorsque je séjournai par la suite à Samarkand, j'eus un moment l'impression d'être à l'époque des grandes invasions. Un défilé funéraire passa devant moi : un grabat rudimentaire se déplaçant sur des roues de bois portait le corps d'un défunt enveloppé d'un simple drap. Des pleureuses se lamentaient de toute leur âme. Quel choc culturel pour moi ! Cette cité, une des plus vieilles du monde, a subi les attaques du terrible Gengis Khan. J'avais l'impression de voir devant moi une victime de l'empereur mongol dans ce cortège funèbre.

Nous avons poursuivi notre itinéraire de tournée en passant par Achkhabad, capitale du Turkménistan, à proximité de la frontière

---

1. Bichkek depuis 1992.
2. Almaty depuis 1993.

iranienne, puis à Kiev, capitale de l'Ukraine, toutes des villes aux noms mystérieux et magiques.

C'est durant cette tournée que je vécus mon premier safari-photo, mais cette aventure, je l'ai jouée de prudence.

En arrivant à l'hôtel d'Achkhabad, je vois devant la fenêtre de ma chambre un câble marin de trois pouces de diamètre, peut-être plus gros, de la taille des amarres utilisées sur les transatlantiques. Il est dressé comme si un charmeur de serpent l'avait ensorcelé. Y a-t-il des gens qui se servent de ce câble comme escalier de secours ?

L'hôtelier m'explique qu'il s'agit là d'un symbole représentant la Perse antique des *Mille et une nuits*. Une sorte d'attrait touristique, quoi ! Intéressant, à la condition que 40 voleurs n'y grimpent pas pour rejoindre ma chambre…

Je regarde à nouveau par ma fenêtre et qu'est-ce que je vois là-bas, couché par terre, un animal plus gros qu'un cheval et plus petit qu'un orignal ? Le même homme m'avertit tout de go :

« Oh ! Ne vous approchez pas de cette bête-là, c'est très dangereux. C'est une chamelle et son bébé n'a pas plus d'une semaine. Elle ne fait pas exception aux mères du monde entier et si vous vous approchez à deux mètres de son petit, vous allez voir ce qu'elle est prête à faire pour le protéger. Elle va se mettre à crier et elle court vite, je vous assure ! »

Je saisis mon appareil photo et j'ouvre la porte-fenêtre. La chamelle me regarde du coin de l'œil sous ses grands cils. Elle blatère en sourdine. Une paysanne ridée comme une vieille pomme s'affaire à traire son lait. Comme l'animal semble disposé à tolérer la proximité humaine, je m'approche doucement… Pas trop près, je ne vais pas flatter cette chamelle et même si le chamelon a une bouille sympathique, je retiens mon rapprochement diplomatique.

J'ai la trouille. Je tourne le dos à la bête pour que Georges saisisse l'instant sur pellicule mais j'entends la femme pousser un cri d'avertissement… Délimitation de territoire oblige, je prends mes jambes à mon cou tandis que la vieille ricane un bon coup.

Je suis certain qu'elle a donné un ordre à l'animal pour me faire une peur bleue ! Je retourne à ma cache, dans ma chambre d'hôtel, et c'est bien là qu'un bon voyageur prudent doit se tenir.

Les voyages, moi, *chamelle dit pas* !

# NE RÉVEILLEZ PAS LE CHAT QUI DORT

Lors de ma tournée en Russie, je devais prendre l'avion avec mes musiciens pour me rendre d'une ville à l'autre. Restons diplomates en parlant d'avion car il s'agissait plutôt d'une boîte de conserve sur laquelle des bricoleurs du dimanche auraient greffé des ventilateurs. La coque tenait par de rares rivets qui semblaient avoir été fixés par un mécanicien arthritique ne pouvant visser jusqu'au bout. L'objet volant était totalement dénué d'esthétisme et de confort. Son allure militaire me laissait penser qu'il avait dû être conçu pour l'usage d'un kamikaze. Du moins, c'est l'explication qu'auraient donnée les ingénieurs aéronautiques n'ayant pas daigné parfaire l'appareil puisqu'il serait piloté par un homme qui courait vers sa mort ! Pourquoi se donner la peine ?

Poussés par nos escortes militaires bien armées, nous n'avons pas l'impression d'avoir le choix. En fait, nous ne l'avons vraiment pas. Notre interprète Irina tente de nous rassurer lorsque je lui demande si nous allons sérieusement monter à bord de cet appareil. «Vous pas avoir peur, bon appareil russe, solide !», affirme-t-elle.

Avant que je puisse émettre mon opinion, nous sommes bousculés par une cohue de paysans tenant sous le bras tantôt un cochonnet, tantôt une poule ou un canard ; la basse-cour complète nous accompagne ! Je dois m'être trompé de moyen de transport puisque ça ressemble de plus en plus à l'arche de Noé !

Je suis sûrement en train de rêver. Je grimpe dans l'appareil en me penchant la tête et que vois-je là, sur le plancher ? Pincez-moi, c'est sûrement un cauchemar ! Impossible...

Un lion !

Mon mouvement de recul est plus que légitime. Je me retourne vers mon guide.

« Vous pas avoir peur, lui dormir, lui dormir beaucoup. Lui avoir reçu piqûre somnifère. Pic ! Pic ! », me dit-elle en me piquant le bras avec son index.

J'examine le fauve scrupuleusement… Oui, il dort profondément comme un Moscovite bourré de vodka, la langue lui traîne à terre. Bon ! Eh bien, cela ne se représentera pas avant un siècle. Je profite de l'occasion pour jouer au toutou, enfin au minou… Une caresse d'une fraction de seconde sur la crinière de l'animal ; je ne veux tout de même pas réveiller Sa Majesté.

C'est que le roi n'est pas en cage. Il est attaché par une chaîne guère plus solide qu'une chaînette. Elle n'est pas assez grosse à mon goût et je doute de sa résistance. Il me semble que les galériens, bien que moins dangereux, étaient nettement mieux attachés.

Enjambant les pattes du lion, plus quelques cochons et poulets, je me rends à mon siège, suivi par l'interprète qui sera ma voisine de fauteuil durant l'envolée.

Il est l'heure de partir et les moteurs grondent comme des asthmatiques condamnés. Mon siège un peu bancal ressemble plus à une banquette de Ford modèle T, le modernisme et l'ergonomie n'étant pas encore arrivés en Russie. Viens le moment du décollage qui a toutes les allures d'un arrachage, comme on enlève un sparadrap sur une peau velue.

En priant le dieu Éole, je m'accroche à l'espoir me convainquant que, non, je ne pourrais mourir qu'en terre québécoise, pas ici dans ce pays qui n'est pas le mien. Comme je me sens soudainement loin de mon père et de ma mère !

Cette ascension frôle la perpendiculaire… Pourtant, on ne va pas sur la Lune, c'est un simple aller entre Alma Ata et Samarkand ! On frise l'angle des quatre-vingt-dix degrés, ce qui a pour résultat que le lion se retrouve presque pendu au bout de sa chaîne !

Je dis à Irina :

– Il va se réveiller, bon sang !

– Mais non, vous pas inquiéter lui dormir beaucoup, beaucoup.

Mes compagnons de voyage, le percussionniste Georges Angers et le guitariste Richard McClish, n'en mènent pas plus large que

*Première tournée en URSS, 1968.*

*Dans le cockpit avec les pilotes soviétiques, 1968.*

*Deuxième tournée en URSS, 1973.*

*De gauche à droite : Richard McClish, Tania (interprète russe), Georges Angers, Irina (interprète russe), Claude Léveillée, 1973.*

moi. Je crois avoir eu écho de quelques chapelets récités, mais peut-être est-ce une hallucination auditive ?

Nous pénétrons dans un ciel noir, un orage se dresse devant nous. Et comme sur une mer houleuse, nous tanguons dangereusement et ça craque de partout. Richard est au plus mal : le stress et le mal de l'air le rendent tour à tour blanc et vert. Il se précipite vers les sanitaires à travers le charabia russe des paysans, le caquetage des poules et les grognements porcins. On entend la souffrance de mon pauvre Richard qui vide ses entrailles à chaque soubresaut de l'avion.

Nous voilà encore qui penchons dramatiquement et ce qui devait arriver arrive : un bruit de chaîne cassée et voilà que le lion glisse jusqu'au bout de l'allée centrale pour aller se frapper la tête contre la porte du cabinet où se trouve Richard.

Je lance de toutes mes forces mon avertissement : « Richard, surtout ne sors pas, le lion est derrière la porte ! »

Rien pour aider le mec à se rétablir…

La noble bête se cogne la tête une fois, puis une deuxième et une troisième fois ; j'appréhende que le choc puisse venir à bout des somnifères. Dans une secousse de l'appareil, il glisse à nouveau dans l'allée pour s'arrêter à côté de mon siège et sa tête se pose sur mes jambes… Il dort toujours, je ne bouge pas et me dis que je suis en train de faire un mauvais rêve, c'est incroyable ! Je me visualise dans un lit de la plus confortable chambre d'hôtel cinq étoiles… Peine perdue. Encore une fois, pincez-moi quelqu'un !

Irina n'a plus sa foi patriotique dans la technologie russe. Elle est pétrifiée et me lacère le bras de ses griffes, comme si le fait de s'accrocher à moi ainsi rendait l'avion plus solide. Je ne suis pas une ancre, je suis pianiste, moi, et pas du tout à ma place !

Le lion continue ses allers-retours du devant vers l'arrière tout en se frappant sans cesse le crâne. Vraiment efficaces, les somnifères soviétiques ! Je note en passant.

Puis la noirceur de l'orage fait place à un ciel bleu plus sympathique. Mais l'avion se met alors à descendre, descendre, encore et encore. La terre se rapproche, je cherche l'aéroport par le hublot, rien que la forêt et les champs. Je sens bien que l'avion est en phase d'atterrissage, mais où est la piste ?

Irina est encore en train de me balafrer l'avant-bras ; ce n'est pas elle qui va répondre à mes questions techniques. Un équipier pas nerveux pour deux sous tire le lion et le rattache rapidement. Et nous nous posons, je crois bien, dans un champ de pommes de terre !

– Qu'est-ce qu'on fout ici ?

– Vous pas inquiéter…, me répond machinalement une Irina nerveuse et cataleptique.

Et voilà que le pilote sort de sa cabine, ouvre la porte latérale et descend.

– Nous débarquons en plein champ ?

– Non, nous rester assis à bord, pas sortir, dit-elle.

Je regarde par le hublot, je vois le pilote marcher tranquillement et… fumer une cigarette !

Nous avons atterri en pleine glèbe pour que monsieur comble son besoin de nicotine, comme ça, juste pour ça ! On va sûrement me dire : « Claude, réveille-toi, allons, c'est l'heure de te réveiller ! » Mais non. L'aviateur remonte dans l'appareil en crachant derrière lui.

Toute cette situation burlesque semble une simple routine pour lui. Et nous repartons vers Samarkand : Richard toujours vert mais affichant un ton plus pâle, Georges cloué à son siège, Irina s'enlevant les fragments de ma peau de sous les ongles, et moi, abruti, j'ai presque l'air courageux tellement je suis assommé par ce cirque.

Parlant de cirque, quelques jours plus tard, je retrouve le lion à Moscou, mais pas comme compagnon de voyage. Je suis dans la loge du tsar. Là, les choses sont à leur place, le félidé dans l'arène et moi au-dessus, hors de portée. Je ne serai pas sa pâtée, je suis enfin réveillé.

Je n'aime pas les chats, surtout ceux de deux cents kilos !

# À DROITE TOUTES !

Ce 20 septembre 1970, pour souligner le 20e anniversaire de sa liaison Montréal-Paris, Air France tient une célébration animée par Guy Maufette au Forum de Montréal. La compagnie aérienne profite aussi de l'occasion pour présenter son nouvel appareil, le *Boeing 747* qui pourra enfin transporter jusqu'à 500 passagers à la vitesse de 1000 km/h sur des distances de près de 6000 kilomètres.

L'évènement est très médiatisé et Air France n'hésite pas à inviter les célébrités de l'heure ainsi que ses clients les plus prestigieux. Pour avoir effectué de nombreux allers et retours intercontinentaux, Claude Léveillée est un client choyé. D'ailleurs, il participe au spectacle ce soir-là, accompagné par l'Orchestre symphonique de Montréal. On a aussi engagé à l'accueil de jolies hôtesses issues d'agences de mannequins, toutes aussi belles les unes que les autres, et il y en a une parmi elles, une grande brune de vingt et un ans au sourire magnifique, qui croise le regard de Claude. Elle s'approche de lui et lui dit :

« J'ai beaucoup d'admiration pour ce que vous faites. »

Le timide Léveillée la remercie, ne sait trop comment engager la conversation avec cette femme superbe et la voit s'éloigner pour reprendre son travail. Quelle douce apparition ! Déjà elle laisse une empreinte dans sa mémoire. Si elle avait laissé une pantoufle de vair, au moins pourrait-il la retrouver. Qui est-elle ? D'où vient-elle ? Serait-ce ELLE ?

Il ne connaît pas son nom, mais apprend qu'en plus d'être mannequin, elle est actuellement danseuse au *Donald Lautrec Chaud* sur les ondes de Radio-Canada et poursuit des études en pédagogie et en arts plastiques à l'École des Beaux-Arts.

Le soir même, de retour chez lui, Claude débute sa quête afin de connaître le nom de cette jeune femme. Il appelle son ami Richard Martin, réalisateur à Radio-Canada qui a la réputation de connaître pratiquement tout le monde à la société d'État.

– Richard, j'ai un petit service à te demander…

– Avec plaisir mon Claude, qu'est-ce que je peux faire pour t'être utile ?

– Tu sais, sur le plateau de l'émission *Donald Lautrec Chaud*, il y a quatre danseuses qui l'accompagnent sur scène.

– Oui ?

– Celle qui danse toujours à droite, tu connais son nom ?

– Celle de droite ? Écoute, à droite de Lautrec ou à droite de ton écran ?

– À droite heu… de Lautrec !

– Oui, mais elle ne danse peut-être pas toujours à droite, tu sais, ça bouge ces filles-là.

– Je sais, mais elle est à droite, elle a les cheveux longs. C'est la plus belle.

– OK…OK… Je pense savoir qui c'est.

– J'aimerais avoir son adresse.

– Ah ben ! Tiens… tiens…

– Déconne pas, veux-tu ? Tu l'as ? Celle de droite, n'oublie pas !

– Oui, attends, attends, calme-toi, je fouille dans mon bottin… Voilà, bon, il s'agit de Francine Massé. Son adresse est…

– Bouge pas, je note… Bordel ! Pourquoi je cherche toujours du papier ?

Aussitôt la conversation téléphonique terminée, il fait parvenir ce télégramme à la belle :

*PUIS-JE VOUS INVITER À DÎNER ? CLAUDE LÉVEILLÉE.*

Et c'est parti…

Le lendemain, il attend la réponse. Mais rien ne vient… Peut-être n'est-elle pas intéressée ? Et si elle n'était pas chez elle ?

*Un bon client d'Air France.*

Le jour même, il doit s'envoler pour la France afin de procéder au mixage de son dernier album[1] qu'il a enregistré aux studios d'André Perry, au Québec, avec son nouvel arrangeur et orchestrateur Pierre Leduc. La semaine est consacrée au travail en studio, à sa campagne de promotion où on peut l'entendre sur les ondes de l'ORTF et d'Europe I. Chaque soir en rentrant à l'hôtel, au moment de se mettre au lit, il pense à elle. Mais une question le hante... Et si celle qui recevait son télégramme était plutôt la danseuse de gauche ?

Le dimanche suivant, il revient chez lui et prend connaissance d'un message de la demoiselle qui le rassure. Elle accepte son invitation à dîner pour le 4 octobre et ce soir-là, en allant la chercher à sa résidence avec un bouquet de fleurs derrière le dos, Claude Léveillée murmurera comme une prière devant la porte fermée : « Faites que ce soit celle de droite. Sinon, je vais avoir l'air fou. Droite... Droite... s'il vous plaît. Droite ! » La porte s'ouvre sur un nouveau chapitre de sa vie : son histoire d'amour avec la *top model* Francine Massé.

Les tourtereaux ne tardent pas à vivre ensemble. Francine Massé s'installe à la campagne dans la demeure de son nouvel amoureux et Claude aménage pour elle un atelier d'artiste dans la tour qu'il a construite au Manoir de l'Aube.

Pour la première fois, il intègre sa compagne de vie à son travail. Elle crée plusieurs pochettes de ses albums et figurera même sur la couverture du disque *If ever*[2]. On l'y voit vêtue d'une robe de dentelle blanche, étendue sur un quai comme une sirène échouée.

Bien que la cohabitation en dehors des liens du mariage soit de plus en plus acceptée socialement, Claude tient à officialiser son union en demandant la main de sa douce au père de son amoureuse, un éminent chirurgien cardiologue de l'hôpital Sainte-Croix de Drummondville. La mère de Francine est comblée, les bonnes mœurs sont respectées.

Le 15 juillet 1972, dans la plus grande intimité, Claude Léveillée épouse Francine Massé au Palais de justice de Saint-Jérôme devant

---

1. *Claude Léveillée*, 33 tours, Leko KS-101 (1970) Canada et France ; réédition Camp Music Corp. ALP-50-109, Suède (1973).
2. *If ever*, Leko KS-103 (1971).

*Francine Massé*

un protonotaire qui lui donne envie de pouffer de rire. L'homme arbore une exubérante moustache noire très distinctive, scrupuleusement frisée et gominée, qui dépasse de chaque côté de ses joues. Claude a l'impression d'être devant le maître de cérémonie du cirque Barnum & Bailey's ! Et pour l'ambiance, le monsieur fait tourner *Comme j'ai toujours envie d'aimer* de Marc Hamilton. Claude ne se tient plus, il éclate de rire !

Certes, le moment est cocasse, mais Claude Léveillée ne prend pas le mariage à la légère pour autant. Et bien qu'il s'agisse de la troisième fois qu'il convole en justes noces, il croit que celle-ci, c'est la bonne, pour la vie. Alors que d'autres hommes fuiraient comme la peste le moindre bout de papier à signer les liant par contrat à une femme pour le reste de leurs jours, Claude, lui, n'hésite pas à montrer la force de son engagement. Dans ce qui peut sembler n'être qu'une formalité légale, il voit une preuve de ce qu'il est prêt à faire par amour.

Comment peut-on oser dire à l'autre « Je t'aime pour la vie » sans le prouver ? Pour lui, c'est une question de sincérité. Être vrai avec soi comme avec l'autre. Il n'a pas peur de l'engagement. « L'amour ne se raisonne pas, il se donne », a souvent dit Claude.

Mais Francine était jeune, encore au printemps de sa vie à 28 ans. Lui, à 45 ans, voyait déjà poindre une autre saison. Octobre 1977 fut un automne où les feuilles tombèrent lourdement au Manoir de l'Aube.

La belle dame de la tour s'en était allée.

# VISITER LE PASSÉ

Encore étudiant à l'Université de Montréal, je rêvais d'être ambassadeur. Les rêves que l'on se dessine à travers son esprit sont pour certains des clichés photographiques très précis. La jeune femme croisant le regard de celui qu'elle croit être l'homme de sa vie, focalisant sur l'objet de ses espérances. En un clignement de paupières, l'obturation contrôle la lumière et l'image se révèle presque instantanément tel un polaroïd. Elle voit en couleurs son élu, de surcroît vêtu de son habit de noces bleu marin, et s'imagine elle-même dans cette robe d'un blanc pur et, bien sûr, nettement dessinée par un grand couturier. Ce sont des rêves tracés avec précision. Mon rêve d'être un délégué international devait être une toile du genre impressionniste, faite de larges coups de pinceau, un peu barbouillée, où l'on devine le sens plus qu'on ne le voit clairement.

Je dois représenter la culture québécoise à l'*Exposition universelle d'Osaka* en 1970. Je ne suis pas seul à le faire, d'autres dignes représentants sont aussi de la délégation : mon vieil ami Gilles Vigneault, la troupe folklorique Les Feux follets et l'Orchestre symphonique de Montréal.

L'exposition se tenait du 15 mars au 13 septembre et avait pour thème le *Progrès humain dans l'harmonie*. Le 20 mai, j'entrepris le voyage de 17 heures en avion pour y passer une quinzaine. Je devais me produire dans le cadre d'une émission télé diffusée par satellite, avec un auditoire qui ferait aujourd'hui saliver d'envie tous les commanditaires de ce monde. Ces quelques chansons mises dans mon baluchon, je les avais déballées devant les Japonais et des gens de partout sur la terre avaient aimé. Ma musique comprise par un

Néo-Zélandais, un Russe, même un Ivoirien… Avec mes notes, je suis polyglotte ! C'est merveilleux.

La population de Japonais se chiffre alors à près de 103 millions. Comment font-ils pour vivre dans autant de promiscuité ? J'étouffe. Je ne resterai pas longtemps, ils sont trop nombreux, ils me volent mon air. Je vais aller faire un tour dans leur pavillon à l'air conditionné…

Je ne sais pas ce que je vais voir. Il fait noir et je suis sur un tapis roulant comme il y en a dans les aéroports modernes. Je me maintiens à la rampe et là, enfin dans mon imaginaire, se déploie devant moi leur version de *La Machine à explorer le temps* de H. G. Wells.

Sur mon tapis spatio-temporel, mon exploration s'amorce par l'époque contemporaine. Bon… C'est l'homme d'aujourd'hui devant son téléviseur. La famille autour de la « boîte à images » ; je l'ai vue naître, cette invention-là. Ah ! Ça ne me rajeunit pas, et dire qu'en plus, j'étais dedans, en noir et blanc. Et la maman sort un pain du fourneau électrique.

Attention, le voyage continue… Voici l'époque moderne. Tiens ! Une famille nombreuse autour de la bouche d'un four à pain en pierres comme on en voyait au XVIIe siècle. Je peux presque humer la mie chaude. Belle reconstitution.

Autre escale temporelle. C'est le Moyen Âge : des paysans dans une maisonnée offrant leur récolte de blé à un suzerain. Les enfants sourient, le père fend le bois et la mère moud la précieuse céréale. Ils gagnent vraiment leur bricheton à la sueur de leur front !

Je glisse maintenant vers l'Antiquité. La belle époque, ils ne s'ennuyaient pas ! La famille, sans doute instruite de la grande sagesse des philosophes grecs, ne manque de rien, le vin sortant des urnes coule à flots et les paniers d'osier débordent de miches de pain.

Avançons dans ce voyage à rebours, ou reculons encore. Un arrêt maintenant dans la Protohistoire : les premiers hommes en Afrique, les tribus, un clan se partageant la viande d'un animal à cornes sportivement chassé par le père avec sa lance à la lame de pierre taillée.

J'arrive au bout de mon voyage dans le temps. Mon vaisseau spatio-temporel me guide vers une scène que je n'oublierai jamais : une famille d'australopithèques reconstituée. Ils ont l'air si vrais.

Leurs yeux de verre nous laissent croire qu'ils ont une âme ; ils se regardent et… ils s'aiment.

L'amour existe depuis la nuit des temps. Un seul but, tout au long de l'histoire de l'humanité : que le père, la mère et les enfants puissent être ensemble à s'aimer autour d'un feu, autour de la table…

J'ai vu défiler des millions d'années en une heure sans jamais y remarquer l'ombre d'une image religieuse, de quelque religion que ce soit. Il n'y avait qu'essence, que décence. Pas de Dieu, mais un gros *Big Bang* pour moi ! Je suis athée. Maintenant, je serai humaniste.

C'est maintenant l'heure, je dois chanter sur une grande scène entourée d'eau et de miroirs, le satellite m'attend. Heureusement, la musique est universelle, mais je saluerai tout de même l'auditoire d'un respectueux *kon'nichiha*[1]. La politesse japonaise demande de s'incliner bien bas en saluant les gens. C'est ce que j'ai toujours fait devant mes spectateurs ; un artiste sur les planches ne doit pas oublier un seul instant qu'il peut être mis à mort par le public au moment des applaudissements. Ce que l'artiste entend, c'est son sursis, son laissez-passer pour la grâce, une fois, juste une fois encore, sans promesse d'avenir. Tout est toujours à recommencer, rien n'est acquis.

Après mon tour de chant à Osaka, je me suis inquiété royalement. Les Japonais, réputés pour leur retenue, applaudissaient en sourdine comme si tous portaient des moufles, comme si ce public était constitué de chats dégriffés. Leurs battements de mains étaient feutrés, si discrets. Je sentais que j'allais avoir mal au ventre.

Le promoteur vint me voir en coulisses.

– C'est un triomphe, me dit-il fièrement.

– Pardon ?

– Voyez comment ils vous applaudissent, monsieur Léveillée !

– Ah bon ? C'est de ça que ç'a l'air un triomphe au Japon ? Vous m'apprenez quelque chose, là.

Vraiment, pour l'être bouillant que je suis, autant de retenue me laissait sans voix.

C'était plat, insipide, inodore et incolore.

---

1. Bonjour !

Le baume vint à la fin de mon spectacle. Une fillette japonaise se lança littéralement sur moi avec un immense bouquet de lys blancs. La gerbe de fleurs était presque plus grosse qu'elle, et elle avait pris un tel élan pour me retrouver sur scène que je lui avais servi d'amortisseur. Ouf! J'en ai eu le souffle coupé. Elle était si mignonne, si petite... Je l'aurais mise dans ma poche et hop! Comme un petit bonheur ramassé sur le bord d'un fossé...

## La sagesse du Samouraï

Une page dans l'histoire de la vie d'un homme, c'est peu pour faire un livre. On peut la tourner si vite, mais le vent des souvenirs s'amuse à venir nous la plaquer sous le nez au moment où l'on s'y attend le moins. Et étrangement, parfois, quand on en a le plus besoin...

Bien des années plus tard, dans un moment de brouillard, on me rappellera cet épisode que je vécus à Osaka, peut-être inspiré de la sagesse japonaise ou par ma manie chevaleresque de venir en aide aux dames éplorées.

Je me retrouve dehors un soir, sans doute pour aller fumer une cigarette en paix, fatigué du brouhaha d'un bar où se divertit la délégation québécoise. Une demoiselle assise sur les marches devant le portail attire malgré elle mon attention. Elle pleure, c'est une jolie blonde dont le rimmel noir barbouille ses joues de fins ruisseaux charbonneux. Je m'approche doucement d'elle :

– Ça n'a pas l'air d'aller, mademoiselle...

– Snif... Non, pas du tout!

– Mais qu'est-ce qui peut bien vous mettre dans un état pareil?

– Je suis nulle, incompétente. C'est mon premier soir de travail ici comme serveuse et je fais gaffe par-dessus gaffe.

– Allons, qu'est-ce qui peut être aussi grave pour que vous pleuriez autant?

– Tout ce que j'ai à faire, c'est prendre la commande des consommations et les servir aux clients. Je dois me faufiler à travers la foule avec le plateau et me rendre jusqu'à la table. Ce n'est pourtant pas sorcier! N'importe qui peut faire cela, mais pas moi!

– Avec le monde qu'il y a ici, c'est un travail d'équilibriste.

– Trois fois! Trois fois que je renverse tout, la douche sur les clients! Les verres brisés! Et je suis trempée de bière et de gin! Je sens pire qu'un vieil ivrogne!

– Ah ! Bon. Je vais donc faire attention de ne pas allumer mon briquet près de vous, histoire de ne pas vous embraser ! Je ne veux surtout pas vous enflammer…

Elle se met à sourire en essuyant les longues traînées de mascara qui lui noircissent les joues.

– Ah ! C'est mieux, un sourire ! Prenez ce mouchoir. Quel est votre nom ?

– Snif ! Hélène…

– Eh, bien ! Mademoiselle Hélène, quittez ce boulot sur-le-champ ! Vous détestez cela, c'est évident. Il ne faut faire que ce que l'on aime dans la vie, être à sa place, sinon ça ne sert à rien ; on est malheureux, on gâche son temps, on perd sa vie.

– Et si on ne sait pas pourquoi on est fait ?

– L'avenir se chargera de vous mettre à l'endroit propice pour que les rencontres se fassent. Tout est écrit déjà. Mais surtout, il faut écouter son instinct, sa voix intérieure. Si on éprouve un malaise, si on ne se sent pas bien, on n'est pas sur le bon bateau. Il faut le quitter avant qu'il ne coule. Quand on a le mal de mer, mal à la vie, on retourne sur terre et on prend une autre voie, celle où l'on se sent bien. Vous me voyez, moi, en chauffeur de taxi ?

– Mais non, monsieur Léveillée, vous êtes un grand compositeur.

– Grand, je ne sais pas, mais ce que je sais, c'est que toute ma vie, j'ai tenté de faire seulement ce que j'aimais, de la musique. Je serais malheureux comme les pierres si je devais passer toute mon existence derrière un volant à conduire dans les bouchons de circulation. Je deviendrais fou !

– Ce serait gaspiller votre talent.

– Ce serait gâcher ma vie. Ne galvaudez pas votre vie, Hélène. Allez voir votre tavernier et donnez votre démission !

– Vous avez peut-être raison. Mais je ne peux pas quitter ce soir, le patron va être fâché.

– Et alors ? Où sera ce bonhomme plus tard, dans votre vie ? Dans le monde des vagues souvenirs, le rappel d'un court temps lors d'une brève soirée désagréable. Vous êtes malheureuse, vous n'êtes pas à votre place, un poisson hors de l'eau, vous n'avez pas à être là, c'est tout ! La lune habite la nuit, le soleil se pointe le jour ; chaque astre dans son espace, chaque humain doit en faire autant.

– J'y vais ! Je démissionne tout de suite ! Merci monsieur Léveillée.

– Allez… Bonne nuit, Hélène.

Hélène se rendit voir son patron et même si celui-ci tenta de la convaincre de terminer au moins la soirée, elle ne revint pas sur sa décision. Le lendemain, elle alla se dénicher un autre emploi d'hôtesse dans un pavillon où elle se trouva comblée. Car en prime, elle y découvrit l'amour de sa vie parmi ses collègues et devint madame Hélène de La Bruère pendant trente-cinq heureuses années.

Si je n'ai servi qu'à cela au cours de mon passage sur cette terre, permettre à deux êtres de se trouver pour partager le grand amour, juste pour cela, ma vie aura valu la peine d'être vécue…

Cette page de la petite histoire d'un homme au Japon se terminerait bien par ce Kotawaza[2] : *L'espace d'une vie est le même, qu'on le passe en chantant ou en pleurant.*

---

2. Proverbe chinois.

## LE CLAIR-OBSCUR LÉVEILLÉE

S'il fallait peindre Claude Léveillée sur une toile pour en rendre l'essence profonde, il faudrait confier le travail au maître du clair-obscur Le Caravage, celui qui révolutionna la peinture du XVII<sup>e</sup> siècle. Car la personnalité du poète porte ses zones d'ombre et de lumière ; il est rarement en demi-ton, peu de nuances séparent l'artiste de l'homme.

C'est d'ailleurs cette dualité constante qui engendre un sentiment d'amour-haine chez qui l'a côtoyé dans sa vie. Parmi ses meilleurs amis se trouve quelqu'un qui qualifie affectueusement Léveillée comme un être « atta-chiant ». Il gueule, il râle, mais... il compose de la si belle musique ! Il peste, il grogne, il rouscaille, mais... il fait rêver par son piano ! Il peut tant donner et tout enlever, puis redonner et repartir. Certains s'attachent, d'autres se détachent, et ceux qui demeurent ont très certainement la capacité de pardonner le mauvais caractère de l'attachant Léveillée.

S'il y en a qui lui pardonnent tout, d'autres se souviennent...

Pierre Jobin, ancien agent de Claude, également de Félix Leclerc, se rappelle : « Claude et moi avons onze ans de différence. C'est donc comme amateur de chansons que je l'ai connu, en tant que public puisque j'ai assisté à ses premiers spectacles. J'ai commencé à travailler dans le milieu en 1963 et déjà, cette année-là, Léveillée était un artiste confirmé comme Gilles Vigneault et Jean-Pierre Ferland. C'était le début des années soixante, le courant musical des auteurs-compositeurs-interprètes québécois était bien installé. J'ai travaillé dans ces années-là avec Frank Furtado qui était le premier régisseur de Claude. Il travaillait également pour

Guy Latraverse et avait sa propre agence, il faisait des tournées. J'ai donc entendu Léveillée épisodiquement comme artiste dans nos croisements de coulisses. »

La vague des chansonniers déferlait sur le Québec et les boîtes à chansons poussaient comme des champignons, cinquante à cent places où s'entassaient, inconfortables mais heureux, des étudiants qui fumaient et buvaient du café, rarement de l'alcool. On se prenait à rêver de participer à l'histoire de notre Montmartre *Made in Québec*, on s'imaginait au Lapin agile ou au Chat noir en compagnie des poètes du XX$^e$ siècle, ceux qu'on citerait plus tard comme nos poètes maudits.

En 1964, Pierre Jobin débute en ouvrant sa boîte à chansons La Brique dans un centre de loisirs à Québec, et ensuite La Halte des Chansonniers (1965-1967) dans le quartier latin de la vieille capitale. Par la suite, il crée sa propre agence d'artistes, Les Productions Québec, permettant à plusieurs chanteurs tels Monique Leyrac et Raymond Lévesque de se produire dans les différentes boîtes du Québec. Plus tard, il travaille comme agent et régisseur pour Alexandre Zelkin, Claude Gauthier, Pierre Létourneau et Pierre Calvé avec qui il parcourt tout le Canada et la Louisiane.

Sa collaboration avec Claude Léveillée débute à l'époque où Pierre Jobin fait la promotion des spectacles au Palais Montcalm. Il s'occupe alors des placements médias et côtoie donc Guy Roy et Pierre David qui représentent Léveillée. Parallèlement, il reprend la direction de théâtres d'été dont celui de l'Île d'Orléans (1973-1991) ainsi que La Roche à Veillon, à Saint-Jean-Port-Joli. C'est aussi lui qui assurera la représentation artistique de Félix Leclerc de 1973 jusqu'en 1988, date de la disparition du poète.

Un jour, Pierre Jobin fut témoin malgré lui d'une scène qu'il jugea plutôt triste, où Léveillée et ses musiciens avaient une discussion houleuse. Ceux-ci se plaignaient, non sans élans de colère, du cachet qui leur revenait. Jobin fut surpris de voir Léveillée désemparé devant leurs revendications salariales. Pierre pensait, sans en dire mot, qu'un artiste de la trempe de Léveillée ne devait pas avoir à régler lui-même les conditions de travail de ses musiciens ; ce n'était pas son rôle mais plutôt celui de l'agent. Il y voyait là une lacune majeure. Léveillée avait besoin d'aide. Mais ce n'était pas du ressort de Pierre puisque Claude n'était pas sous son aile.

Pierre Jobin et Claude Léveillée en Suisse.

Le 17 août 1975, Claude Léveillée se produit au Théâtre de l'Île. Il confie alors à Pierre :

– Tu sais Pierre, je ne connais pas vraiment Félix. Je ne l'ai croisé qu'une fois ou deux ; je dois être le seul des auteurs-compositeurs qui ne l'a pas rencontré ; j'aimerais bien.

– C'est dans le domaine du possible. Je retiens l'idée, je vais t'arranger ça, lui répond Jobin.

En 1975, Pierre accompagne Félix en France pour faire l'émission *Le Grand Échiquier* avec Jacques Chancel et sur le même plateau se trouve Atahualpa Yupanqui, un poète, chanteur et guitariste argentin du même gabarit artistique et du même âge que Félix. Tous deux passent les mêmes messages à travers leur poésie : non aux colonisateurs et la terre au peuple. L'un parle du Sud, l'autre parle du Nord.

Jobin discute avec l'impresario d'Atahualpa. Il propose d'envoyer à l'artiste argentin tous les disques de Félix pour lui faire connaître son œuvre et vice-versa. Puis, Pierre suggère à Félix de faire cet été-là, à l'île, un spectacle où les deux artistes partageraient la scène, du genre « Félix du Nord, Yupanqui du Sud ». Au début, Félix Leclerc n'y voit pas d'objection. Pierre garde donc cette idée en mémoire. En avril, quand vient le temps de préparer sa programmation estivale, il ramène cette proposition mais après réflexion, Félix se sent moins enthousiaste. Il estime alors qu'il ne connaît pas assez Yupanqui pour tenir l'affiche avec lui durant quinze jours. À Paris, l'expérience fut sympathique, mais il préfère en rester là.

Cela remet en cause le concept que Pierre Jobin a imaginé, l'interaction de deux artistes échangeant à travers leurs œuvres. Lorsque Félix ajoute qu'il n'a rien contre la pensée d'une synergie artistique, mais qu'il préfère le faire avec quelqu'un d'ici, Pierre se souvient aussitôt du souhait de Claude Léveillée de rencontrer Félix. Ce dernier accepte avec plaisir de faire sa connaissance.

Ainsi fut créé le spectacle *Le temps d'une saison*, une série de courts récitals qui dura deux semaines à l'Île d'Orléans. Félix Leclerc ne se séparait jamais de sa fidèle guitare, Claude Léveillée s'accompagnait au synthétiseur Solina et Michel Lefrançois les accompagnait à la guitare. La captation sonore, le 6 août 1976 à l'Île d'Orléans, mena à la création de l'album double *Léveillée-Leclerc*[1] lancé un an plus tard. Ce fut une rencontre fort sympathique pour les deux poètes, tous deux très heureux de leur collaboration.

Ils se retrouvèrent l'été suivant pour une reprise du même spectacle, du 22 août au 3 septembre 1977, en profitant pour y lancer l'album double le 24 août. Le 31 août, Radio-Canada venait faire une captation pour la télévision d'État. Pendant ces deux semaines passées à l'Île d'Orléans, Claude présenta pour la première fois, aux yeux de son agent, un aspect moins agréable de sa personnalité et démontra sa propension à trouver un bouc émissaire lorsque les choses n'allaient pas à son goût. Pierre se rappelle cette première déception :

« Il était huit heures moins quart du soir, soit quinze minutes avant le début du spectacle et toujours pas de Léveillée à l'horizon. Félix, toujours prêt une heure à l'avance, se demandait ce qui se passait. J'étais occupé par la régie, l'éclairage et la prise de son. Surpris et inquiet de l'absence de Claude, je me décidai *in extremis* à téléphoner au motel pour m'enquérir de la situation, et je joignis la réception :

– Pierre Jobin à l'appareil, dites-moi, Monsieur Léveillée est-il toujours dans sa chambre ?

– Il semble bien que oui. Sa voiture est là.

– Il s'est endormi, réveillez-le, c'est urgent ! Il doit être au théâtre dans les dix minutes qui viennent !

Claude arriva en trombe dans les coulisses et se mit à pester contre Pierre :

– Pourquoi tu ne m'as pas réveillé avant ? Pourquoi tu ne m'as pas appelé avant ? Non, mais quelle incompétence !

Le ton était pour le moins disgracieux. Félix était juste à côté, derrière le rideau qu'il écarta pour apparaître devant Claude. Sur le ton ferme et calme d'un père qui n'a nullement besoin de crier pour se faire entendre, il s'adressa au jeune Léveillée :

– Claude, parle pas de même à Pierre.

– Oui… mais… personne ne m'a réveillé. Quinze minutes avant un spectacle, c'est ridicule !

---

1. Polydor, 2675.144 : album double, 33 tours.

– Quel âge as-tu, Claude ? Tu n'es pas capable de te réveiller tout seul à ton âge ? Ce n'est pas le problème de Pierre, c'est le tien !

Claude s'est tu, puis est allé se préparer.

On peut expliquer aujourd'hui ce sommeil d'ours en fouillant dans son agenda de l'époque. Claude était assommé par les médicaments qu'il prenait pour des maux de dents et, avec un peu d'alcool dans le sang, il s'était si profondément endormi qu'il ne s'était pas réveillé à temps. Mais est-ce une raison pour en faire porter la faute à Pierre ?

Claude s'excusa et on n'en parla plus.

À son retour de l'Île d'Orléans, Claude doit vivre sa séparation de sa troisième épouse. Lorsque Félix et Pierre revoient Claude chez lui, quelque temps après, un Léveillée à l'allure lamentable apparaît devant eux. Félix n'en revient pas et trouve désolant que cet artiste bourré de talent se drape l'âme en dedans, ensevelie dans son manteau de peine. Aussi, il lui dit qu'il devrait se plonger dans le travail plutôt que dans son verre de gin. Il lui offre alors d'écrire la musique sur deux contes qu'il a écrits pour les enfants, *La Légende du petit ours gris* et *Le Journal d'un chien*. L'album paraîtra sous l'étiquette Polydor en 1979.

Claude informe alors Pierre qu'il aimerait travailler à la manière de Félix. Pierre lui répond : « Claude, si tu veux qu'on travaille ensemble, sache que je ne travaille pas avec des équipes de dix ou douze personnes et que je ne voyage pas en tournée avec trois camions. Si tu veux gagner ta vie, le moteur, c'est toi ; le talent, c'est toi. Tu n'as pas nécessairement besoin de tout ça. Tu peux, si tu veux et si tu en as les moyens, mais ça ne m'apparaît pas être le cas en ce moment. »

Claude accepte de suivre Pierre dans une tournée qu'il organise pour l'automne. Ils partent tous les deux à bord d'une voiture pour se rendre à Saint-Georges de Beauce, Rimouski et Gaspé ; c'est là que survient la deuxième déception…

Pour le montage technique de la salle, Pierre reçoit l'aide de jeunes cégépiens bénévoles. Claude se met à se plaindre, soulignant de façon désagréable leur amateurisme en leur disant qu'un tel manque d'expérience ne serait pas accepté à la Place des Arts. Pierre est furieux. La condescendance de Claude envers ces vaillants étudiants est outrancière.

Trois fois chantera, *1984-1985*
*Claude Léveillée, Claude Gauthier et Pierre Létourneau.*

*Un mot de Félix Leclerc à l'occasion du spectacle* Le petit concerto d'Hélène.

*Félix Leclerc et Claude Léveillée.*

*Claude Léveillée avec le réalisateur du film* 67bis, boulevard Lannes, *Jean-Claude Labrecque,* 1991.

Pierre sermonne alors Claude : « Claude, dorénavant tu ne viens plus au montage. Tu iras au motel, tu attendras. Lorsque ce sera prêt, tu arriveras à sept heures pour la prise de son. Parce que là, tous les jeunes qui sont ici ne sont pas payés, ils font ça au mieux de ce qu'ils peuvent. Ton histoire de la Place des Arts, ils n'en ont rien à foutre. Tu es au Cégep de Gaspé ! Si tu viens ici pour faire angoisser le monde, ne viens plus. »

Il leur reste une petite semaine de tournée avant que l'agent doive rentrer à l'Île d'Orléans. De petite salle en petite salle, Claude cumule un cachet de dix mille dollars et Pierre revient avec cinq fois moins. Pour Pierre, cette expérience de tournée avec Claude n'est pas particulièrement positive.

Il voit aujourd'hui cette première tentative comme une période d'adaptation. Tout ne tournait pas rondement comme avec Félix, mais Claude n'était sans doute pas un cas désespéré, il avait un bon fond. Pierre pouvait lui parler afin que les choses s'améliorent.

Pierre croit que les caprices de certaines vedettes s'expliquent ainsi :

« Lorsqu'un artiste acquiert le succès dans sa jeunesse, dès ses débuts, c'est fort dangereux. L'ego se gonfle rapidement si la vie ne vient pas aplanir les montées fulgurantes. »

On pourrait parfois dire qu'il est trop tard pour certains, comme le Gaulois Obélix et la célèbre potion magique : enfants, ils sont tombés dans la marmite et les effets sont permanents.

Je demande alors à Pierre s'il n'est pas un peu malsain pour l'équilibre psychologique d'un artiste d'être autant adulé et admiré si tôt ? « C'est un métier qui déséquilibre, répond-il. Les médias ont tellement besoin des artistes, ils les prennent pour des dieux. Les journalistes ne peuvent se les mettre à dos. Et le monde pardonne tout aux artistes. »

Pierre reconnaît d'emblée qu'il considère Claude comme un grand artiste et quand il s'agit de travailler avec lui, Claude est très souple, ouvert aux conseils. Le professionnalisme est là, c'est indiscutable.

En 1980, Pierre Jobin signe un contrat pour un spectacle de Claude le 23 février à la salle de l'Opéra du Centre national des Arts d'Ottawa. Le cachet est assez important, ce qui est une bonne nouvelle en soi. Mais, comme d'habitude, quand vient le temps pour Claude de payer l'écot de son agent, il lui fait une remarque qui offusque Pierre :

– Ouin, mon Pierre, ça te fait une belle paye, facilement gagnée !

– Pardon ?

– Non, mais avoue, c'est de l'argent facile.

– C'est la même paye que d'habitude, Claude, le même 20 pour cent que tu me donnes lorsque je t'apporte un contrat de mille dollars. Il n'y a rien de changé. Tu as toujours 80 pour cent, rappelle-toi.

Les arguments de Claude pour plaider contre l'injustice des cachets ont toujours été de la même nature. Il a souvent dit que s'il n'avait pas écrit ses chansons ni composé ses musiques, et s'il n'était pas là à livrer ses tripes sur scène, il n'y aurait pas de contrat à signer. Claude trouve aussi que ceux qui viennent récolter dans la moisson de toute une vie sont souvent trop gourmands. Lorsqu'un projet remporte un succès et qu'un partenaire réclame sa commission de 15 ou 20 pour cent, que sur 10 000 dollars, Claude voit filer sous son nez le cinquième de la somme, on peut être certain de l'entendre crier à l'injustice.

Tout étant relatif, je sais qu'il suffit bien souvent de lui rappeler que son verre est plein aux quatre cinquièmes et il le voit. Un petit exercice de visualisation qui a le mérite de le réconcilier avec ce fractionnement d'abord jugé non équitable. Au fil des ans, ceux qui le considèrent comme un ami et qui travailleront avec Claude décideront, soit de ne plus faire des affaires avec lui afin de préserver l'amitié, soit de disparaître carrément de sa vie.

Pierre Jobin, lui, poursuit sa collaboration avec Claude. En 1981, l'artiste lui fait part de son désir de retrouver l'Europe. Jobin croit que la France l'a oublié. Un jour, le producteur Claude Stadelmann, de passage au Petit Champlain, suggère que Claude vienne donner un concert à Délémont, en Suisse, dans une salle de 400 places. C'est la première fois que Pierre reçoit une demande pour Claude venant de l'Europe. Il dit à Stadelmann que la chose est possible mais pour que le déplacement en avion en vaille la peine, il faut plus qu'un seul récital. Il demande à Stadelmann de le mettre en contact avec un autre intéressé. C'est ainsi que les 6, 7 et 8 avril 1981, Roger Zanetti dit « Zaneth » le met à l'affiche de L'Échandole, son merveilleux petit théâtre dans une cave voûtée du Château d'Yverdon. Claude se produit le 9 avril à Délémont, et le 10 au Festival de la chanson *Printemps de Bourges*. Claude est extrêmement nerveux ; en Suisse, rien n'est acquis. Mais les salles se remplissent et il en est très heureux. Et sa santé est meilleure, il prend soin de lui. C'est dès lors que Léveillée vit un coup de cœur pour la Suisse et à son grand étonnement, il fait la rencontre d'un couple de jeunes groupies, les Kurzen, qui le suivent chaque soir dans toutes les villes et le prennent en photo sous tous les angles.

Jobin est donc le maître d'œuvre de cet amour indéfectible que Claude aura pour la Suisse. Mais sans les Kurzen, la Suisse n'est que montagnes et lacs limpides ; pour Claude, ce couple en est l'âme. Une longue amitié s'ensuivra mais ça, c'est une autre histoire…

Les tournées en Suisse se poursuivent en 1982 et 1983. Pour Pierre, elles sont probablement les meilleurs souvenirs qu'il puisse évoquer de sa collaboration avec Claude Léveillée. Et il n'est pas rare de lire dans les articles de journaux du temps que Claude Léveillée envisageait de quitter le Québec pour l'Europe.

## Sauver le Petit Champlain

Pierre Jobin est à la barre du théâtre Petit Champlain de Québec avec Nicole Thibodeau. Depuis 30 mois, ils se battent pour la survie de cette salle de 150 places. Les difficultés financières laissent présager une faillite imminente si le petit théâtre ne reçoit pas l'aide du ministère de la Culture. Les artistes, solidaires de Jobin, ne manquent pas d'écrire personnellement au premier ministre lui-même pour empêcher la fermeture du Petit Champlain. Et, comme pour donner une leçon aux politiciens embourbés dans leur paperasse et leur impénétrable forêt de règlements et de lois, on décide d'utiliser les grands moyens.

Que les pionniers se lèvent, le Petit Champlain doit être sauvé ! Gilles Vigneault répond « Présent ! » Et Claude Léveillée seconde avec « Et comment ! »

Il en manque un qui, depuis trois ans, se réserve une autre vie que celle de la scène. En 1982, Félix Leclerc au teint basané s'est retiré sur ses terres pour, dit-il, goûter le bonheur simple : le fromage de chèvre, ses cordes de bois, sa famille et son encyclopédie. Il accepte toutefois de sortir de sa retraite pour son ami Jobin en se promettant de ne pas chanter. Mais Vigneault et Léveillée font pression sur lui pour qu'il reprenne le micro.

Dans un article du *Journal de Montréal* daté du samedi 29 mai, Gilles Vigneault raconte à Manon Guilbert : « Il est parti en rage chercher sa guitare au fond de son armoire dans le grenier. On lui a dit tous les deux que ce n'était pas possible qu'il déclame des textes alors que Claude et moi chantions. Ça déséquilibrait tout le spectacle. » Gilles avait dit à Félix : « J'en ai, moi aussi, des textes, mais les gens viennent au Petit Champlain et vont payer cent dollars pour voir un spectacle. » Claude s'était rallié aux paroles de Gilles : « Je crois qu'il ne le faisait pas en gâteux. Il était sincère en disant qu'il ne voulait pas ressortir sa guitare ; il ne voulait vraiment pas. Il y a vingt ans, ça aurait été compliqué de le convaincre et une telle réunion n'aurait sans doute jamais été possible.

« Nous avons eu des rancœurs l'un face à l'autre, dans le temps, s'accordent à dire Léveillée et Vigneault. On a trouvé nos altitudes, précise Claude Léveillée. Au début de nos carrières, nous attendions tous en bout de piste. Maintenant, nous avons pris une vitesse de croisière. Nous ne sommes plus des jeunes poulains et n'avons plus à maintenir nos places. »

À l'époque, Félix avait déclaré : « Mais qu'elle a été pénible, la montée de l'escalier jusqu'à mon bureau pour reprendre ma guitare. J'aurais eu envie de m'enfuir à Buffalo ou à Boston, n'importe où. » Et pourtant, le 24 mai, après la première partie présentant des nouveaux venus – Claude Arteau, interprète, Christine Bernard et Bernard Daoust, auteurs-compositeurs-interprètes – les anciens se lancèrent des clins d'œil complices et Félix chanta. Lorsque Claude Léveillée entreprit au piano de jouer *La Source*, on vit Félix taper du pied avec un tel entrain qu'on eut cru qu'il allait se mettre à giguer.

L'ovation fut magistrale, les spectateurs comme les ministres Clément Richard et Jean Garon ignoraient à ce moment-là qu'ils étaient en train de vivre un moment historique, la réunion de ces trois grands pionniers mais aussi et surtout l'ultime spectacle de Félix Leclerc. Il ne remonta plus jamais sur scène et aucun enregistrement n'existe de cet évènement.

Pour appuyer la cause du Petit Champlain, une reproduction de l'artiste Claude Le Sauteur intitulée *Les inséparables* (tirée à 200 exemplaires signés et numérotés par les trois poètes et le peintre, et vendus alors cent dollars chacun) témoigne de ce soir du

24 mai 1982 où une porte fut posée sur deux tréteaux de fortune pour que le fameux triumvirat puisse signer l'oeuvre dans une camaraderie évidente en riant comme des gamins. Ils étaient là, disent-ils, pour « l'urgence de dire que nos racines se rejoignent ».

Ces trois chênes inébranlables de notre culture québécoise avaient encore semé leurs fruits pour que la chanson de notre pays se vive et surtout demeure.

## Trois fois chantera

En 1984, Claude Léveillée participe au Festival d'été de Québec et se retrouve à la cérémonie d'ouverture aux côtés de Claude Gauthier, Pierre Létourneau, Monique Leyrac et l'ensemble Claude Gervaise pour une soirée intitulée *La source et le courant*. Lorsque Pierre Jobin voit la réaction du public qui semble nostalgique de l'époque des chansonniers, une idée germe dans son esprit : réunir les trois hommes pour une tournée qu'il appellera *Trois fois chantera*. Le trio LGL, Léveillée-Gauthier-Létourneau est né !

Pierre Létourneau est heureux de se retrouver auprès de Claude Léveillée, reconnaissant chez lui l'homme qui lui a donné sa première chance dans le métier. En effet, à la suite d'un tour de chant où il l'avait entendu, Léveillée avait demandé à Létourneau s'il était intéressé de faire la première partie de son spectacle à l'Université de Montréal en 1965, ce que Pierre accepta avec joie. Létourneau considère cette invitation comme son premier vrai spectacle sur scène.

La tournée est un succès auprès du public mais Léveillée se jure pourtant de ne pas répéter cette aventure. Trois chansonniers doivent être comme trois mousquetaires, tous pour la chanson, la chanson pour tous. Or le spectacle doit être partagé équitablement entre les trois artistes, pas question pour l'un ou l'autre de tirer la couverture de son côté. Il faut éviter le piège des *hits* et profiter de l'occasion pour faire connaître les chansons qui sont passées inaperçues. Mais Claude Gauthier, sans doute grisé par la scène et les applaudissements, déroge au pacte et « colle » sur les planches alors qu'il est temps de libérer la scène pour un autre. Léveillée lui en gardera rancune.

Ah ! Ego, quand tu nous tiens…

La tournée se terminera en 1985 et Pierre Jobin suggérera à Claude Léveillée de faire un spectacle où il sera cette fois seul avec son piano. *Un homme, un piano* est toute l'essence de Léveillée. Il n'y chante presque plus, il se raconte davantage et fait vivre au public ses «climats musicaux». Le pianiste se vit.

Les journaux titrent : *CLAUDE LÉVEILLÉE NE CHANTE PLUS*! Et pour expliquer que ses cordes vocales ne font plus dans l'acrobatie, on peut lire dans la *Tribune*[1] :

«Je ne veux plus étonner, je veux continuer et je suis sûr que sans paroles, je serai aussi bien compris sinon davantage et plus profondément. [...] Derrière mes mots, il y a toujours eu la musique. La parole était plus rapide dans le temps, mais à l'usure je me demande si elle va plus loin. [...] Mon piano, c'est le bout de moi. Le reflet de ce que j'ai été et de ce que je deviens. Parler à travers lui est un rêve de toujours. Aujourd'hui, j'en prends le risque.»

Dans ce même article, il fait part de sa vision des silences entre deux notes : «Enfin, j'ai mon passeport pour la transparence. De la passion au dépouillement, il peut n'y avoir parfois que l'espace de deux notes. Quand tu touches d'un seul doigt un do ou un mi, c'est une vie qui passe là...»

En 1987, Pierre Jobin reprend la direction du Théâtre de l'Île qu'il avait mis en location les trois années précédentes et lui redonne sa vocation chanson et théâtre. Léveillée a été le tout premier à y donner un récital dans l'histoire de cette maison. C'est donc à lui que revient l'honneur de la réouverture de la boîte les 26 et 27 juin.

L'année 1988 est marquée par un grand silence. Félix Leclerc nous quitte et commence sa vie d'immortel. Tout le Québec est en deuil. On recueille les propos de Claude qui assiste aux funérailles, évoquant la mort l'automne précédent de l'ancien premier ministre René Lévesque : «En novembre, nous avions perdu le père ; on vient de perdre le grand-père.»

Ce grand-père qui lui conseillait dans ses amours souffrantes de cesser de tenter d'attraper des étoiles filantes et qui lui rappelait que les poètes qu'ils étaient ne devaient pas se prendre au sérieux, qu'en fait ils n'étaient que des marchands de rêves. Félix taquinait souvent le côté gamin de Claude, mais ne manquait pas de lui dire lorsqu'il l'entendait jouer sa musique : «Dès que tu touches au piano,

---

1. Rachel Lussier, *La Tribune*, Sherbrooke, samedi 14 juin 1986.

Claude, toutes les rivières sont là… » Pour rendre hommage au sage Félix, Claude écrira une chanson intitulée *Le petit bouquet de fleurs*.

## Suite et fin

L'année 1989 souligne les 25 ans de la mort de Piaf. Pierre Jobin décide de lui rendre hommage au Petit Champlain et invite Claude à venir se raconter devant le public pour témoigner du souvenir qui l'habite, de cette époque où il a travaillé avec elle. Comme Claude est bon conteur, l'intérêt que provoque son histoire auprès du public donne l'idée à Pierre d'en faire une représentation qui pourrait se produire ailleurs qu'entre les murs du Petit Champlain. Il conçoit un triptyque de la carrière de Claude, dont la troisième partie serait un film tourné à Paris où l'on verrait l'artiste raconter dans la Ville lumière sa collaboration avec Piaf.

Je présume, en tant que biographe, que comme à son habitude, Claude a accepté d'emblée l'idée de Pierre. Il a dit oui et a réfléchi par la suite…

Or entre-temps, il croise le cinéaste Jean-Claude Labrecque qui a entendu relater les aventures du « Petit Canadien » vivant chez la diva à Paris. Il propose à Claude de réaliser le documentaire, un genre où il est passé maître. Claude préfère ce médium, qui a une plus grande portée de diffusion, à des représentations sur scène devant public. Il n'est pas vraiment enchanté à l'idée de parcourir les villes pour raconter sa vie avec Piaf. Mais de le faire une seule fois, en fixant la chose sur pellicule (et pas n'importe laquelle, celle de Labrecque !), il est partant. C'est dans le cadre du premier *Festival du cinéma québécois* à Blois, dans la vallée de la Loire en France, qu'est présenté en avant-première mondiale, le 11 octobre 1991, le documentaire *67 Bis, boulevard Lannes*.

Tout ce temps-là, Pierre Jobin n'a pas de nouvelles de Claude. Lorsqu'il apprend qu'il a réalisé le projet sans lui, il se sent trompé, mis à l'écart. Il est à l'origine de l'idée et juge que Claude est allé la livrer à Labrecque. Une petite mention de son nom au générique en signe de reconnaissance lui aurait suffi, peut-il affirmer aujourd'hui.

Un long silence s'installe.

Malgré une tentative menée par Claude pour réparer les pots cassés, Pierre Jobin décide de couper les ponts à jamais. Chacun sur ses terres, l'amitié s'enterre, laissant son lot de souvenirs tantôt obscurs, tantôt clairs, selon qui l'a peint.

*Claude Léveillée et Félix Leclerc pendant le spectacle*
Le temps d'une saison, *1976.*

# La Suisse

On ne compte plus les pérégrinations professionnelles de Claude Léveillée en Europe. Ses passeports sont estampillés à maintes reprises du sceau des douanes françaises, luxembourgeoises, belges, polonaises, italiennes, suédoises et suisses.

Si une carrière européenne avait semblé se dessiner quand sa marraine Édith Piaf lui avait commandé un ballet dont la réalisation fut repoussée aux calendes grecques, les espoirs de chanter sur les scènes françaises prirent en même temps la voie des rêves inachevés. Piaf mourut en octobre 1963 et avec elle s'enterra une œuvre de Claude écrite exprès pour elle, *La Voix*.

Depuis son retour au Québec en juin 1960, Claude Léveillée s'est investi dans sa carrière de comédien et chansonnier et il a déjà composé son plus grand succès, *Frédéric*. Les disques Columbia qui produisent les albums de Claude estiment que les chansons de Léveillée peuvent avoir du succès outre-mer. *Frédéric* tournera donc sur les ondes des radios en Belgique et au Luxembourg.

Étonné du succès remporté aux palmarès, Claude se fait inviter par ces deux pays amis de ses chansons. La vague *Frédéric* déferle ensuite jusqu'en France. L'ancien réseau de Piaf, Michel Rivgauche et compagnie, n'hésite pas à présenter leur ami canadien au plus grand impresario français, Félix Marouani, qui signe avec lui un contrat d'exclusivité. De 1964 à 1966, Claude fait régulièrement la navette entre le Québec et la France, chante à l'Olympia, à Bobino et même à la Villa d'Este, en Italie. Mais pour mener une carrière en France, il ne suffit pas de s'exécuter un soir ou deux sur scène en repartant chez soi le lendemain. La campagne promotionnelle exige une présence constante et une disponibilité totale pour un éventuel engagement de dernière minute. Mais Claude n'est pas prêt à se plier aux exigences du marché européen. Des promesses, surtout celles des grands canons du spectacle, il en a déjà entendu : « Nous ferons de vous une grande vedette, Monsieur Léveillée… Broadway n'attend que vous… Paris vous consacrera… »

Le Québec, son pays, ne lui sert pas ce baratin, il lui ouvre tout simplement les bras. Et ceux de sa bien-aimée Monique Miller, qu'il avoue « aimer comme il a soif », n'attendent que lui. D'aucuns diront qu'il a saboté sa carrière en France. Claude considère plutôt avoir choisi son pays pour y vivre et aimer. Léveillée promet d'y retourner lorsqu'il aura les cheveux blancs. Mais *Frédéric* a fait entendre son écho jusqu'en Suisse.

Même s'il n'a fait que de courtes apparitions sur les écrans de télé européens, chantant notamment *Mon pays* à l'émission-phare de Jacques Chancel *Le Grand Échiquier*, l'auteur-compositeur-interprète a déjà conquis de nombreux fans sur le Vieux Continent.

Parmi eux, l'Helvète Jacky Kurzen qui fait tourner jusqu'à plus soif son 45 tours de *Frédéric* sur sa petite table tournante. Il achète tous les albums de Claude et lorsqu'il reçoit *Place des Arts 1976* en cadeau à Noël, il se promet que si Léveillée repasse un jour par Paris, ne serait-ce qu'une seule fois, il fera le voyage pour aller le voir et l'entendre.

Il est cinq heures trente en ce matin de 1981 à Lausanne lorsque Jacky voit apparaître des affiches sur les murs de sa ville. Il se dit : « C'est dingue, ce type ressemble à Léveillée ! » En s'approchant, il lit que son idole va présenter un spectacle les 6, 7 et 8 avril 1981 au Théâtre de L'Échandole à Yverdon-les-Bains, une trentaine de kilomètres au nord de Lausanne. Il est fou de joie et ne manque pas de s'y trouver, appareil photo à la main, pour immortaliser sur pellicule son idole qui lui apparaît, avec sa longue barbe, comme l'ours du Canada enfin sorti de sa tanière.

L'accueil chaleureux que lui réserve le public suisse est une belle surprise pour Léveillée. C'est un baume pour lui qui se sent encore trop fragile après cette *annus horribilis* que fut 1980. Le sort s'était acharné sur lui qui a vécu douloureusement le décès de son fils, l'attentat à sa vie et son divorce de Francine Massé. Et si la scène québécoise l'effraie encore, il retrouve en Suisse le bonheur

*Claude Léveillée avec Claire et Jacky Kurzen.*

des planches. Son nouveau public a tout à découvrir de lui tandis qu'au Québec, il doit se renouveler sans cesse, fixant la barre toujours plus haut. Léveillée est épuisé et c'est au cœur des Alpes qu'il se régénère.

Il retourne en Suisse le 14 octobre 1982 pour un autre concert qui remporte le même succès. Après son spectacle, Jacky Kurzen, accompagné de son épouse Claire, va rencontrer l'artiste dans sa loge. Jacky ne manque pas de lui témoigner son admiration et informe Claude qu'il a pris des photos magnifiques lors de son spectacle de l'année précédente. Léveillée, intéressé par ces photos souvenirs, demande à les voir et aimerait bien en obtenir des copies.

Claire est abasourdie d'entendre son mari dire à Léveillée :

« Oh ! Mais bien sûr que nous aimerions vous les offrir ! Passez chez nous demain pour dîner, il nous ferait plaisir de vous recevoir à la maison ! »

Son épouse le regarde avec de grands yeux et le pense atteint d'une folie soudaine ou d'un culot qu'elle ne lui soupçonnait pas. Mais lorsqu'elle entend la réponse de Claude Léveillée, elle croit rêver :

« Mais avec plaisir ! Je serai là demain. »

Il fallait les entendre crier de joie en sortant du Théâtre de l'Échandole. Ils chantaient et sautaient dans les rues, se serrant dans les bras. Une douce excitation s'était emparée d'eux et ils flottaient sur un nuage.

Comme s'ils attendaient le pape en personne, les Kurzen vécurent le lendemain comme une course folle : il fallait faire le ménage pour que la maison soit comme un sou neuf, acheter les mets et les vins les plus fins, trouver une gardienne à qui confier leur fils Alain… Quelle ne fut pas leur déception lorsque Pierre Jobin les appela cette même journée pour leur apprendre que Claude ne pourrait y être, retenu par un autre engagement.

Claire et Jacky Kurzen se dirent alors : « C'est clair, il s'est foutu de nous ! », en se traitant de pauvres naïfs d'avoir cru un moment qu'ils pouvaient recevoir dans leur intimité le grand poète québécois.

En 1983, Claude repart pour la France et la Suisse. Cette fois, il accepte de s'investir dans une tournée promotionnelle. Le 13 mars, dès son arrivée en Europe, il est invité sur les plateaux de télévision de Genève et on l'entend aussi sur les ondes des radios de Lausanne, Fribourg et Paris où il annonce ses prochains récitals : Bordeaux, Morges, Yverdon, Sion… Cette dernière ville sera dans la mire de Jacky Kurzen qui guette depuis près d'un an l'occasion de faire tenir sa promesse à Léveillée. Lorsqu'ils le retrouvent dans sa loge, Claire et lui sont étonnés d'entendre Claude lancer : « Ah ! Mais c'est les Kurzen ! » Lui qui voit tant d'admirateurs venir le saluer, il se souvient d'eux !

Claude accepte de nouveau leur invitation et le 18 avril 1983 se scelle une amitié toute particulière entre deux groupies et un artiste. Claude tombe sous le charme de ce couple avenant et sympathique. Claire le séduit avec sa fameuse mousse au chocolat et Jacky est le maître incontesté du rôtissage des coquelets. De plus, Claude découvre chez lui une âme d'artiste. Jacky exerce un métier proche de celui que Claude aurait rêvé de pratiquer si la musique ne l'avait pas tant habité. Architecte paysagiste, Jacky est un expert que l'on retient pour concevoir les jardins fabuleux de certains châteaux. Il se révèle également bien plus qu'un photographe amateur et fait découvrir à son nouvel ami ses talents de sculpteur, un art qu'il cache au reste du monde.

Pour un Léveillée qui dit, en parlant du plaisir qu'il retire de sa passion pour l'horticulture : « Je suis sûr qu'entre le ventricule droit et le ventricule gauche, j'ai une motte de terre », Jacky ne peut que devenir son meilleur ami.

Fort de ce coup de cœur, Claude carbure aux élans de ce qui bat dans sa poitrine. En septembre de cette année-là, il les invite à venir chez lui à Saint-Benoît et organise une fête pour leur anniversaire de mariage. Un cochon de lait rôti sur la broche « façon Léveillée » est au menu en l'honneur des invités. Jacky fait profiter à Claude de son expertise et travaille avec lui à l'aménagement paysager de son domaine.

Lorsque Claude les ramène à l'aéroport pour leur retour en Suisse, il s'adresse à ses deux nouveaux amis :

« Tenez, voici mon trousseau de clefs. Chez moi, c'est chez vous. Je ne vais garder que ma clef de voiture pour m'en retourner. »

Certains se font une entaille au bras pour devenir frères de sang. Claude, lui, offre ce qu'il a de plus précieux que son sang : son toit.

Considérant Claude comme un membre de la famille, les Suisses offrent de loger leur ami chaque fois qu'il en aura l'envie et qui plus est, ils sont prêts à lui consacrer une partie de leur demeure en y aménageant un studio avec piano, indispensable pour Léveillée. Outre leur fils Alain, les Kurzen ont une petite fille, Nathalie, blonde comme les blés, qui tombe littéralement amoureuse de celui qu'elle appelle « son tonton d'Amérique ». Elle adopte Claude comme son parrain et lui, il fait de Nathalie sa filleule de cœur.

Claude reste toujours ouvert à cette possibilité d'exil en Suisse, mais bien qu'il soit un grand émotif en amour, il est plus rationnel lorsqu'il s'agit de quitter son pays. C'est un terrien dans l'âme. Les liens de l'amitié continuent toutefois de s'affermir.

Lorsque les Kurzen viennent au Québec en 1985 pour assister aux retrouvailles sur scène de Claude Léveillée et André Gagnon avec leur spectacle *Tu te rappelles Frédéric ?*, Jacky et Claire sont reçus par leur ami Léveillée dans la petite maison qu'ont habitée ses parents, au bas de sa montagne, plutôt que chez lui dans son immense demeure. Il faut savoir que depuis 1981, Claude partage sa vie avec une belle Irlandaise, Patricia Sergeant, une chirurgienne dentiste que l'épouse de Marcel Dubé lui avait présentée. Patricia est de tempérament fougueux et parle très bien le français, mais son cercle d'amis anglophones ne plaît pas vraiment à Claude. Pour elle et par amour, il s'est lancé dans l'élevage des barzoïs pure race, des lévriers de Russie à longs poils destinés aux compétitions canines.

Claude explique à Jacky qu'il est en processus de séparation et qu'il attend que Patricia quitte sa résidence principale. Claude essaie d'arranger les choses à l'amiable et n'a pas envie de subir les crises de la bouillante Irlandaise. Il sait qu'elle devrait bientôt partir puisqu'elle semble déjà recevoir son nouvel amant… Jacky est scandalisé ! Il grimpe vers le manoir et entre en furie. Il est choqué de voir que les chiens ont ravagé l'intérieur et il semonce sévèrement Patricia pour l'abus de territoire qu'elle fait subir à Claude. Cette maison est celle de Claude, pas la sienne. Il la somme de déguerpir au plus vite.

Ce qu'elle fera dans les jours suivants.

*Claude Léveillée, les Kurzen et Pierre Jobin en Suisse.*

En 1986, Claude annonce à ses amis suisses qu'il a trouvé la femme de sa vie et qu'il désire l'épouser. Claire et Jacky se réjouissent de voir leur ami à nouveau heureux et ils lui offrent un étonnant cadeau de mariage : ils assumeront les frais de la noce en célébrant l'union en Suisse, au château de Lutry. Claire et Jacky organisent une journée digne d'un conte de fées avec traversée du lac Léman, chorale chantant du Léveillée et feux d'artifice. Les talents de photographe de Jacky sont évidemment mis à contribution.

Claude vit son plus beau mariage et pour remercier ses bons amis, il les invite à venir fêter le Noël suivant dans la plus pure tradition québécoise. La dinde aux canneberges, la tourtière du lac Saint-Jean et le ragoût de boulettes sont servis pour la première fois à la petite famille suisse.

En 1989, les Kurzen désirent prouver à Claude que leur pays l'attend à bras ouverts, convaincus d'un succès assuré pour lui en Suisse. Ils s'improvisent producteurs et agents de Claude. Ils transigent avec le Théâtre de l'Octogone à Pully afin que la salle de cinq cents places soit réservée trois soirs d'affilée. Jacky conçoit l'affiche, Claire poste des invitations à 2 000 personnes, et tous deux interviennent auprès des médias pour que l'on annonce la venue de l'auteur de *Frédéric*. Soixante pour cent des spectateurs qui assistent aux trois représentations sont des amis des Kurzen. Parmi eux, Rico Perriard et Georges Vannières qui adoptent aussi le poète québécois et produiront plus tard des spectacles de Claude Léveillée dans d'autres salles.

Rico Perriard crée le premier festival *Pully à l'heure du Québec* en 1996. Il invite Claude Léveillée pour cette première démonstration d'amour officielle de la Suisse pour les artistes québécois. L'aventure se révèle fort heureuse et l'histoire d'amour entre Pully et le Québec dure encore après plus de dix ans.

S'il est un pays pour lequel Léveillée aurait donné sa vie, c'est le Québec.

S'il est un pays qui a su gagner son cœur, c'est la Suisse, que l'on pourrait aussi appeler le Kurzenistan !

# L'ABSINTHE ENCORE MOINS…

*Absinthe, je t'adore, certes !*
*Il me semble quand je te bois*
*Boire l'âme des jeunes bois*
*Pendant la belle saison verte.*
*Ton frais parfum me déconcerte*
*Et dans ton opale je vois*
*Des cieux habités autrefois*
*Comme par une porte ouverte.*
*[…]*

Raoul Ponchon

Ponchon était un tentateur talentueux. S'il m'eût été donné de lui tenir compagnie lors d'une soirée de poésie, il m'aurait assurément convaincu, par ses rimes adroites, de goûter à la « fée verte » que buvaient autrefois Baudelaire, Verlaine et Van Gogh. Selon le mythe, les poètes, les musiciens et les artistes de tout acabit auraient l'inspiration croissante à la mesure de leur degré d'ivresse ou selon leur niveau d'évasion narcotique.

## Un mythe doit tomber.

Je ne traverse pas le temps sans subir les influences de l'époque. On me dit nostalgique à cause de mes chansons et pourtant j'aime la modernité, la technologie qui permet de rendre la vie plus douce à l'humain. Il y a les courants, les modes, mais j'ai toujours mon fond « classique », un désir de prendre le meilleur de deux époques. Dans une cuisine, je me verrais mal vivre sans ces nouveaux électroménagers, mais il me faudrait tout à côté ce bon four à bois ou un petit foyer, et dans son âtre, une marmite de fonte noire pendue à la crémaillère, dans laquelle mijoterait un bouillant boeuf bourguignon de ma spécialité.

Mais ne sommes-nous pas tous ainsi ? Rêvant de promenades romantiques en carriole attelée de chevaux puissants sur des sentiers de neige blanche, bien serrés les uns contre les autres sur les bancs et couverts d'une épaisse fourrure, mais à la fois ne voulant quitter pour rien au monde le confort d'une automobile bien chauffée nous menant rapidement à notre destination. Bref, je suis influençable, mais encore faut-il que ladite influence soit tentante, cela va de soi.

Par une belle soirée d'été, vers la fin des années soixante, je recevais quelques amis chez moi. L'ambiance était joyeuse, le dîner bien arrosé, nous étions bien. Parmi mes invités, un de mes musiciens tenta sans rimes à la Ponchon de vanter les vertus d'une herbe au pouvoir inspirant :

– Claude, tu veux fumer un joint ?

– Non, non, je touche pas à la drogue, moi !

– Ben voyons, c'est pas de l'héroïne, c'est juste du pot ! De la marijuana, de l'herbe bien naturelle, pas comme tous ces trucs chimiques. Les vieux sages hindous en fument depuis des siècles pour enlever le voile de l'illusion. Ensuite, c'est la Révélation. Tu vois, la Vérité.

– Quelle vérité ?

– Celle que tu dois trouver en toi-même.

Il avait l'air de savoir quelque chose qui me fut occulté dès mon enfance, un secret. J'ai toujours eu cette impression qu'on me cachait quelque chose. Je ne voulais pas rester dans l'ignorance, et puis cet ami n'avait pas l'air d'un paumé ni d'un toxicomane. C'est ainsi, sans doute, pour tous ceux qui se font offrir une première fois de la drogue ; celui qui tend la chose n'est jamais un camé, sinon on filerait, les jambes à son cou.

Dire que pour s'initier au Savoir, il suffit d'un joint, un soir…

Ainsi, après quelques inhalations déchirantes pour mes bronches, je me dirige vers mon studio avec la démarche rebondissante de l'astronaute Neil Armstrong, en me demandant où est passée la gravité terrestre ; je suis léger mais on ne peut plus lent.

*Les années 1970.*

Bien sûr, le piano est là, mais il ne m'intéresse pas. Trop noir… Qu'est-ce qu'il est noir ce piano. Pfttt !

Je mets un disque qui vient de m'être offert, il paraît que c'est bon.

Je sors du studio par l'arrière et vais m'asseoir au bord de la piscine. Je me fais tremper les pieds et là, j'écoute…

Wow ! L'eau est si fraîche, je n'ai même pas frissonné…

Wow ! Et ce mal de dos qui n'est plus… Je suis souple !

Wow ! Cette musique, j'entends quoi, là ? C'est génial !

En fermant les yeux, je vois que scintille la brillance d'un petit triangle argenté. *Ting ! Ting ! Ting !* Bordel ! Que ces trois tintements de triangle sont placés au bon moment dans la musique. Ouf ! Trois… si limpides, si clairs, s'effaçant les uns après les autres dans une telle harmonie, tirant leur révérence à tour de rôle dans une synchronicité parfaite. Le type qui a composé ça est un génie ! Oui, un génie, rien de moins !

Pendant des heures, je percevrai sur un simple tintement de triangle la Vérité musicale. Découvrir une telle dimension dans ce petit instrument venait sans doute de la tombée de mon voile d'illusion.

Le vieil Hindou que je devenais avait les pieds ratatinés. Il était temps que j'aille dormir…

Me rendre à mon lit me parut prendre au moins quarante jours, comme la traversée de Jésus dans le désert. Une fois ma tête posée sur l'oreiller, je me dis que sûrement, au réveil, j'aurai les cheveux très longs et tout blancs.

Le lendemain matin, un peu amoché, je remets le disque sacré. J'écoute à nouveau, complètement à jeun…

Là, j'ai une nouvelle révélation : cette musique est pourrie, nulle, c'est un néant mélodique, voilà ce que c'est !

Ce fut la première et la dernière fois que j'expérimentai la prise d'une drogue. Et lors de mes tournées, mes musiciens affrontaient mes colères si jamais ils se droguaient. Pas question que sur ma musique se joue un solo de triangle…

# LES ANNÉES 1980

## LE RENDEZ-VOUS MANQUÉ

Le moment est venu pour moi d'écrire les lignes les plus tremblantes de ce livre, le chapitre noir de la vie de Claude Léveillée. J'aimerais ne pas avoir à l'écrire comme sans doute il n'aurait pas voulu le vivre. Que m'est-il permis de dévoiler ? Claude doit approuver ici chacune des pages, chacun des mots avant qu'ils ne soient publiés. Et ces mots, Claude ne voudra peut-être pas les lire jusqu'au bout.

Mais il est possible que je n'aie pas à subir sa censure, il ne me l'a jamais imposée jusqu'à présent. Enfin, si peu qu'il faut plutôt parler de discrétion, de dignité, de jardins secrets que tout homme a le droit de cultiver et de contourner les jours où le poids de la vérité lui semble trop lourd à porter. Ou de s'y perdre quand il se sent la force de l'affronter.

J'écris dans la Tour, une pièce de la maison de Claude. Il s'agit en fait d'une tourelle qui surplombe le Manoir de l'Aube, nom poétique qu'a donné son artisan à cette construction dessinée par celui qui rêvait d'être architecte et qui, pendant plus de quarante ans, s'est exercé à ce métier aux abords de son érablière. La vue est superbe du haut de ce nid d'aigle, les basses Laurentides affichent les couleurs de l'automne, les murs intérieurs ainsi que le plafond sont en lambris de pin doré par le temps et je suis entourée d'archives où je fouille sans cesse pour dénicher la vérité. J'enquête, j'examine, je vérifie, je contre-vérifie.

Il y a bien longtemps, ce mirador a déjà fait le bonheur d'un jeune garçon. Il devait s'amuser à explorer les environs avec une paire de jumelles et les arbres qui viennent caresser de leur ramure ce beffroi ont dû permettre à l'enfant de jouer les ornithologues avertis car les oiseaux y abondent. Je plongerai donc mon regard vers ces arbres quand les mots me manqueront. Car je sais qu'ils seront difficiles à trouver, le souvenir de cet ange du passé devra me guider. C'est dans cette pièce que le garçon allait se cacher derrière un drap pendu au plafond ; il se fabriquait une tente et s'y installait pour écrire comme l'avait fait son père dans son enfance, lorsqu'il s'enfermait des heures durant dans son hangar des rêves.[1] Prière de ne pas déranger.

Le 25 septembre 1959 naissait Pascal Léveillée, le fils unique de Claude qu'il ne put voir naître à cause de son exil à Paris où il était un des compositeurs d'Édith Piaf. Cette expatriation avait transformé Claude Léveillée. La vie parisienne, la rencontre des grandes dames et des grands hommes influents du monde culturel parisien, le tout Paris lui avaient fait prendre conscience, par effet de recul, qu'il avait baigné dans une éducation catholique malsaine, une espèce d'obscurantisme jonché de péchés et de culpabilité. Il s'était marié sous menace d'excommunication car le mariage était la seule avenue permise pour vivre une sexualité active et il avait senti qu'il n'avait pas le choix. Mais son séjour en France lui apprit qu'il y avait d'autres façons de penser.

Claude veut divorcer. On est au début des années 1960 et les couples divorcent rarement dans ce Québec ultracatholique car là aussi, ils se font excommunier si le prétexte invoqué n'est pas à la hauteur des diktats de l'Église. Et la société d'ici n'est pas encore prête au divorce, ceux qui le font sont souvent montrés du doigt et frappés d'exclusion. Pour les juges canadiens, seul l'adultère est une cause valable pour prononcer la dissolution légale du mariage. Il faut donc apporter au tribunal une preuve de la faute commise.

Claude se dit que depuis leur séparation, son épouse, au demeurant belle femme, a dû trouver réconfort chez un autre homme. Il suffit de la prendre en flagrant délit... Il engage donc des détectives privés pour les photographier, elle et son amant. L'aventure tournera au burlesque quand les deux espions maladroits ramèneront un cliché des beaux-parents abasourdis par un flash qui les éblouit

---

1. Voir Marie-Josée Michaud, *Claude Léveillée*, Tome I, Art Global Biographies (2004), « Le Hangar des rêves », p. 108.

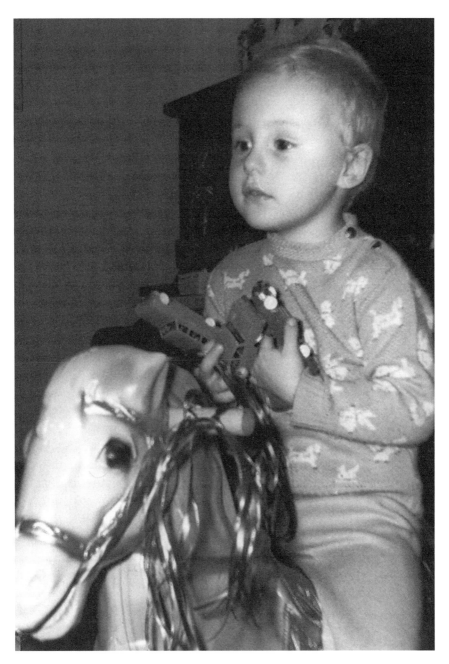

*Pascal Léveillée sur son cheval blanc.*

en pleine nuit à travers la fenêtre. Honteux de sa démarche, Claude décide de porter le blâme adultérin; après tout, c'est lui qui veut divorcer et il doit assumer l'odieux de la chose. Aussi, il forgera une preuve en engageant une jeune mannequin hollandaise qui ne maîtrise pas le français et qui laissera traîner dans le lit comme pièces à conviction ses sous-vêtements de dentelle. Cette fois, les détectives font aisément passer Claude aux aveux très délibérés.

Les procédures de séparation sont entamées en 1961 et le divorce ne sera prononcé que le 20 avril 1965 par le Sénat du Canada. Claude Léveillée sera un des premiers divorcés du Québec. On est pionnier ou on ne l'est pas!

Dans ces années-là, l'expression « garde partagée » n'existe même pas. Pascal demeure avec sa mère et ses grands-parents maternels. Pierre et Laurette Léveillée sauront toutefois garder le lien avec leur ex-bru et leur petit-fils. Le foyer paternel des Léveillée sera leur lieu de rencontre les rares fois où Claude et son fils se verront. Fervents catholiques, les parents de Claude lui feront sentir pendant bien des années qu'ils désapprouvent la rupture, le serment du mariage étant sacré! Mais bon, le temps fait et défait, ils aiment leur Claude et en sont fiers. Il s'efforcent donc de maintenir les relations entre Pascal et son père. Par contre, la carrière de Claude est en plein essor. Il est en train de bâtir l'Œuvre Léveillée et il n'a guère de temps pour la paternité.

Grand-maman Laurette excusera souvent son fils auprès de son petit-fils et le rassurera sur l'amour qu'il lui porte. Selon les souvenirs de tous les proches, on se rappelle avoir entendu des centaines de fois Laurette dire : « Surtout, n'allez pas déranger Claude. Il travaille, il compose. » Et ce, même lorsqu'il n'était pas au piano car ses musiques prenaient naissance avant tout dans les silences.

Pascal est bon enfant et attend les rares moments où son père aura du temps pour lui. Il le voit à la télévision et dans les journaux, il l'entend à la radio ou sur ses disques. C'est que son papa est très occupé; il est toujours en avion, difficile alors de se retrouver. Claude explique à Pascal qu'un jour, il aura l'âge de choisir, qu'à onze ans il pourra dire en toute légalité devant un juge s'il préfère demeurer avec son père ou avec sa mère, mais que pour le moment, il est bien mieux chez ses grands-parents maternels. Pour Pascal, c'est un rendez-vous avec celui qu'il surnomme son « pop-sicle ». À tant

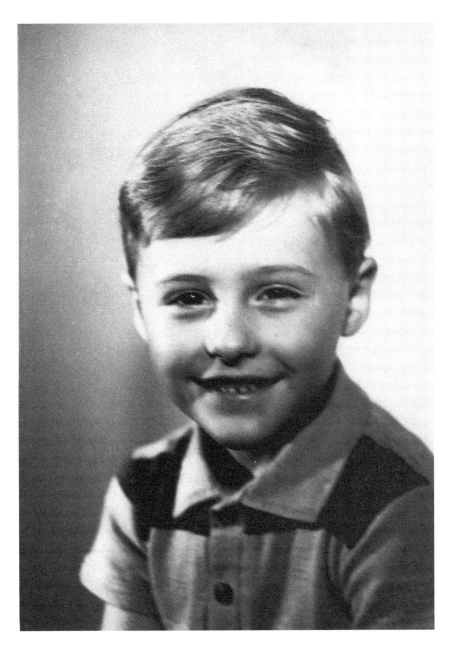

*Tout le portrait de son père. Pascal, 5 ans.*

espérer, l'enfant attend et grandit en caressant le rêve qu'une fois réuni avec son père, il aura son « pop-sicle » à lui.

À ses anniversaires, il attend, attend et attend encore. Noël est attente… Les cadeaux y sont, mais sans visite du Papa Mage…

On peut lire, dans une lettre de remerciements adressée aux grands-parents Léveillée, l'écriture à l'encre bleue de cet enfant de six ans :

*grand-maman et grand-papa léveillée je vous aime bocou,*
*le cadeau que tu m'a doné dans l'envelope de ma fête, je te dis merci.*
*grand-maman va m'acheté un gilet pour porter pour l'hiver car*
*j'en ai besoin avec l'argent*
*jai pa vu mon papa a ma fête.*

*Bonjor et merci*
*Pascal*

L'absence signe les prémices de l'avenir.

Claude plaidera toute sa vie, lorsqu'on lui reprochera de se faire trop rare, qu'une présence en qualité dépasse celle en quantité. En amitié comme en paternité.

Qui est Pascal ? La question n'est pas superflue. Claude avoue ne pas l'avoir vraiment connu. Il lui semble ne jamais avoir ressenti ce manque du père chez son fils. Pascal lui assurait qu'il comprenait qui était son père, un homme qui se donnait à la musique, à la poésie, un homme de convictions politiques. Pascal avait aussi compris qu'il devait le partager. Pascal disait : «J'ai écouté tes chansons, j'ai tout compris. Il n'y a rien à dire, je pense pareil.»

Mais Pascal est plus près de son père qu'il n'y paraît. Il lui ressemble, il a l'âme d'un musicien. C'est un grand romantique et il a une grande soif de liberté comme son géniteur. Et physiquement, pas de doute, il est bien le fils de son père : pas très grand, assez mince, un peu chétif même, le visage fin et le teint pâle, et son menton se dessine de plus en plus avec la carrure des Léveillée. Son langage est raffiné et on y décèle presque un accent pointu. Certains sous-entendent que cette délicatesse cache une homosexualité non avouée. Lorsque Claude entend ces insinuations, il n'a qu'une envie, dit-il, c'est de casser la gueule à ceux qui osent faire de telles allégations.

En réalité, Pascal est un grand amoureux qui sait mettre tout son cœur lorsqu'il s'agit d'écrire une lettre d'amour à celle qu'il a dû quitter pour aller en Afrique. Elle, c'est Suzanne, la fille du médecin du village de Saint-Benoît. Pascal laisse le souvenir à sa belle amoureuse d'un jeune homme charmant, poli et chevaleresque, un être sensible.

L'été 1974 est le moment que Pascal attendait. Il fait une tentative d'aller vivre avec son père, comme vacancier d'abord, et il décidera de ce qu'il fera ensuite. Claude lui achète alors une batterie Ludwig pour qu'il puisse jouer des percussions comme il le désire. Pascal s'y met sérieusement, suit des cours avec son ami, le fils de Johnny Montanaro, à Montréal, et il en jouera même professionnellement dans des boîtes montréalaises.

Mais Claude supporte difficilement les pratiques de percussion de son fils dans son studio à domicile ; c'est toléré, mais à une condition précise : que la porte insonorisée et capitonnée de cuir soit fermée et qu'il laisse la place libre lorsque ses propres musiciens, de vrais professionnels, viennent travailler. Claude craint que son fils ne tente de s'introduire dans son travail, que Pascal lui demande de pouvoir jouer avec lui. Claude encourage son fils à travailler ses percussions en lui disant que ce qu'il entend est intéressant, mais qu'il doit faire ses classes.

Lorsqu'il s'agit pour Claude de se rappeler le meilleur moment passé avec son fils, il se remémore le plaisir qu'il avait eu à lui offrir une mobylette, un symbole, pour lui, de Liberté avec un grand L, rien de moins ! Il s'attendait à ce que Pascal parte à l'aventure sur les routes de campagne du comté d'Argenteuil. Mais son fils recherchait davantage la compagnie des jeunes de son âge. Il rejoignait régulièrement ses amis au village et quelques excès de vitesse firent qu'il eut droit à ses premières remontrances paternelles.

Un matin que Pascal flâne au lit, Claude décide de lui faire la leçon. Après tout, il est temps de jouer le rôle de sa vie, celui de père. Il entre dans la peau du personnage, mais d'abord et avant tout, il faut penser au costume. Claude revêt un habit de circonstance puis cogne à la porte de la chambre de l'adolescent encore endormi.

– Pascal lève-toi, je dois te parler !
– Mmm ?
– Je t'attends au studio !
– OK... OK...

Claude s'installe dans son fauteuil en velours bleu de style Queen Ann, il se tient bien droit, efface les plis de son veston et attend son fils. Pascal arrive, l'air un peu éméché, en pyjama.

– Non ! Tu retournes dans ta chambre t'habiller convenablement, nous allons avoir une discussion sérieuse entre hommes et ça ne se fait pas en pyjama !

– OK, OK... Je vais me changer. C'est du sérieux à ce que je vois.

Quelques minutes plus tard, Pascal rejoint son père.

– Je t'écoute, pop.

– Au village, on m'a dit que tu roulais trop vite, tu as l'air d'un *bum* !

– Je ne roule pas si vite, je suis prudent.

– Quoi qu'il en soit, je dois t'expliquer une chose très importante !

– Quoi ?

– Ton nom, Pascal... Ton nom est Léveillée, tu dois y faire honneur. Nous sommes les descendants des Truchon dit Léveillée, des braves ; ton grand-père porte ce nom dignement en honnête homme et moi, je consacre ma vie à faire le mien. Tu n'imagines pas la portée de tes gestes. Certains n'attendent que cela, salir mon nom, ils attendent la gaffe, celle qui viendra ternir une réputation. On met des années pour en bâtir une, mais une minute à peine suffit pour la détruire. Tu es non seulement un Léveillée, mais aussi le fils de Claude Léveillée. Alors tu dois traiter avec respect le nom que tu portes ! C'est bien compris ?

– Oui pop, j'ai compris, t'inquiète pas.

Pascal vaquait à ses loisirs d'été durant quelques semaines, mais réfléchissait à son avenir. Il sentait qu'il dérangeait son père. Quand Pascal entrait dans la maison avec son amoureuse, il se sentait invisible aux yeux de celui par qui il rêvait d'être reconnu ; pour son « pop » qu'il aimait tant, il était un fantôme... Il décida alors de ne pas retourner aux études à l'automne et de partir avec sa mère en Côte d'Ivoire. Micheline travaillait alors pour l'ACDI et lui, il serait batteur dans les bars des grands hôtels de villégiature à Bouaké. Son « Afro-Train », comme il disait, la meilleure école de la vie, apprendre les rythmes africains avec les véritables maîtres de la percussion.

Il ne manque pas de correspondre régulièrement avec Suzanne. Après l'exaltation des premières semaines au bord des plages et de sa vie de musicien, il écrit :

*« Clo-Clo, c'est mon papa ! »*

*Allo dear,*
*Il est 2:00 PM, il fait 120°F.*
*Les vagues sont vert olive.*
*Je commence à en avoir assez de faire danser les millionnaires.*
*Ils louent des chambres à 80 $ la nuit, et paient des repas 53 $, tu te rends compte ?*
*Je vais revenir dans un mois, le 6, c'est mon chiffre chanceux, tu le sais.*
*Je ramasse mon argent pour qu'à mon retour je puisse m'acheter une moto.*
*Si tu es écœurée de St-Benoît, tu n'as qu'à venir avec moi en Californie avec ton chien, on le mettra dans un panier.*
*Oui, je reviendrai pour te chercher.*
*Pas sur un cheval blanc.*
*Cause : trop cher d'assurances,*
*Pas permis en ville,*
*Vitesse maximum 30 miles à l'heure,*
*Mais probablement que ça sera sur une moto.*

Le 11 juillet 1975, il écrit cette fois :
*Allo dear,*
*Comment va ?*
*Ça va. Ça vient.*
*Je suis revenu chez nous.*
*Nos femmes sont belles au Québec !*

Suzanne aime bien Pascal, mais son cœur est pris ailleurs et il le sait. Il vivote au gré de son métier de batteur, cherche sa voie ; il a des tonnes de projets. C'est un être déterminé avec un but premier qui frôle l'obsession, devenir quelqu'un qui puisse rendre son paternel fier de lui et surtout conquérir l'amour de son illustre père. Il lui rend des visites sporadiques. Et un jour où le froid de l'automne commence à se confondre avec l'hiver, Pascal marche des kilomètres pour se rendre du terminus d'autobus à la résidence de Saint-Benoît. À son arrivée, Claude regarde ses chaussures.

– Mais qu'est-ce qui dépasse de tes souliers, Pascal ?

– Du papier journal, pop !

– Mais veux-tu ben me dire pourquoi ? Si tu as besoin de souliers neufs, je vais t'en payer, voyons donc !

– Mais non ! C'est pour isoler du froid, les Patriotes faisaient ça, papa. Je me pratique pour la prochaine révolution !

Pascal était indépendantiste comme son père et l'esprit patriotique l'habitait. Claude en discutait quelquefois avec lui. Pascal disait :

« Tu sais, papa, je te comprends, je sais tout de toi. Ce que tu penses de la vie, de la mort, de la liberté. Je suis pareil, je pense pareil. Je ne crois pas au monde des hommes, au système des hommes, c'est de la foutaise. »

En 1976, Pascal a donc abandonné les études que lui offrait Claude. Ce dernier tenait à payer directement le Collège Notre-Dame afin de s'assurer qu'il n'y ait pas de « détournement de fonds » par la mère qui menait une vie aventureuse et plutôt nomade. Pascal fut en vérité élevé par ses grands-parents maternels, Roméo et Irène, qui lui offraient la stabilité dans leur maison de Contrecoeur. Il appelait ceux-ci affectueusement « pépère et mémère », mais il avait maintenant 17 ans et il voulait voler de ses propres ailes.

En travaillant chez Fisher, un magasin de matériel d'artistes, il se fait un nouvel ami parmi ses collègues de travail, François, à peine plus âgé que lui. Ils travaillent et sortent ensemble, deviennent confidents l'un de l'autre.

François nous raconte Pascal :

« Pascal était explosif, rebelle et prompt, avec une forte volonté de vivre, beaucoup de détermination. Lorsqu'il n'était pas d'accord avec le directeur de l'établissement où nous travaillions, il ne passait pas par quatre chemins. La hiérarchie, il n'en avait rien à foutre, mais le patron ne pouvait accepter de se faire parler par un subordonné de façon aussi directe. Un jour, il l'a congédié.

« J'étais prêt à suivre Pascal partout. Je me souviens que nous avions passé une nuit blanche à sortir dans les bars et il devenait inutile, pour le peu d'heures qui restaient, d'aller dormir avant de se rendre au travail. Nous sommes allés nous asseoir sur le mont Royal, au pied du chalet de la montagne, pour regarder le soleil se lever. Notre jeunesse nous permettait de supporter ce manque de sommeil.

« Pascal était intelligent et fin psychologue. Je lui avais dévoilé mon amour pour lui, il comprenait le sentiment profond qui m'habitait et je savais qu'il n'avait à m'offrir qu'une extraordinaire amitié. Je préférais être auprès de lui comme l'ami qu'il souhaitait que je sois, plutôt que de m'en éloigner comme un prétendant rabroué.

« Il me dit qu'il était temps pour moi de quitter le giron familial et de venir vivre avec lui, dans le projet qu'il avait de louer un loft, Place Jacques-Cartier. Et je l'ai suivi. Il voulait tout refaire dans ce loft de vingt-cinq pieds par cent, y mettre une cuisine, tout repeindre; il avait la tête bourrée d'idées. C'était Pascal l'entrepreneur, il était comme ça.

« Vint ensuite son idée de s'ouvrir une boutique de tailleur. Il dessinait des complets pour hommes et il était habile à la machine à coudre. Il avait même dessiné le logo de sa propre griffe. Il avait ouvert sa boîte sur la rue Crescent, près de la taverne Churchill, et passait la confection des vêtements en sous-traitance. La clientèle masculine provenait beaucoup du monde artistique.

« On le croyait gai parce qu'il avait fière allure, était bien soigné et avait une bonne diction; c'était un esthète qui ne désirait que la beauté. Il ne pouvait écrire qu'avec sa plume préférée, une Montblanc, et arborait fièrement à son poignet une montre Patek Philippe. En apparence, il pouvait sembler homosexuel, mais il laissait les gens croire ce qu'ils voulaient car il pouvait tirer son épingle du jeu.

« En vérité, Pascal adorait les femmes et quand il tombait amoureux, c'était tellement intense et rapidement émotif que cela provoquait sans doute un effet de recul chez les jeunes femmes. Elles ne pouvaient répondre aussi spontanément à un amour aussi exalté. Alors, Pascal allait de désenchantement en désenchantement. Il était habité d'une tristesse profonde et d'un éternel sentiment de rejet. Il n'y avait que l'énergie d'un amour naissant ou d'un projet pour le faire sortir de ce marasme, mais c'était toujours à recommencer. À chaque fois, il s'enlisait plus profondément.

« Il me parlait souvent de son père, de combien il l'aimait. Il souffrait terriblement de l'indifférence de Claude, ses appels et ses lettres restaient si souvent sans réponse. Je me souviens d'un jour où il m'avait demandé de l'accompagner jusqu'à Saint-Benoît. C'était la plus horrible des tempêtes de neige cette année-là, on n'y voyait rien. Il était presque suicidaire de faire une telle route tellement le vent soufflait la poudrerie avec violence, la visibilité était nulle.

*Claude Léveillée et son fils Pascal.*

Arrivés de peine et de misère chez son père, nous avons trouvé celui-ci occupé à son piano, il n'avait pas le temps de nous recevoir. Nous l'avons attendu au salon un bout de temps, il n'est jamais venu. Pascal était si triste, il était anéanti.

« La relation avec sa mère, qui ne cessait de repartir pour l'Afrique aussitôt revenue, ne présentait guère plus d'équilibre. L'appartement de Pascal devenait son pied-à-terre lorsqu'elle rentrait à Montréal ou bien, quand elle en louait un, elle lui demandait de venir s'y installer avec elle. Pascal abandonnait souvent ses projets personnels pour aller vivre ceux que sa mère l'invitait à partager. Elle le motivait et peu de temps après, elle le décourageait. Sans doute était-elle atteinte de maniaco-dépression.

« Notre vie de colocataires tirait à sa fin. Les travaux inachevés, les *jam-sessions* de percussion et la profondeur des peines d'amour de Pascal ont fait que j'ai eu besoin de prendre un peu de distance physique. Mais je demeurais son meilleur ami, j'étais là s'il avait envie de me parler. Je l'aimais. »

Pascal vaguait sur l'espoir et le désespoir comme un bateau trop frêle sur un océan trop grand. Et vint la déferlante. Ce pouvait être Julie ou une autre qui ne vint pas au rendez-vous de l'amour... Pascal sombra.

> *De rendez-vous manqués*
> *En rendez-vous enterrés*
> *Du dernier amour enseveli*
> *Au souvenir du premier inassouvi*
> *Un père absent*
> *Un fils absent*
> *L'absence qui réunit*
> *Il y a le silence qui crie*

## JE M'EN VAIS SUR LA LUNE,
### PRENEZ GRAND SOIN DE MES OISEAUX

Une année sidérale est une période de douze mois, généralement répartis en 365 jours. Elle correspond approximativement à la durée de la révolution de la Terre autour du Soleil. Ça, c'est la version astronomique.

Mon année sidérante a une course plus lente. Les planètes s'affolent, se frôlent, les étoiles explosent, le temps implose, et tout s'arrête en 1980. Le noir sidéral a commencé le 27 juillet par une éclipse totale. La terre s'est arrêtée de tourner, j'entends encore le crissement du freinage.

*Dring... Dring...*

Je n'aime pas les appels de si bonne heure le dimanche matin. Je m'éveille en décrochant et je regarde par la baie vitrée de ma chambre. Aussi tôt, ça ne me dit rien qui vaille. J'approche lentement le combiné de mon oreille.

– Allo ?

– Claude, c'est maman.

– Oui maman, ça ne va pas ? Ta voix m'inquiète.

– Mon petit Claude, ce que je vais te dire n'est pas facile à dire. Il va falloir être fort, mon garçon.

– Papa ?

– Non, ton père va bien. Claude... c'est Pascal.

– Il a eu un accident ?

– Non, Claude. Pascal est décédé dans son lit.

À partir de ce moment, je n'ai plus osé parler et je n'ai plus rien entendu. Les mots sont devenus inutiles ; ils sont là tout au fond de moi, prisonniers de mes tripes, coincés dans l'estomac, captifs du foie, taulards de ma gorge. Les barreaux sont mes dents, je serre la mâchoire, je serre les poings, je suis silence.

Les funérailles auront lieu jeudi. Je ne sais pas quoi faire, je suis, comme un automate. Je dois suivre les conseils de mon frère qui a déjà connu la perte de son fils ; nous sommes liés par le même sang, par le même sort.

Je me sens tellement impuissant...

Il est temps maintenant de taire les vieilles querelles avec la mère de mon fils. « L'un contre l'autre » prend un autre sens lorsqu'il s'agit de nous serrer dans nos bras, de nous consoler d'un amour commun. Pascal nous réunit pour le pire : lui dire adieu.

C'est elle qui a trouvé Pascal dans son lit, endormi de ce sommeil dont personne ne se réveille. Il y traînait trois capsules et trois boîtes de médicaments vides. Il avait tout pris. Le rapport du coroner révéla que le décès de Pascal Léveillée était attribuable à une intoxication médicamenteuse (mélange de propoxyphène, d'acide salicylique et de chloroquine). Des analgésiques et un médicament contre la malaria.

Il avait mis le point final au livre de sa vie ; vingt pages, vingt ans, c'est si peu et pour lui, c'était assez.

Tout va trop vite, et on doit déjà choisir le cercueil. Il faut être dans un état second pour réussir à faire un tel choix. Se faire offrir différentes essences de bois, les poignées en laiton poli ou brossé, en argent ? L'intérieur en satin bleu ou blanc ? Je n'ai qu'une envie, que la mère se console en choisissant ce qu'il y a de mieux. Elle prépare les bagages de notre fils pour un long voyage et elle le fait avec tout son amour. Noyer, laiton antique et satin blanc. Je caresse doucement le satin de ma main ; oui, c'est doux, terriblement doux. Pascal a droit aux honneurs comme n'importe quel soldat. Mon petit patriote aura son drapeau du Québec posé sur sa tombe en souvenir de la terre qui l'a porté.

Il faut ensuite lui acheter une belle chemise. Micheline me dit qu'elle connaît sa boutique préférée, rue Sainte-Catherine, et qu'elle sait ce qu'il aurait aimé. Je la suis jusqu'à la porte du commerce et en franchissant le pas, je sens un déchirement dans mes oreilles : du rock-and-roll à plein volume ! Je ne suis pas capable d'entendre ça, encore moins en ce moment. Je suis de béton et cette

*Pascal sur le tracteur chez son père.*

musique me fait l'effet d'un marteau-piqueur. J'attends dehors, je vais fumer.

Micheline revient avec une chemise de lin naturel sur un cintre, simple et belle avec seulement quelques boutons. Elle me la montre fièrement en me disant que Pascal sera très beau. Oui, il est beau notre fils.

Plus tard, j'ai glissé dans le cercueil son ourson en peluche préféré, un vieux compagnon de route tout magané, sympathique avec son air piteux. Et Pascal ne peut partir sans ses deux petites baguettes de bois. L'enfant au tambour sur la route, petit tambour s'en va...

Au salon funéraire, le silence régnait. Personne ne pleurait et je n'avais toujours rien à dire. J'avais encore les dents serrées lorsqu'un prêtre est arrivé. Qu'est-ce qu'il vient faire ici, celui-là ? Je vais vers lui tout de suite.

– Vous désirez, monsieur le curé ?

– Je suis venu vous offrir mes condoléances et une prière pour votre fils.

– Merci pour vos condoléances monsieur le curé, mais pour la prière, ce ne sera pas nécessaire.

– Mais ne voulez-vous pas... ?

– Non, il s'agit ici d'une histoire de famille, nous voulons la vivre en paix, entre nous. La religion n'a pas sa place ici, vous avez vos églises pour ça !

Il n'a pas insisté. Elles ne me font pas peur, les soutanes noires ! Il est bon de leur brasser la cage un peu. Qu'elles aillent s'enlever un peu de la poussière qui jonche leurs épaules. Allez ouste !

Bon. Nous sommes enfin entre nous. Le silence est revenu.

Tout à coup, arrive sur la pointe des pieds une bande de jeunes filles toutes plus belles les unes que les autres. Elles entrent très timidement et l'une d'elles me dit en chuchotant qu'elles sont les amies de Pascal.

« Mais entrez, voyons, vous pouvez parler, vous savez, vous ne le réveillerez pas de toute façon... »

L'une après l'autre, elles posent chacune une rose rouge sur la tombe de Pascal. Je n'ai jamais vu de ma vie scène plus touchante. Mon fils a été aimé. C'est un prince au bois dormant. Mais pas même un baiser d'amour ne pourrait le réveiller.

*Pascal, 11 ans.*

Puis vient l'heure de la crémation. C'était sa volonté. Un moment pénible où je sens l'appui inconditionnel de ma famille ; papa, maman, Raymonde et Jean sont là, discrets, silencieux et prêts à me soutenir au moindre signe d'écroulement. Mais c'est la mère qui tombe au sol, en larmes. Chacun de ses cris me fend l'âme et j'aimerais qu'elle cesse tellement je souffre de la voir ainsi. Je me souviens aussi de ce bruit, celui du convoyeur mécanique qui attend son colis funèbre, les cylindres de métal qui tournent et tournent, prêts à faire glisser le cercueil dans le four. Ce murmure mécanique qui s'impatiente et ces hommes qui s'apprêtent à appuyer sur le bouton. Je les hais, ils sont froids et gris comme des robots.

Nous sortons ensuite pour assister à la messe. Le cortège est étrange, toutes les femmes que j'ai aimées sont là. Comme il est bizarre de les voir ainsi réunies, oubliant nos ruptures le temps d'une trêve pour nous ressouder dans une sorte de solidarité avec ma tristesse, ma grande peine.

Sur le parvis de l'église, je me confie à mon père.

– Papa, je n'en peux plus, je vais craquer.

– Je te comprends mon fils, je te comprends.

– Je ne suis plus capable, c'est trop.

– Je sais… Lorsque j'ai perdu mes parents, j'ai senti que je perdais un gros morceau, il se créait un grand vide. Mais j'imagine que c'est pire encore lorsqu'on perd son enfant.

– Je vais partir, j'en peux plus.

– Va mon garçon, va…

Accompagné de Sylvie, ma dernière amoureuse qui ne partage plus mon intimité, je me dirige vers un café italien. En entrant dans l'estaminet, j'entends bien haut :

– Mais c'est mon ami Claude Léveillée !

– Jean Dalmain ! Salut !

– Allez, viens à ma table avec la jolie demoiselle qui t'accompagne ! Venez !

– OK.

Dalmain parle haut et fort de sa voix théâtrale de grand comédien et ne manque pas une occasion de jouer les séducteurs avec Sylvie. Pendant trop longtemps, à mon avis. J'en ai assez du Casanova. Deux heures pour deux actes, je quitte à l'entracte ! Je me lève.

– Tu t'en vas ?

– Oui monsieur, j'en ai assez entendu !

– Eh bien, dis donc, tu n'as pas l'air dans ton assiette, mon cher Claude !

– Eh non. Y'a des jours comme ça, surtout le jour où l'on enterre son fils.

– Là, tu te moques de moi... C'est pas vrai, tu me fais une entourloupette !

– On ne blague pas avec ce genre de chose.

– Mais... mais... Je... je t'offre toutes mes sympathies, mon vieux.

– Merci. Maintenant, si tu permets, je vais aller prendre l'air.

Au bras de Sylvie qui se sentait plutôt mal à l'aise, j'ai quitté le grand séducteur. Nous sommes allés sur le belvédère du mont Royal.

– Tu te sens mieux, Claude ?, me demande Sylvie.

– J'ai mal à la mâchoire, elle est coincée, je n'arrive pas à desserrer les dents.

– Je comprends, respire bien à fond.

– Il me faut un double gin, il faut que je parle à un ami.

– Tu veux voir quelqu'un ?

– On n'est pas loin de chez Serge Doyon, on y va ?

– Comme tu veux.

Serge Doyon et son épouse nous ont accueillis chaleureusement et nous y avons passé toute la nuit. Au matin, je suis rentré seul en conduisant ma voiture. Lentement, je voyais le soleil se lever. Elle tournera, la Terre, elle tournera encore et toujours, elle ne s'arrête même pas pour un enfant parti vers la Lune.

Pascal, où es-tu maintenant ? Dans ton envol, un moineau a dû t'accrocher au passage en te disant : « Viens-t'en dans le Sud ! »

Tu m'avais dit : « Je ne crois pas au système des hommes. »

Tu as fait un choix, celui de quitter la vie. Je le respecte, c'est ta vie. Tu sais, moi aussi parfois, je ne la trouve pas facile cette vie d'homme, mais je vais continuer tout de même juste pour voir comment se termine mon film, je suis curieux.

Pascal. Un jour, j'ai tenté d'aller te voir, vu que tu ne m'appelais jamais. Je ne sais pas où tu es, personne ne me l'a dit, tu es parti sans laisser d'adresse. J'ai aligné quelques pilules en une rangée bien droite et je me suis assis dans mon fauteuil, tu sais celui de velours bleu dans le studio ? J'ai pris un double gin, peut-être plus ; depuis que tu es parti, j'en prends souvent, très souvent. J'ai avalé une pilule, un somnifère, puis deux, puis trois, en suivant bien la séquence. Je cherchais quel comprimé traçait la frontière ; il doit y en avoir un qui permet d'aller jeter juste un coup d'œil à l'autre bout du tunnel. Juste franchir un instant la ligne de démarcation entre là où tu es et là où je suis. J'aurais voulu te voir juste un peu par la porte entrebâillée, quelques secondes à peine pour savoir si tu vas bien. Je ne t'entends plus, Pascal.

Je sais... Je n'étais pas là comme tu le voulais. C'est que ton père est maudit par la poésie. Je porte le fléau de la création. Je ne peux m'empêcher de vivre la musique et la musique est une amante jalouse. Elle prend tout de moi jusqu'à la moindre petite note qui coule dans mes veines. Elle est mon air, je suis ses airs.

Tu étais tout petit, j'avais écrit pour toi *Le grenier fantasque*, puis *Le kid* lorsque tu es sorti de l'enfance. Tu les aimais, ces chansons, car elles étaient les preuves de mon amour pour toi. Tu savais en les entendant que les mots étaient pour toi, juste pour toi. Je t'avais fait bâtir un petit phare, ta maison à toi, tu étais chez toi, ta voiturette y est toujours, prête à transporter encore tous tes trésors.

Après ton départ, Pascal, je n'ai pu qu'inspirer, que retenir une grande bouffée ; j'ai eu les dents serrées pendant neuf ans, puis j'ai relâché pour toi une dernière chanson. Peut-être pour te demander pardon, mais surtout pour que tu entendes, de la Lune où tu es, que je t'aime. Mais ça, Pascal, toi et moi, on le savait, non ?

Entends, Pascal, à travers ce *Pierrot Lunaire*, entends combien je t'ai tant aimé, je ne sais que le dire en musique.

Je sais que tu entends de ta Lune car on ne meurt pas, on s'absente, c'est tout...

*Paroles et musique de*
*Claude Léveillée, 1989*

### Pierrot Lunaire

*Je m'en vais sur la Lune*
*Prenez grand soin de mes oiseaux*
*Je m'en vais sur la Lune*
*Prenez grand soin du souvenir*

*Du garçon tout petit*
*Seul au monde sur la Terre*
*Ses cheveux pleins de blé*
*Ses souliers délacés*
*Ses cheveux pleins de sable*
*Et ses yeux pleins d'étoiles*
*Et son cœur plein de peine*
*Et son pas plein d'échos*
*De son âme qui s'enfuit*

*Je m'en vais sur la Lune*
*Prenez grand soin de mes oiseaux*
*Je m'en vais sur la Lune*
*Prenez grand soin de cette pierre*

*Qui s'effrite, qui nous quitte*
*De cet arbre invalide*
*De ce mot inaudible*
*De ce chien sans défense*
*De ce noir en hiver*
*De ce blanc en enfer*
*Du roman sans histoire*
*De ce rêve évanoui*

*Je m'en vais sur la Lune*
*Prenez grand soin de mes oiseaux*
*Je m'en vais sur la Lune*
*Prenez grand soin ...*
*... de vous*

Une partie des cendres de Pascal fut lancée aux quatre vents du haut du mont Royal par son meilleur ami François. Les nuits de pleine lune, on les voit danser sous le vent, pour se rendre jusqu'aux tam-tams....

*Paroles et musique*
*de Claude Léveillée, 1965*

## Le grenier fantasque

*J'entasse dans mon grenier*
*Des enfants beaux comme des princes*
*Des cheveux libres comme le lynx*
*Un filet d'eau limpide*
*Deux saules, un chat*
*Un énorme trois-mâts*
*Et puis… l'érable d'un grand-père*
*Une fenêtre sur la mer*
*Du sable chaud de l'anse*
*L'aube de Marie-Ange*
*Un beau dimanche*
*Un brin de semence*
*Une pierre fraîche*
*Un peu de braise*
*Une oie toute blanche*
*Quelques longues branches*
*Une porcelaine*
*Une mère grive*
*Un bas de laine*
*Un nuage en dérive*
*Vaste comme l'amour*
*Frêle comme l'amour*
*Tel est ce dernier*
*Et il sera tout rempli*
*Et tout sera fini*
*Lorsque mon fils mon petit*
*S'y sera endormi*

*Paroles et musique*
*de Claude Léveillée, 1975*

## Le kid

*Faudra qu'un jour tu quittes l'enfance*
*Faudra qu'un jour tu viennes nous rejoindre*
*Et c'est pourquoi, tu te fais violence*
*Et tu entres en bataille contre toi-même*
*Et tu brûles tes lettres d'amour*
*Mais t'en gardes une pour les mauvais jours*
*Tes blonds papillons faut les oublier*
*Faut passer le pont quitter l'oreiller*
*Et dans la lumière des hommes*
*Et dans le désordre des hommes*
*Tu seras comme nous*
*Tu diras comme nous*

*Faudra qu'un jour il quitte l'enfance*
*Faudra qu'un jour il vienne nous rejoindre*
*Et c'est pourquoi il se fait violence*
*Et entre en bataille contre lui-même*
*Et il va seul aux yeux des hommes*
*Marginal et sale, besoin de personne*
*Une fille au cœur, loin des villes en sueur*
*Il sait faire l'amour comme au premier jour*
*Et dans la lumière des hommes*
*Et dans le désordre des hommes*
*Il sera comme nous*
*Il dira comme nous*

*Ouais, faudra qu'un jour je quitte l'enfance*
*Faudra qu'un jour j'aille les rejoindre*
*Et c'est pourquoi je me fais violence*
*Et j'entre en bataille contre moi-même*
*Mais j'ai brûlé mes lettres d'amour*
*Je n'ai rien gardé, j'ai tout oublié*
*Me voilà rendu au bout du chemin*
*Au milieu de vous sans un oreiller*
*Mais dans la noirceur des hommes*
*Mais dans la poussière des hommes*
*Me voilà comme vous*
*Me voilà chez vous*

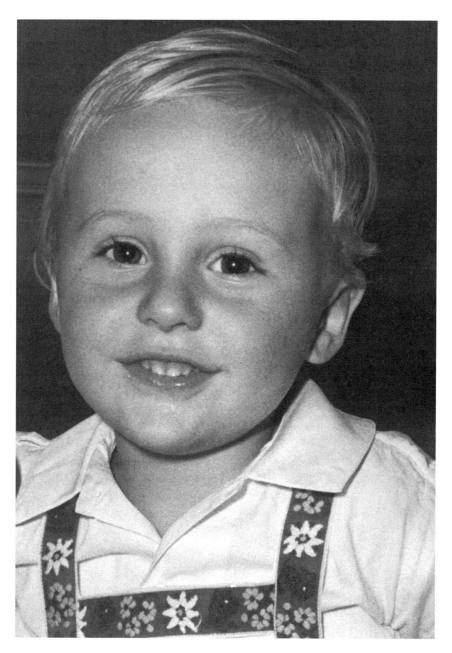

*Un pierrot lunaire.*

# L'ATTENTAT

Si la réussite financière des uns et la beauté des autres suscitent chez certains l'admiration, voire l'idolâtrie, elles provoquent chez d'autres individus la jalousie ou pire encore, l'envie qui échappe à la raison. Par définition, le personnage public doit renoncer à son anonymat. Vu et entendu par des milliers de personnes, il risque de trouver parmi son cercle d'admirateurs quelqu'un chez qui sa célébrité provoque le démon de l'envie qui mène à la folie.

Puis il y a aussi tous ceux, moins menaçants, que l'artiste fait rêver de musique et de poésie, et qui envahissent son courrier de demandes d'attention pour leurs textes ou leurs musiques. « Si vous voulez bien me lire et me dire ce que vous en pensez… » Qu'il est lourd de voir toutes ces âmes tendues qui vous attribuent le pouvoir de réaliser leurs aspirations profondes, peut-être secrètes.

Parfois, par respect pour autant d'abandon, un mot d'encouragement est envoyé. Mais il est impossible de répondre à toutes les requêtes. Rien n'est jeté, lettres et bandes magnétiques s'accumulent en couches superposées dans un carton que l'on pourrait identifier du mot ESPOIR en grosses lettres au feutre noir, pour se rappeler qu'il faut le conserver. Ce n'est pas qu'aucun talent ne se manifeste dans ces nombreux envois. En fouillant, on y trouve les mots d'un jeune poète franchement doué qui demande à « l'ancien » ce qu'il pense des chansons qu'il vient d'écrire. Il signe Pierre Lapointe… Heureusement, il n'a pas attendu sa réponse !

Les chemins sont tracés et à leur croisée, on ne s'étonne pas que le jeune Lapointe et « l'ancien » se retrouvent sur le même plateau de télévision : Lapointe, assis au piano, chantant Léveillée et son aîné qui lui serre la main en le remerciant d'avoir interprété *Ne dis rien...*

Si le silence du poète ne porte pas préjudice à celui qui le respecte et ne s'en offense pas, il en est autrement de celui qui est rongé par la convoitise.

À un de ses admirateurs, Claude n'avait pas répondu...

Cette histoire est vraie. Seul un nom a été changé car il est de ces démons qu'il ne faut pas réveiller, même en n'écrivant que leur nom.

Nous sommes en mai 1979 et Claude Léveillée se prépare à créer une fresque musicale inspirée des poèmes de Louis Pelletier pour la Saint-Jean-Baptiste, en hommage aux gens du Nord et du Bas-du-Fleuve. Pierre Jobin assure la régie du spectacle et Léveillée est assisté de l'Amérindienne Alanis O'Bonsawin qui chante deux chansons en s'accompagnant de son tambour. Au titre évocateur de *Rassemblement*, ce spectacle permet à Léveillée de bâtir une relation d'amitié avec Louis Pelletier qui, le temps de la création, l'héberge chez lui à Matane. On déclara dans les journaux de l'époque que Claude Léveillée, « presque Matanais d'adoption », offrait sa participation gratuitement.

La vie familiale chez les Pelletier est un baume sur les peines amoureuses de Claude ; sa troisième épouse, la *top model* Francine Massé, vient de quitter le nid conjugal. Il a bien tenté de se consoler avec une belle étudiante de l'École des Beaux-Arts, Sylvie Croteau, mais c'est grâce à Louis, alors professeur de français au Cégep de Matane, que Claude fait la connaissance d'une de ses étudiantes de 25 ans, Ginette Caron.

La jeune femme se rappelle qu'au tout début de leur relation, leur éloignement se supportait au prix de nombreux appels inter-urbains : « On a tellement parlé au téléphone, Claude et moi ! Des heures et des heures ! Je me souviens d'en avoir été épuisée. Une fois, je m'étais endormie avec le combiné collé à l'oreille. Claude était si inquiet de ne plus m'entendre au bout du fil qu'il s'est affolé, me croyant aux prises avec un bandit qui m'avait bâillonnée. Il appela d'urgence le concierge de mon immeuble qui se précipita chez moi pour venir constater que je dormais comme un loir ! »

Ginette n'oubliera jamais la première fois qu'elle s'était ren-due chez Claude au mois d'août. La nouvelle flamme entrait dans l'intimité du poète en faisant connaissance avec ses chiens, son magnifique domaine, sa montagne et sa forêt, et elle allait partager avec celui dont elle était tombée amoureuse non pas le meilleur, mais le pire moment de sa vie.

## 14 août vers quatorze heures

Claude est assis au salon dans son fauteuil de velours vert tandis que Ginette met de l'ordre dans la cuisine adjacente. Ils discutent et s'apprêtent à savourer un café bien chaud lorsque les grands danois se mettent à aboyer frénétiquement. De l'endroit où il siège, Claude peut apercevoir la cuisine et la porte moustiquaire. C'est en relevant la tête qu'il voit surgir un homme en furie, portant des verres fumés. En l'espace d'une seconde à peine, l'intrus est devant Claude, pointant le doigt à quelques centimètres de son nez. Il le menace en criant : «Bouge pas, mon hostie d'tabarnac! T'as pas fini, tu fais rien que commencer.»

L'intrus est agité, il recule un moment puis revient frapper Claude du revers de la main avec une force qui le projette en bas de son fauteuil. Claude se relève, voudrait calmer ce type en lui parlant, lui demander ce qu'il peut bien lui avoir fait. Mais le sombre individu ne lui laisse pas placer un mot. Tournant en rond, il se lance dans un discours aussi confus qu'agressif, accusant Claude d'être injustement chanceux et affirmant que le moment est venu de faire justice : «Tu l'as eue trop belle, Léveillée! Hostie! Les belles femmes, l'argent, la belle maison, c'est fini pour toi! Tabarnac de câlisse!» Et il assène un autre coup de poing sur l'épaule droite de Claude qui tombe une deuxième fois au sol. Il se relève prestement et se dirige vers le téléphone pour appeler à l'aide, mais l'agresseur le menace derechef : «Ah, ben! Mon hostie! Touche pas à ça, tabarnac, pas de police! J'ai pas peur des chiens, j'ai pas peur des danois, j'ai pas peur de personne, crisse!»

Ginette ne comprend pas ce qui se passe. Elle croit d'abord qu'il s'agit d'un ami de Claude, puis en entendant l'homme parler si fort et jurer à tous les deux mots, elle saisit que les choses vont mal et commence à avoir très peur. Elle entend bien que l'intrus en veut à Claude d'avoir une aussi jolie maison, mais il devient encore plus menaçant quand il dit : «Stie! Tu bouges pas d'icitte, Léveillée! Ça va être long… très long. J'ai tout mon temps devant moé. Ça fait très longtemps que j'attends ce moment-là. Si tu sais pas ce que c'est une balle de .12 entre les deux yeux, tu vas le savoir, mon hostie ! »

Claude tente à nouveau de calmer son agresseur et s'efforce d'afficher un flegme qu'il ne sent pas, pour ne pas lui montrer sa peur, en reprenant sa tasse de café et une cigarette. L'intrus les lui enlève et lance : « T'as une maudite belle montre, Léveillée, c'est trop beau pour toé, ça, mon hostie ! » en la lui arrachant du poignet. Ginette tente de s'esquiver pour aller appeler la police, mais aussitôt le fou lui hurle : « Viens ici ma tabarnac ! » Il la saisit par le bras et la somme de s'asseoir en l'insultant bêtement. Puis il commence à se déshabiller ; il enlève un, deux, puis trois gilets. Ginette est encore plus apeurée et craint d'être violée. Mais c'est vers Claude qu'il se retourne. « Mon tabarnac, t'as pas fini, on commence la *game* ! » Il saisit alors une hache plantée dans une bûche de bois, la dresse droit devant les yeux de Claude et, en donnant un violent coup sur la base du foyer, il annonce son horrible dessein : « Tu vas voir mon hostie que tu seras plus rien sans tes belles p'tites mains de pianiste. »

Profitant d'un bref instant d'inattention, Claude fait signe à Ginette d'aller au studio pour téléphoner. Le forcené s'élance vers elle pour la rattraper. Claude se sert de cette diversion pour se précipiter dehors et se jette dans le ravin au pied de sa maison. Il court en s'accrochant aux arbres et s'empresse d'aller chez le Français, son voisin, pour appeler la police. Il appelle aussi son autre voisin, Lucien Lemay, qui saisit rapidement une arme de chasse avant d'aller le retrouver.

Pendant ce temps, Ginette est seule avec le malfaiteur qui la harangue en la traitant de tous les noms. Elle lui demande quel est son problème, pourquoi il en veut autant à Claude Léveillée. L'homme complètement disjoncté ne fait que sacrer en cherchant du regard celui à qui il veut trancher les deux mains. « Crisse de Léveillée, j'vas l'avoir le tabarnac ! Il est parti... »

Ginette comprend que l'homme devant elle est obsédé par Claude. Il ne s'agit pas ici d'un simple voleur ni d'un violeur, son but est évident. Comme il ne cesse de le répéter, il veut TUER LÉVEILLÉE !

Elle tente de discuter avec l'homme et le prie de ne pas la brutaliser, lui disant qu'elle n'est pour rien dans la hargne qu'il porte à Claude, qu'elle est une simple visiteuse de passage venue de Matane. Elle lui demande alors de la laisser partir. « Vas-t-en à pied à Matane si tu veux, je m'en crisse comme de l'an 40 ! »

Voilà sa chance ! Elle se lève lentement, même si elle a une envie folle de détaler au plus vite. Elle prend le temps de ramasser son sac à main et feint le calme pour que l'homme ne puisse voir la frayeur qui l'habite. Une fois sortie, elle presse le pas pour se rendre chez les voisins où elle retrouve Claude.

Les policiers dépêchés sur les lieux de l'agression sont Jean-Jacques Durocher, Normand Boucher et le jeune Mario Fallu, vingt ans, nouvelle recrue depuis à peine un mois. À leur arrivée à 15 heures 17, ils entrent doucement par la porte arrière et voient à travers une fenêtre l'homme qui est sorti de la maison. Ils lui crient de venir vers eux et de s'identifier.

« Michaël Weston ! Je suis chez moi ici », lance-t-il en fanfaronnant, sûr de lui. Les policiers lui demandent ce qui se passe et il répond : « Rien ! Cherchez le trouble vous-mêmes, vous êtes payés pour ça ! » Les agents décident de ressortir et de contourner la maison. Ils aperçoivent Claude qui arrive à leur rencontre près de l'auto-patrouille. L'agent Boucher se rappelle encore aujourd'hui, près de trente ans plus tard, n'avoir jamais vu de toute sa carrière un homme aussi terrifié que Claude, blanc comme un linge, les yeux hagards.

Michaël Weston montrait une telle assurance ! Il revendiquait la propriété du domaine de Claude. C'est avec stupéfaction qu'on l'entendit dire, désignant du doigt la piscine creusée, que c'était lui qu'il l'avait fait construire par l'entreprise Val-Mar. Il savait beaucoup de choses, avec force détails, sur les biens et la vie de Claude Léveillée. Celui-ci était interloqué. Il affirma avec véhémence que c'était bel et bien sa demeure : « Il ment ! C'est chez moi ! J'ai acheté ce terrain en 1961 et j'y habite de façon permanente depuis 1968 ! C'est ma maison ! »

Dans les minutes qui suivirent, Weston perdit son arrogance et lorsqu'il fut remis entre les mains du sergent-détective Denis Lecours pour l'enquête, il n'opposa pas de résistance en se faisant passer les menottes. Tandis que l'on procédait au remisage du véhicule de Weston au garage Charbonneau de la Côte Saint-Louis, on emmena le bonhomme au poste pour l'interrogatoire d'usage.

Durant le trajet, il ne cessa de proférer des menaces à l'égard de Claude en se parlant à voix haute :

« Il va en arracher, l'hostie de chien ! »

« J'ai de la mémoire, il va se rappeler de moi ! »

Même en cellule, il continuait à blasphémer, criait et chuchotait :

« J'ai une hostie de bonne mémoire. »

« À la guerre comme à la guerre. »

« C'est comme un film, on va avoir du fun. »

« Ils sont rares ceux qui réussissent dans vie. Y'en a qui vont me r'connaître la face. »

Mais aussi, la phrase « J'sais pas pourquoi... » revenait souvent...

En observation, on l'entendit encore lancer sa rage contre Léveillée, mais aussi contre Gilles Vigneault, Fernand Gignac et d'autres artistes. Il était complètement obsédé par l'idée de leur faire la peau. Le lendemain, alors qu'il était encore détenu en attendant sa comparution, il se masturbait en trouvant cela très amusant et tenait toujours les mêmes propos injurieux et incohérents. Au moment de sa comparution, son attitude agressive se décupla. Les agents durent employer la force pour le maîtriser.

L'enquête révéla que depuis 1977, Michaël Weston était un patient psychiatrique suivi en clinique privée puis à l'Institut Albert-Prévost. Le matin de l'attentat, la mère de Weston avait demandé un ordre d'internement pour son fils. Ce jour-là, elle avait compris que son obsession pour Claude Léveillée allait tourner au cauchemar ; il fallait protéger son propre fils de sa folie, mais aussi le poète. Ses démarches furent vaines et Weston avait déjà pris la route vers Saint-Benoît de Mirabel.

Michaël Weston fut accusé de vol, séquestration et tentative de meurtre, mais jugé inapte à subir son procès. Il fut interné à l'Institut Philippe-Pinel.

Tous les témoins de l'évènement s'accordent pour dire que le 14 août 1979, il n'aurait fallu que quelques minutes de plus et le Québec aurait pleuré la mort d'un de ses grands poètes. Sans compter les autres, car Weston avait une liste...

Claude était en état de choc post-traumatique. Il demanda à l'agent Durocher, qui le rassurait avec sa tête grisonnante de bon père de famille, de lui procurer une arme pour se protéger. Durocher entreprit de lui trouver un calibre .38 et vint même lui fournir

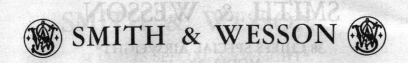

# SMITH & WESSON

## .38 CHIEFS SPECIAL AIRWEIGHT®
## MODEL NO. 37

**PARTS LIST** • **INSTRUCTIONS FOR USE** • **MAINTENANCE**

**SPECIFICATIONS**

## SPECIFICATIONS

| | | | |
|---|---|---|---|
| Caliber | .38 S&W Special | Sights | Fixed, 1/10-inch serrated ramp front; square notch rear |
| Number of Shots | 5 | | |
| Barrel | 2" or 3" | Frame | Round or square butt |
| Length Over All | With 2" barrel, round butt, 6½ inches | Stocks | Checked walnut Service with S&W monograms |
| | | Finish | S&W Blue or Nickel |
| Weight | With 2" barrel, round butt, 14 ounces | Ammunition | .38 S&W Special, .38 S&W Special Mid Range |

"THIS REVOLVER WITH ITS FORGED ALUMINUM ALLOY FRAME IS DESIGNED FOR STANDARD-VELOCITY AMMUNITION. THERE ARE NOW HIGH-VELOCITY ROUNDS OF AMMUNITION IN THIS CALIBER ON THE MARKET IDENTIFIED BY A HEADSTAMP MARK "+P"; WE RECOMMEND THAT AMMUNITION SO HEADSTAMPED NOT BE USED IN THIS REVOLVER.

SMITH & WESSON"

## SMITH & WESSON
### ⅟₂ A BANGOR PUNTA COMPANY
### Springfield, Massachusetts, U.S.A.

*Le dépliant explicatif.*

quelques explications concernant son utilisation. Pendant plusieurs années après l'événement, Claude ne sortait pas sans porter son revolver en bandoulière sous sa veste. Il entra dans une phase où il tentait par tous les moyens de s'effacer à la vue du public ; il se « gommait » la célébrité. Claude se présentait le moins souvent possible devant l'œil des caméras et conduisit longtemps la même vieille voiture pour ne pas afficher de symbole de réussite.

Encore aujourd'hui, on perçoit chez lui les séquelles que cette peur affreuse a provoquées. Lorsque des admirateurs lui écrivent, même avec tout l'amour du monde, et qu'ils signifient leur désir de le rencontrer en personne, Claude se rappelle une hache qui aurait pu lui trancher les mains. Et lorsqu'il sent chez quiconque un reproche pour sa renommée ou quand on lui sert de ces phrases qu'il a trop souvent entendues au cours de sa vie, du genre « On le sait bien, toi, Léveillée, t'as eu le talent, c'est facile pour une vedette », il se pose encore cette question : « Vais-je devoir m'excuser toute ma vie d'être qui je suis ? »

## « T'ES PAS *GAME* ! »

Il a à peine cinq ans et est assis sur les genoux du clown Clo-Clo accompagné de ses petites souris. Il reçoit un jeu de Minibrix, le prix d'un tirage qu'il a gagné. Qui eût cru que ce gamin serait le grand gaillard frondeur et culotté qu'est devenu Marc Desjardins ? C'est le premier souvenir qu'a Marc de sa rencontre avec Léveillée.

Le second remonte encore à l'enfance. Marc a douze ans. Puisque son père est en grève, on lui offre généreusement des vacances au lac Massawippi. Il passe ses journées à jouer avec son meilleur ami, Patrice Gascon, le fils de Monique Miller qui est alors l'épouse de Claude. Ce dernier n'oubliera pas ce garçon turbulent et bavard.

Jamais deux sans trois… Beaucoup plus tard, Marc est cofondateur et rédacteur en chef du magazine *Québec-Rock*. En 1978, après une entrevue accordée par Claude Léveillée pour la sortie de son nouvel album *Black Sun*, Desjardins titre : *LE CHANT D'UN HOMME QUI N'EST PAS TRISTE.*

Claude se bat toujours avec cette image qu'on lui colle depuis ses débuts. « Je suis un gars de feelings, d'émotions, de contre-jour et de mains qui se prennent un peu en cachette en dessous d'une table […] Mais Bon Dieu ! Ça ne fait pas de moi un gars triste ça […] C'est drôle comment les gens ont tendance à associer l'émotion et la tristesse. Rire et sourire sont des émotions aussi […] des grandes et puis des belles […] Ce qu'on appelle le feeling en musique, qu'est-ce que c'est, sinon une manière de transcrire tes émotions ? J'suis un gars qui peut être *heavy*, chargé de sens […] *Frédéric* c'est une toune *heavy* […] Aujourd'hui, personne n'oserait accuser les membres du groupe Genesis d'être des gars tristes parce qu'ils font des tounes émotives et *heavy*. »

*Black Sun* est le résultat d'une œuvre musicale commandée par le Comité organisateur des Jeux olympiques de 1976. Au départ, il s'agissait de la trame musicale d'un ballet pour la troupe d'Eddy Toussaint sur une chorégraphie d'Eva Von Gencsy et un argument de Marcel Dubé. Comme presque tout ce qui est produit au Québec sombre rapidement dans l'oubli, Claude décide que ce qu'il a composé deux ans plus tôt doit être gravé sur disque. « Moi j'y croyais dur comme fer, et puis comme j'ai une tête de cochon, je me suis dit que cette musique-là sortirait coûte que coûte même si je devais le faire à mes frais et que j'imprimerais moi-même les galettes de vinyle [...] C'est peut-être un disque qui va se perdre dans la brume au Québec, parce qu'on me connaît d'une certaine façon et que personne n'aime déroger à la petite vision sécurisante et diablement fixe qu'on se fait de quelqu'un. »

Cet album au titre anglophone est constitué de pièces instrumentales qui, selon les dires de son compositeur, « ne souffrent pas les limites imposées par le langage ». À la suite de sa collaboration avec Félix Leclerc, Claude a signé un contrat avec l'étiquette Polydor qui espère distribuer *Black Sun* internationalement.

En juillet de la même année, parallèlement à l'édition d'un livre de partitions publié par *Chant de mon pays*, Claude décide d'enregistrer un album assez particulier, *Le long voyage, volume 1*, un disque biographique où il parle de ses chansons et esquisse seulement les mélodies.

Lors de la promotion de l'album, Claude déclare au *Journal de Montréal* qu'il a décidé qu'il n'écrirait jamais sa biographie et qu'il lui faut bien, alors, pendant qu'il est encore capable de parler, expliquer une fois pour toutes dans quel état d'âme il était quand il a écrit ses chansons.

Bien qu'il affirme reconnaître que cet album concept n'intéressera pas les radios commerciales, il prévoit qu'il sera traduit en six langues. On peut sourire en lisant dans ce même article où il dit être un bûcheur de nature, qu'il fera ses traductions lui-même, avec les corrections continuelles d'un traducteur, syllabe par syllabe. C'est ainsi que, selon ses prédictions, *Le Long voyage* serait traduit en espagnol, en japonais, en allemand, en suédois et en italien. Claude dira même : «J'aime mieux faire ça que jouer au golf!»

Le volume I doit être le premier d'une série de douze ou quinze albums. Claude ne veut pas prendre la plume pour se raconter ; son outil d'écriture, c'est le piano. En fait, cet album est un prématuré ; une fois sa gestation vraiment accomplie, il deviendra la prémisse d'une future chanson, une œuvre qui s'appellera plus tard *Bagages oubliés*.

Ce désir latent de ne plus chanter l'habite, il rêve de ne faire entendre que sa musique. Et si l'on tient à entendre sa voix, il préfère se faire conteur. Comme il voudrait se taire, cesser ce beau malentendu, cet accident qu'est la chanson.

Vivre ses peines, ses deuils, oublier, boire pour mieux oublier ces femmes qui le quittent et ce fils qui s'absente. Les années 1980 sont celles de l'oubli, ses chansons sont orphelines. Il faudra une quatrième rencontre avec Marc Desjardins pour qu'il retrouve foi en la chanson.

Le 23 juin 1986, à l'Agora de Québec, Marc est engagé par Pierre Jobin pour travailler à la mise en scène et à l'éclairage d'un spectacle pour la Saint-Jean-Baptiste. Sur la même scène se retrouvent Claude Léveillée, Pierre Létourneau, Marie Tifo, Marie-Christine Perreault et Renée Claude dont il est devenu un collaborateur, ayant produit cette année-là son album *Le futur est femme*. Il produira aussi *Renée Claude chante Brassens* en 1988.

Lorsque Renée Claude et Claude Léveillée chantent ensemble, le public est enthousiaste. Le régisseur Daniel Adam en prend bonne note et, lorsqu'il devient par la suite producteur, il appelle Marc pour lui dire qu'il est en train de monter un spectacle à Belœil et qu'il aimerait bien y revoir ce duo.

À la suite de cette association provisoire, Marc pense monter un spectacle entièrement donné par les deux artistes. Ainsi naît *Partenaires dans le crime*, présenté au théâtre Arlequin du 27 janvier au 1er février 1987, puis en tournée. En discutant avec Micheline Loiselle-Blais des Productions La Sterne qui, à cette époque, s'occupe de la carrière de Claude Léveillée, Marc suggère d'en faire un film du genre *making of*. Micheline se charge de l'aspect financier, des subventions nécessaires à la production, et l'on pourra le voir à l'écran sur la chaîne TV5 le 20 juillet 1989.

Claude se lie d'une véritable amitié avec Marc Desjardins. Il aime son côté stimulant et son esprit positif ; tout est possible avec lui. Quand il le voit travailler à la production de l'album instrumental *Destinations* de Vincent Dionne qui a des visées européennes, Claude soumet à Marc son désir de faire, lui aussi, un nouvel album instrumental. Marc considère qu'il a eu un culot qui frôlait l'effronterie à ce moment-là :

« Je pense avoir même été un peu bête lorsque j'ai dit à Claude que je voulais bien produire un album instrumental pour l'Europe mais qu'avant, il fallait leur rafraîchir la mémoire, qu'il devait reprendre ses vieux succès. Claude accepte et signe un contrat avec moi, sauf que quelques jours après la signature, il m'appelle pour me dire qu'il n'a pas du tout envie de reprendre ses anciennes chansons, qu'il veut créer des nouvelles compositions. Je lui mets alors sur le nez que nous avons signé un contrat en bonne et due forme pour un album de chansons, pas pour des pièces instrumentales, et que d'un point de vue légal, il ne remplit pas son engagement. Je sais que pour Claude, le simple fait de prononcer le mot " légal " le fout en boule et qu'il devient très nerveux ! C'est alors qu'il affirme pouvoir honorer cette clause contractuelle d'une autre manière ; pas question de resservir *Les vieux pianos*, *Frédéric* et *La légende du cheval blanc*, il va en écrire des nouvelles ! Je lui tiens alors des propos sceptiques du genre : " Claude, tu n'as plus écrit de chansons depuis sept ans, ça te tente plus, tu es trop paresseux, j'y crois pas ! Je pars pour l'Europe avec l'ADISQ du 17 janvier au 7 février ; étonne-moi en m'écrivant deux ou trois chansons que tu me présenteras à mon retour et là je te croirai ! " »

Voilà, Marc lui a lancé un défi ! Dans les jours précédant le départ de Marc, Claude se met au piano, téléphonant chaque soir jusqu'à minuit à son bourreau, lui disant qu'il ne se rend pas compte à quel point il le fait souffrir. Marc l'entend se plaindre mais demeure stoïque et frondeur.

Fouetté par ce pari, Claude se met à la composition. Le défi de Marc l'obsède. Claude veut clouer le bec à ce blanc-bec ! Il le rejoint à l'aéroport de Mirabel le jour de son départ et lui livre, tremblant d'émotion, une pile de textes et la seule copie de l'enregistrement sur cassette de dix nouvelles chansons originales dont *Enfin revivre*.

On peut certainement y voir un symbole, car Claude fait d'*Enfin revivre* la pièce titre du futur album. Pour accoucher de cette œuvre, il a griffonné sur des tas de feuilles de papier, écrivant et rayant sans cesse, se reprenant des dizaines de fois dans une sorte de course à l'inspiration.

À bord de l'avion, Marc s'installe dans un siège près de la porte d'embarquement, glisse ses écouteurs sur ses oreilles et, entendant ces nouvelles compositions, se met à pleurer. Le voyant ainsi verser des larmes, son voisin de siège Rosaire Archambault lui demande pourquoi il est dans cet état. Marc raconte :

« Je braillais ! En montrant la cassette, je disais : ça, c'est la seule copie au monde des nouvelles chansons de Claude Léveillée ! C'est magnifique ! Tout cet album-là est complètement audacieux, ça ne ressemble à rien de ce qui s'est déjà fait. »

Marc produit entièrement l'album avec ses propres deniers, sans subvention. Il a la bonne idée d'y mettre les voix du groupe Hart Rouge (Annette, Michèle, Paul et Suzanne Campagne) qui a carte blanche pour improviser selon son inspiration. Ils enregistrent au studio de Jean-Pierre Limoges. Marc précise qu'avec Claude, il fallait enregistrer les répétitions, ce qui étonnait Jean-Pierre. « La plupart des pièces de ses albums sont des *first takes* ; il disait souvent : je ne veux pas la refaire ! »

Une émotion, ça ne se revit pas sur commande. Il demande au chœur et aux musiciens qui l'accompagnent de laisser libre cours à leurs sentiments. L'inspiration, ça ne repasse pas, c'est un souffle qui, une fois expiré, est volatilisé. Les reprises diluent l'intensité. On y perd l'essence, l'élan, cette flamme de la première fois. La chanson est comme l'amour ; on ne peut revivre deux fois son tremblement de cœur.

Au moment de réaliser le livret de l'album, Marc demande à Claude à qui il dédie ses chansons.

« Mis à part *Pierrot Lunaire* qui, de toute évidence, était une chanson pour son fils Pascal, à qui dédiait-il les autres ? Claude resta surpris. En lui posant la question, je lui apprenais quelque chose qui sautait pourtant aux yeux et qu'il n'avait pas vu. C'était un acte manqué. »

Dès lors, cette chanson appartint à son fils. Et les autres reçurent aussi leur dédicace. On peut y lire entre autres que *La*

*Moto de juillet* venait se poser aux pieds de Marjo, si elle en voulait bien. *Enfin revivre*[1] reçut d'élogieuses critiques.

Par la suite, Marc restera un fidèle collaborateur de Claude. Il participe à la réalisation de l'album instrumental *Un homme, un piano*, sorti en 1997. Il devient aussi son régisseur de son et d'éclairage, et son excellent travail est constamment remarqué lors des spectacles de Léveillée. Marc le suit partout où l'artiste se produit sur scène, jusqu'en France où il est témoin de cette déconcertante façon qu'a Léveillée de saboter sa carrière européenne.

« Les amis suisses de Claude, les Kurzen, savaient que Pierre Bachelet adorait Claude Léveillée. Lors de l'émission *Sacrée Soirée* animée par Jean-Pierre Foucault sur les ondes de TF1, on rendait hommage à Bachelet et Claude, grâce aux Kurzen, était un invité surprise. Je me suis dit que c'était l'occasion idéale de contacter les producteurs français. Je ne voulais pas rater ça. Je me suis rendu à Paris et j'ai appelé tous mes contacts pour qu'ils ne manquent pas cette diffusion, cette rare fois où ils pourraient revoir Léveillée sortir de ses terres du Québec pour mettre pied sur celles de la France. *Sacrée Soirée* avait un audimat de 25 millions de téléspectateurs. Sur le plateau se trouvaient Janet Jackson, David Hallyday et un Pierre Bachelet qui, après la surprise d'entendre Léveillée interpréter *Frédéric*, a dit avec un trémolo dans la voix : "C'est à cause de lui que je fais de la musique… Ce n'est pas compliqué, c'est le plus grand !" Ce fut la totale, l'ovation, et le lendemain ma boîte vocale à Montréal était pleine ! Toutes les compagnies de disques m'appelaient pour lui offrir un contrat ! Eh bien, *niet* ! Claude ne voulait pas les rencontrer, il voulait rentrer chez lui. Il était à ce point casanier qu'il préférait manger à l'hôtel plutôt que de profiter des bonnes tables parisiennes. C'est avec son ami Jacky Kurzen que j'ai fait bombance et Jacky, en plus d'être un fin gourmet, est un prince qui s'objecte farouchement à ce qu'on paye la facture. Ouf ! Qu'est-ce qu'il a raté cette fois-là ! »

Ils ont été plusieurs à tenter l'expérience du retour de Léveillée en France ; les Pierre Jobin, Jacques Ouimette et Marc Desjardins ont compris qu'il était vain d'y travailler. Une carrière en France

---

1. *Enfin revivre*, 33 tours et CD : GMD-1303-27 (1989) ; réédition : Aube CD-0295 (1995).

*Claude Léveillée et Renée Claude*, « Partenaires dans le crime », *1987*.

exige une disponibilité physique dans l'Hexagone ; Claude ne fait que poser ses valises et à peine arrivé, il compte déjà les jours qui le séparent du moment où il pourra retourner chez lui, dans sa forêt avec ses chiens.

En 1997, Claude crée le spectacle *Bagages oubliés* à la Cinquième Salle de la Place des Arts en s'accompagnant des très talentueux musiciens Vic Angelilo, Luc Boivin et Jean-Pierre Limoges. En plus de son rôle de régisseur, Marc se charge de faire de cet évènement le premier spectacle d'un auteur-compositeur-interprète québécois diffusé en direct sur Internet, par le truchement du site qu'il a créé pour Claude Léveillée.

Marc sera là pour la conception graphique de ses albums *Mes années 60, 70, 80* et sa trilogie des *Rêves inachevés*, il l'accompagnera dans sa tournée de spectacles en solo et avec l'ensemble Amati qui marquera ses cinquante ans de carrière. Ce sont près de vingt années de collaboration, mais aussi de confidences et d'amitié, ensemble jusqu'au bout. Jusqu'à ce soir fatidique d'avril 2004 où Claude s'est écroulé sur scène…

# LES FEMMES FANTÔMES

**Algérie – 12 mars 1985**

Il faut croire que je n'ai pas l'âme voyageuse. Lors de mes tournées internationales, les mœurs de certains pays visités, au lieu de m'intriguer et de m'ouvrir l'esprit, n'ont fait qu'accentuer mon désir de rester chez moi, dans ma forêt, tranquille auprès du feu de mon foyer. Mais peut-on me le reprocher ? Car, en vérité, mon contact avec la chaude Afrique fut on ne peut plus froid…

Invité à aller remonter le moral de travailleurs canadiens mutés en Algérie depuis près de deux ans, ou peut-être plus, je dois donner un concert à de solides gaillards qui me troubleront de les voir pleurer. Ces costauds que je croyais insensibles sous leurs tonnes de muscles, en entendant une voix, des chansons, de la musique de leur pays, versent des larmes ! Tout au long de ma vie, je serai médusé par ces Samson rendus fragiles et humains par Dame Musique. Sous quelques arpèges, leur puissance semblait s'évanouir. Mes mélodies agissaient comme Dalila qui, en quelques coups de ciseaux, avait su faire perdre au colosse toute sa force en lui coupant ses longs cheveux d'où il tenait son pouvoir. C'est comme si ma musique se faisait fronde devant Goliath. Des géants tombent et moi, si petit, je reste debout, étonné, pantois, sans mots.

Voilà un des grands mystères de la scène. Toucher qui ? Comment ? Et pourquoi ? Je ne le sais toujours pas.

Je rentre me coucher. Les hôtels où on me loge portent encore les traces de la révolution. L'Algérie est devenue indépendante à l'issue d'une guerre longue et coûteuse contre la présence française. Une présence qui dura 132 ans et qui prit fin officiellement en 1962. Vingt-trois ans après la déclaration officielle de son indépendance, les murs vandalisés d'Alger qui autrefois affichaient le faste et le luxe ne sont maintenant que de tristes tableaux rougis par le sang. Les chambres n'ont pas le confort moderne et il n'y a pas de cabinet de toilette. Mes musiciens et moi devons nous servir de la douche pour nos besoins naturels. Quelqu'un passe derrière nous, certainement une femme que je n'ai jamais vue ; j'ai senti sa présence, derrière une porte. Il y avait peut-être une ombre, je ne cherche pas à la voir, je serais gêné de la rencontrer. Je sais seulement qu'après son passage tout disparaît...

Sur les places publiques, on ne voit que des hommes ; ils ne font que se saouler. Les rues sont sales, dégoûtantes, et l'odeur des caniveaux où se déverse bien plus que de l'eau de pluie, mêlée à la chaleur lourde, est insupportable. Ça pue.

Les notables français qui nous reçoivent sont de pauvres nostalgiques de l'occupation coloniale qui avait donné à ce coin du monde un peu de prospérité et une certaine fierté, m'ont-ils dit. Je n'ai pas vu de culture propre à ce pays. Je n'ai vu que des hommes, des hommes et des hommes.

Un monde sans femmes... Elles, cloîtrées, retenues aux cuisines, enfermées dans le défendu, toujours le défendu.

Je me dénonce, j'ai menti. Il y avait des femmes, des ectoplasmes de femmes, des formes féminoïdes diffuses. Il fallait deviner la féminité sous les voiles. En regardant bien discrètement au bas de leurs longues robes, on ne voyait que leurs pieds cornés dans leurs sandales.

Je les trouvais fous, ces mâles algériens, misogynes toqués, idiots de se priver de la présence entière et constante des femmes, d'elles seules qui savent rendre ce monde plus beau à mes yeux. Pourquoi cacher la beauté ?

Il me tarde de quitter cette terre maudite. Je m'acquitte de mes différents concerts, je me plie aux règles et je mange affreusement. Je reste sagement dans ma chambre, ne voulant pas risquer quoi que ce soit qui puisse compromettre mon départ. Je fuis les offres d'aller voir « les douceurs » d'Alger. Je n'ai qu'une envie, partir d'ici au plus vite.

Mais avant de quitter l'Algérie, je dois honorer mon contrat à Tlemcen, ville qui me fera découvrir une douce consolation : les Coteaux de Tlemcen. Voilà un des meilleurs vins que j'ai bus dans ma vie, nectar des dieux ou d'Allah pour rendre au dieu d'origine son appellation contrôlée. Cette cuvée était corsée, souple, d'une belle couleur rubis, ferme et bien charpentée. On nous offrait de bons millésimes veloutés, tout en finesse. Un baume sur tout le reste.

Je dois faire la route en voiture ; tout est organisé pour nous et nous ne choisissons pas nos guides. Comme nous sommes attendus à Oran et Constantine pour d'autres concerts, nous devons prendre des routes qui se font lécher par la langue rugueuse du Sahara.

Le conducteur de l'automobile s'arrête parfois en plein désert sous des chaleurs torrides. Sans air conditionné, nous attendons et attendons encore un temps qui me semble interminable. Je lui demande pourquoi nous ne roulons plus ; il me répond : « Toi, attendre avec moi ; toi te taire et attendre. » Le ton est assez ferme et plutôt expéditif.

Soudain, une voiture arrive à contresens et ralentit une fois rendue à notre hauteur pour ensuite s'arrêter, reculer et se ranger coffre contre coffre. Notre chauffeur sort et se dirige vers l'autre conducteur en lui parlant rapidement en langue maghrébine et j'entends qu'un transfert se fait, puis on repart. Je ne sais de quoi il est question et je préfère ne pas le savoir.

Ce petit manège se produisit plusieurs fois durant notre itinéraire. J'ai sans doute été mêlé à un trafic illégal. Ouais, j'aurais bien aimé me faire arrêter et pouvoir dénoncer devant les caméras et la presse internationale qu'on se servait de mon statut de Canadien pour passer de la drogue ou des armes !

Mais bon… Qui sait comment cela aurait tourné ? Et puis moi, je dois en finir avec ce sale pays. Je veux rentrer chez moi.

Voilà les douanes, et pour douaniers, des adolescents à peine pubères armés de mitraillettes. Comment peut-on laisser entre des mains d'êtres si peu matures une arme qui peut mettre fin à la vie d'un homme ? Seul le cycle de la vie a droit de mort sur l'homme.

Je tends mon passeport. Les jeunes gabelous me regardent avec dédain et me demandent si je suis Français, ce qui ne m'aurait pas facilité les choses, je présume. Je leur réponds donc que je suis Canadien – tout court – en prenant soin que mon accent puisse témoigner de mon origine. Je n'insiste surtout pas en précisant *Canadien français* puisque toutes ces précautions ne me rendent pas plus sympathique à leurs yeux. J'essaierais bien *Québécois*, mais le Québec ne s'est pas encore levé debout pour devenir un pays. Et dire que ces semblants d'hommes l'ont eue, leur indépendance. Pas à coups de référendum mais à coups de fusil. La mienne, je l'attends encore avec impatience pendant que je reste faussement poli malgré leur ton et leur regard méprisants.

« Vous pas avoir signé carte jaune. Pas passer », me dit l'un d'eux en jetant très loin mon passeport parmi une foule de gens. Je rage intérieurement. Je voudrais les affronter, mais je sais que rien ne sert de causer avec l'imbécillité. Rien n'est plus dangereux qu'un ennemi stupide. On ne peut absolument pas prévoir sa stratégie, son dessein. Ce sont des « hommes-nitro », déflagration potentielle et imprévisible à leur contact. En prévoyant tout de même le pire, je me rappelle les sages paroles de Samuel Richardson : « Les hommes coléreux se font à eux-mêmes un lit d'orties. » Je respire profondément et tente de me calmer. Je dois donc retrouver mes papiers foulés par des dizaines de pieds, là, au sol, me pencher et les ramasser. Je m'exécute et je vais donc signer cette maudite carte jaune en ne quittant pas du regard l'avion au bout de la piste. Il ne doit surtout pas partir sans moi.

Je reviens à la guérite, le douanier pose son tampon avec la satisfaction d'un César blasé par le pouvoir relevant son pouce pour gracier un chrétien dans la fosse aux lions, comme pour me montrer la chance que j'ai en ce moment de goûter à sa grande magnanimité. Les papiers en règle, il les rejette encore une fois au sol. Je me sens humilié de devoir me pencher à nouveau. Mon sang bout, mais je ne veux qu'une chose, partir, partir, partir...

L'heure n'est pas à l'orgueil mais au silence. *Tacet*[1]. Ne pas m'abaisser à leur niveau. Ce sont des bêtes, des hyènes et moi, je m'en vais à pas de loup.

Je monte dans l'avion et l'agent de bord insiste pour m'installer en première classe. Je lui présente pourtant mes billets en classe économique. On me presse de m'asseoir auprès d'un certain monsieur au nez relevé et à l'air hautain. Le secrétaire général du Parti communiste français, le coloré Georges Marchais, heureux de me reconnaître, a demandé que je sois son voisin de siège. Pour le confort de la première classe, je me plie à son souhait. Jouons de diplomatie et écoutons ce passionné de jazz puisque de toute façon, je ne pourrai placer un mot. Monsieur le député en a de trop...

---

1. Silence.

## INTERDICTION PAS SI FORMELLE

Pour Claude Léveillée, les moments de bonheur sont, dans l'ordre ou le désordre : tomber amoureux, construire une aile de son manoir pour celle qu'il aime, être l'homme qui plante des arbres, conduire son tracteur, caresser son chien, dénicher une pierre ou un caillou sculpté par la nature et savourer une glace à la vanille garnie d'un filet de sirop d'érable. Dans la catégorie des grandes joies, on retrouve : retomber en amour, jouer avec un orchestre symphonique et entrer dans le studio de Jean-Pierre Limoges pour travailler avec ce musicien qu'il a adopté comme son complice des vingt dernières années.

Mais il s'en est fallu de peu que cette complicité n'eût pas vu le jour.

C'est par l'entremise du parolier et sonorisateur Marc Desjardins, qui avait travaillé avec Jean-Pierre sur l'album *Ange animal* de Dan Bigras, que Claude Léveillée se fit proposer les talents de ce jeune claviériste, programmeur, preneur de son, arrangeur et qui plus est, propriétaire d'un studio d'enregistrement à Ville Saint-Michel.

Lorsque Marc annonce à Jean-Pierre qu'il pourrait collaborer au prochain album de Claude Léveillée si tel est son désir, Limoges est enthousiaste : « Wow ! Le monument de la chanson, chez moi ! C'est une offre que je ne peux refuser. »

À onze heures trente, le 21 février 1989, Jean-Pierre Limoges voit apparaître Claude Léveillée, cigarette au bec, en haut de l'escalier menant vers son studio d'enregistrement au sous-sol. Alors qu'il commence tout juste à enlever son manteau, Claude aperçoit une affiche sur laquelle est écrit *Défense de fumer*.

« Quoi ? On ne peut pas fumer ici ? lance-t-il. Ben, c'est pas compliqué mon gars, si je peux pas fumer, on travaillera pas ensemble, c'est tout ! Salut ! »

Claude, résolument sérieux, remonte son manteau sur ses épaules devant le pauvre Jean-Pierre sidéré et s'apprête à tourner les talons lorsque Jean-Pierre l'arrête :

« Attendez ! Attendez, monsieur Léveillée ! Ne partez pas ! Bien sûr que vous pouvez fumer. Je vais faire un gros spécial pour vous. »

Ouf ! Claude redescend. Il était moins une.

Pour Claude, Jean-Pierre dérogea à sa règle antitabac. Il était prêt à subir les affreuses migraines que lui occasionne la fumée secondaire. Pas question pour lui de passer à côté de cette chance de travailler avec le légendaire Léveillée ! Comme quoi, les accommodements raisonnables sont parfois de mise. Que ne ferait-on pas pour l'amour de la musique ? Un peu de monoxyde de carbone, ça tue vraiment ? Le regret est plus fatal.

Malgré les dizaines de cigarettes brûlées les unes à la suite des autres et se consumant très souvent seules lorsque Claude se mettait au piano, malgré le cendrier toujours plein, quand Jean-Pierre et Claude ont commencé à travailler sur la musique de l'album *Enfin revivre*, les atomes crochus étaient au rendez-vous et la complicité s'installa rapidement.

Le claviériste et arrangeur accompagnera maintenant Claude partout. Il sera son chef d'orchestre sur les plateaux de télévision et lors de ses spectacles en tournée, même jusqu'en Europe. Le 16 octobre 1989, jour du 57e anniversaire de Claude, c'était aussi le lancement d'*Enfin revivre* au Théâtre de Quat'sous. Jean-Pierre se rappelle avoir reconnu là une des grandes qualités de Léveillée :
« Claude est un chic type, il a de la classe. Au lancement, il n'a pas manqué de mentionner mon nom, me présentant à tous comme son arrangeur et chef d'orchestre. J'étais tellement honoré. C'est très rare au Québec, on y voit peu ce genre de reconnaissance. J'en sais quelque chose. »

C'était la méthode Piaf que Claude avait apprise à ses côtés. Avant chaque chanson, Édith citait toujours le nom du parolier et du compositeur avant de donner le titre. Les musiciens ne restaient pas dans l'ombre. Il faut rendre à César ce qui revient à César.

Vint un jour où Claude retint les services de Jacques Ouimette comme directeur des communications. Jacques se sentait prêt à relancer la carrière de Claude en Europe, mais il fallait d'abord rafraîchir la mémoire collective.

Le vinyle est mort et enterré, et avec lui, une bonne part du patrimoine culturel québécois. Dans les années soixante, Columbia a signé des contrats avec la majorité de nos artistes, dont Vigneault, Gagnon et Léveillée pour ne nommer que ceux-là. Ils étaient jeunes, prêts à signer n'importe quoi pour autant qu'on leur permette de créer : des contrats rédigés en anglais seulement avec des clauses de renouvellement automatique et de propriété des bandes maîtresses, des privilèges accordés uniquement à la maison de disque mais sans devoir d'édition envers l'artiste.

Columbia est devenue Sony Music et la préservation de notre patrimoine est le cadet des soucis de la méga entreprise. Claude tente donc de racheter ses bandes maîtresses et lorsqu'il appelle au siège social de Toronto, il entend d'abord un « *Claude who ?* » et cela se termine avec « *Sorry, whe don't know where your tapes are.* »

Claude a le temps d'avoir des cheveux blancs s'il attend que se manifeste leur pseudo bonne volonté. Il décide alors de reprendre ses vieux succès des années soixante. Idée consolante, Claude trouve maintenant sa voix plus mature ; à l'époque, il considérait que son organe vocal était celui d'un castrat, trop haut perché. Sur son bon vieux piano Baldwin trônant dans son propre studio, il reprend ses classiques chez lui. Jean-Pierre capte la piste jouée par Claude pour y ajouter plus tard les autres instruments dans son studio d'enregistrement. L'album *Mes années 60*, paru en mai 1994, frôle le disque d'or.

Le problème ne se posa plus pour les bandes « post-révolution tranquille ». Claude avait fait la sienne, de révolution, en s'affranchissant de Columbia et en démarrant sa propre compagnie avec comme associé Ed Kostiner (Leko Publishing). À partir de ce jour, les bandes maîtresses resteront aux côtés de leur maître. Leko deviendra plus tard Les disques Manoir pour ensuite s'appeler Les disques Aube, maison d'édition où Claude n'a de comptes à rendre qu'à lui-même. Fini les intermédiaires.

Jean-Pierre se rappelle la délicate opération du transfert numérique. « Il y avait des bandes dont la colle ne tenait plus et qui s'autodétruisaient lorsqu'on les passait dans les lecteurs. Pourtant, ce n'étaient pas les plus vieilles. Elles venaient du Studio Morin-Height tandis que des plus anciennes, appartenant à Gérard Manset et enregistrées à Paris dans le Studio des Dames, étaient impeccables. Et comment puis-je décrire quelle émotion je ressentais en les écoutant ? Elles étaient complètes, avec les discussions entre Claude, Manset et les musiciens. Je pouvais l'entendre fumer et même lancer : "Câlisse ! On la reprend !" »

Sur l'album *Mes années 70*, paru en septembre 1995, se retrouve *Ma blanche liberté*, un souvenir plutôt douloureux pour Jean-Pierre. Il avait dit un jour à Claude, tout bonnement, que son premier instrument avait été la guitare, un truc d'adolescent. Ne pouvant pratiquer les deux, il s'était par la suite consacré au piano. Alors que Claude et Jean-Pierre répètent en vue d'un spectacle à la Cinquième salle de la Place des Arts avec Vic Angelilo et Luc Boivin, Jean-Pierre aperçoit une guitare électrique appuyée contre un mur. Surpris et content, il demande à Claude :

– *Good*, c'est super ! Quel guitariste as-tu engagé ?

– Ben, c'est toi !

– Tu me niaises, là ?

– Ben non, tu vas jouer *Ma blanche liberté* !

– Es-tu fou ? J'étais un ti-cul quand je jouais de la guitare ; mes connaissances sont encore là, mais pas mes doigts. Je ne suis pas un guitariste !

– C'est comme le vélo. Allez, t'es capable ! Joue-moi ça, tu vas être bon, je le sais. Arrête de pleurer !

Jean-Pierre se met à la guitare et, dans son incertitude de pouvoir en jouer correctement, il transmet peu à peu cette inquiétude à Claude. Résultat, Claude le force à rejouer la pièce sans arrêt pendant deux heures afin de s'assurer que tout sera parfait pour le spectacle du soir. Jean-Pierre lance :

– Ça suffit, j'en peux plus !

– Ben oui, ben oui, tu peux encore, tu vas finir par la connaître par cœur.

– C'est pas de l'apprendre qui est le problème, c'est que je saigne des doigts, je n'ai pas la corne des guitaristes !

Ce soir-là, Jean-Pierre était terriblement nerveux. À telle enseigne qu'il se mit à faire de l'arythmie cardiaque. On lui posa

*Claude Léveillée et Jorane, 2000.*

un moniteur portatif pour mesurer ses pulsations. Même dans le bureau du médecin, il n'avait qu'à penser à *Ma blanche liberté* et le stylet de l'électrocardiographe s'affolait. Une fois la tournée terminée, tout redevint normal…

Avec Claude, Jean-Pierre apprit à se surpasser mais aussi, par l'observation et l'écoute, il comprit qu'il fallait toujours être éveillé, à l'affût des beaux accidents musicaux. Claude lui cita en exemple que dans la musique d'Érik Satie, il aimait les désaccords de ses accords. Tout musicien qui désire travailler avec Léveillée doit posséder quelques qualités particulières : ne pas avoir peur d'aller au bout de ses sentiments et savoir reconnaître la musicalité des silences. Et Claude lance souvent, en répétition comme en studio : « Donnez-moi de l'émotion, bordel ! »

Jean-Pierre reconnaît les musiciens incompatibles avec Claude : « Ne sera pas compagnon de musique de Claude le type qui ne fera que montrer la vitesse à laquelle il peut exécuter des gammes. Ça ne marchera pas avec Léveillée ! »

Mais pour lui, ça marche, ça court même. « Durant les quatre années de la série *Scoop*, nous avons travaillé de sept à dix heures par jour pour composer la trame sonore des cinquante-deux épisodes. Ce fut intense et tellement stimulant ! »

Avec Claude, l'émotion est toujours au rendez-vous, c'est écrit dans le ciel. « Je me rappelle cette fois où Claude donnait un spectacle extérieur avec l'orchestre Comusica de 54 musiciens pour le Concert laurentien au parc Marcel-Laurin de Ville Saint-Laurent. Ce soir-là, la circulation aérienne avait été interrompue. Pourtant, lorsque Claude interpréta *Pierrot Lunaire*, au moment de chanter *« Je m'en vais sur la lune, prenez bien soin de mes oiseaux »*, un énorme jet fendit le ciel en passant devant la lune dans le hurlement des moteurs à réaction signant la finale. J'en frissonne encore ! »

Pour Claude, Jean-Pierre est certes un compagnon de musique, mais il est aussi celui qui lui donne accès à une technologie qui le ravit : les synthétiseurs. Depuis son enfance, il a joué de son petit harmonica, puis de l'accordéon et bien sûr du piano, mais avec les claviers programmés de Jean-Pierre pour faire entendre des violons ou de la flûte de pan, voilà que Léveillée peut enfin faire son orchestration et ses propres arrangements. Il n'est plus confiné à sa ligne pianistique.

*Claude Léveillée et Jean-Pierre Limoges, 2008.*

Lorsqu'il entre au studio de Jean-Pierre et que celui-ci lui demande ce qu'il a l'intention de faire, Claude lui répond toujours : « Je le sais pas ce que je vais faire ! » Il lui demande alors de programmer le synthétiseur et dit qu'il finira bien par trouver quelque chose. C'est ainsi qu'un jour, il lui demanda d'aller chercher un café au restaurant voisin pour accompagner les délicieux muffins aux bleuets que l'épouse de Jean-Pierre leur avait offerts, mais avant, il voulait que Jean-Pierre programme des violons sur le clavier. Le temps de la course, Claude avait composé la musique de *Berlin sous la neige*[1]. Pour les compositeurs, les musiques sont toujours en gestation quelque part en eux, selon Claude. Il suffit d'un moment pour qu'elles prennent naissance.

Peu de temps après, Jean-Pierre lui présenta Helmut Lipsky, le violoniste virtuose qui en une seule écoute avait tout saisi l'esprit de cette composition de Claude. Lorsqu'il la joua la première fois pour l'enregistrement, son interprétation transpirait l'émotion première. Claude en resta bouche bée, au point d'oublier de l'accompagner au piano ! Lipsky voulut se reprendre, convaincu qu'il pouvait perfectionner son jeu. Claude et Jean-Pierre l'arrêtèrent aussitôt : la première prise était la bonne, elle avait toute son essence, sa pureté originelle.

Pour Claude, elle était un hommage à cette merveilleuse nuit du 9 au 10 novembre 1989 où, enfin, tomba le Mur de la honte.

Jean-Pierre sera de toutes les aventures musicales : *Bagages oubliés*, la trilogie des *Rêves inachevés* et *Cœur sans pays*, la dernière œuvre de Claude terminée trois jours avant qu'il ne s'écroule sur scène, le 27 avril 2004. Limoges sera aussi le bouc émissaire de quelques critiques. Un des plus acerbes ira jusqu'à dire « Limogez Limoges ! », le tenant responsable de l'intrusion de sa musique synthétisée sur scène. Claude ne manquera pas l'occasion de défendre son ami aussitôt qu'il lui sera permis de remettre les pendules à l'heure. En prenant ce journaliste puriste par les épaules, il lui dira : « Tu ne crois pas, mon vieux, que si je le pouvais, je m'offrirais un orchestre symphonique pour m'accompagner ? Je ne suis pas fou, je n'ai pas d'argent, c'est tout. »

On ne touche pas à Jean-Pierre, pas plus qu'à son petit frère, car derrière son clavier et ses centaines de boutons, il y a des milliers de violons.

---

1. ... Un homme, un piano (CD), 1997, Aube, CD-0298.

## La belle orchidée

19 juin 1985 : le jour où ils ne devaient pas se trouver là.

Lui, Claude Léveillée, tourmenté par le trac et le manque de confiance en soi, hésitait à pénétrer dans les studios de Télé-Métropole pour une entrevue avec Gérard-Marie Boivin dans le cadre de l'émission estivale *Le rendez-vous*. Son compère André Gagnon tâchait de le convaincre de s'y présenter en lui disant qu'il devait le faire pour le public des régions qui n'avait pu assister au spectacle *Tu te rappelles Frédéric ?*, leurs retrouvailles sur scène qui avaient eu lieu les 23 et 24 mai à la Place des Arts.

Elle, Hélène LeTendre, recherchiste à cette émission, aurait dû normalement prendre congé. Mais sachant que Claude Léveillée serait présent, elle avait décidé qu'elle ne raterait pas, pour tout l'or au monde, cette chance de rencontrer son idole.

Elle n'avait que douze ans lorsqu'elle était tombée sous le charme de l'univers musical de Léveillée. Elle n'avait pas d'argent mais elle empruntait à la bibliothèque les albums de ce compositeur et pianiste dont elle admirait le toucher exceptionnel et qu'elle considérait comme unique au monde; il faisait chanter le piano. Pour elle, Claude Léveillée dégageait une pureté et une esthétique musicales séduisantes et dans ses textes, Hélène entendait une influence européenne qui la touchait.

Lors de ce *Rendez-vous*, Claude interprète sa chanson du même titre avec encore plus de magie qu'à l'habitude, inspiré, sans doute, par les magnifiques yeux bleus de la belle Hélène.

Tous les techniciens, l'animateur Gérard-Marie Boivin ainsi qu'André Gagnon sentent qu'il se passe quelque chose entre Hélène et Claude. Le perspicace Dédé connaît bien son ami. Il voit les étincelles dans ses yeux et décide de jouer les cupidons. Il invite Hélène à se joindre à eux pour casser la croûte après l'émission. Le trio se retrouve au restaurant de l'ancien joueur de hockey des Canadiens Émile Bouchard, alias « Butch Bouchard », boulevard de Maisonneuve à quelques pas des studios de Télé-Métropole. Lorsqu'on leur assigne une place, Hélène se sent agressée par l'éclairage trop vif. Elle se lève et dévisse l'ampoule de la lampe suspendue au-dessus de leur table. Hélène vient de démontrer une première connivence avec Claude qui, depuis toujours, ne supporte que l'éclairage tamisé autour de lui. C'est un signe de Dame Destinée : ils sont faits l'un pour l'autre.

L'esprit sagace d'André Gagnon opère. En fin psychologue, son entrée à peine mangée, il prétexte une fatigue irrésistible pour s'excuser et les abandonner à leur intimité naissante. Il les quitte avec le sourire de celui qui sait qu'ils n'ont pas besoin d'un chaperon, que les amoureux sont seuls au monde.

En sortant de l'établissement, Claude et Hélène doivent retourner vers Télé-Métropole mais devant eux, une véritable marée humaine obstrue le trottoir : c'est soir de feux d'artifice à La Ronde et le tout-Montréal se précipite aux abords du fleuve pour assister au spectacle pyrotechnique qu'on présente ce soir-là. Claude enlace les épaules d'Hélène et fend la foule, comme Moïse ouvrant les eaux de la mer Rouge, sous les éclats lumineux et sonores des feux. Il la raccompagne chez elle et le lendemain, Claude lui fait livrer un bouquet d'orchidées blanches. Dans le langage des fleurs, l'orchidée symbolise la perfection de la beauté et l'amour raffiné.

Claude appelle Hélène tous les jours pour lui parler durant de longues heures et il l'invite à visiter son domaine.

Claude Léveillée vit une période de transition. Patricia, sa précédente amoureuse, occupe toujours sa demeure principale alors qu'il loge beaucoup plus humblement dans la maison des patriotes. Elle n'en a pas moins le charme de la rusticité et le piano Petrov offert par Gratien Gélinas de la Comédie-Canadienne y fait bonne figure. Mais Claude préférerait inviter sa belle Hélène dans le confort du Manoir de l'Aube.

Il est tard mais Claude décide quand même de faire visiter son domaine à Hélène. Tous deux montent le chemin qui mène en haut de la montagne et s'approchent du manoir. À peine nimbée de la lumière d'un clair de lune, Hélène franchit le porche menant au jardin. Claude l'a bien prévenue qu'elle risque de se faire accueillir par ses chiens, mais la jeune femme ne se doute pas que, dans la pénombre, se précipiteront sur elle trente barzoïs, de grands lévriers russes plus affectueux les uns que les autres venus chercher caresses auprès de leur maître et de la belle inconnue.

Un coup de foudre! Elle adore ces chiens. Parmi eux, Dreamer et Lara qui sauteront la barrière chaque fois qu'ils sentiront la présence d'Hélène dans la vieille maison au pied de la montagne.

Hélène voit son beau poète malheureux comme les pierres chaque fois qu'ils s'assoient ensemble pour prendre un café sur la véranda. Claude ne cesse de regarder sa demeure avec tristesse. Elle le conjure alors de remettre de l'ordre dans sa vie et, si sa relation avec Patricia est bel et bien terminée comme il le prétend, il est temps qu'il rentre chez lui. Hélène désire que son Claude soit vraiment libre et que cette histoire soit bouclée avant d'aller plus loin dans leur idylle.

Pour son travail, Hélène doit aller s'installer dans la ville de Québec. Claude poursuit donc sa cour à distance. Entre-temps, il a enfin repris possession de son manoir. Quand Hélène quitte son emploi à Québec pour rentrer à Montréal, elle est surprise de recevoir un appel téléphonique de Claude dès son retour. Il aimerait la revoir et lui dit : « La vie, c'est simple; voyons-nous simplement, juste pour se parler. » Hélène perçoit de la paix dans ce ton rassurant, elle est confiante et accepte de le revoir. Elle lui donne rendez-vous devant la bibliothèque municipale, mais Claude estime qu'il fait trop beau pour rester dans le règne du bitume et il l'invite à passer une journée chez lui à la campagne.

Les charmes du Manoir de l'Aube et de son artisan réunis feront qu'à partir de ce jour, Hélène ne quittera plus son Claude. Il est maintenant très clair pour elle comme pour lui qu'ils sont inséparables.

Depuis ce soir de feux d'artifice, le 19 de chaque mois, Claude souligne l'anniversaire de leur rencontre en offrant des fleurs à sa belle Hélène, surtout des orchidées.

Lors d'une escapade amoureuse, ils se rendent à Salem, au Vermont. Mais Claude est blessé à un pied. C'est en se précipitant vers le téléphone pour ne pas rater l'appel d'Hélène qu'il s'est heurté à un fauteuil. Il souffre terriblement et bien qu'il croit ne s'être fait qu'une simple entorse, il apprendra plus tard qu'il s'agit bel et bien d'une fracture. Il conduit sa voiture à transmission manuelle en supportant son mal à chaque changement de vitesse. Pour sa belle, il a enduré la douleur durant la promenade dans les rues de la ville.

Le soir venu, Hélène propose de passer la nuit dans un petit hôtel qui vient tout juste d'ouvrir ses portes ce jour-là et qui n'est pas entièrement prêt à recevoir la clientèle. Qu'à cela ne tienne, on leur attribue une chambre sous les combles avec vue sur le lac. En se réveillant à l'aube, Hélène voit Claude en profonde communion avec le lever du jour sur l'onde, contemplant le paysage par la lucarne de la chambre. Il se retourne vers elle et lui dit : « C'est tout réfléchi, j'ai pris une grande décision; je suis prêt à me remarier, avec toi. » Sur le chemin du retour, un ruban blanc est venu s'emmêler à l'antenne radio de leur voiture. Un autre signe, soufflé par le vent.

Pour Hélène, alors âgée de vingt-huit ans, le temps est aussi venu. Elle a trouvé l'homme avec qui elle veut s'engager dans la grande aventure de la vie à deux. Elle voit chez lui un immense potentiel que lui-même ne semble plus reconnaître. Hélène lui apportera son soutien et tentera de lui insuffler le courage et la détermination nécessaires pour redonner un élan à sa carrière. Pour cela, Claude doit reprendre sa santé en main, abandonner l'alcool, les somnifères, et cette habitude qu'elle ne supporte pas, le tabac. Elle croit en lui.

Claude décide d'arrêter ses dépendances mais ce combat est difficile à mener. Il y aura bien des rechutes, mais il y parviendra et recouvrera une forme exceptionnelle. Il se sentira même rajeunir !

Hélène et Claude célèbrent leurs fiançailles seuls tous les deux au bord de la piscine du manoir, entourés de bougies et de fleurs. Claude désire un mariage discret. Il envisage de convoler en Suisse et fait de ses amis les Kurzen ses témoins. Ceux-ci acceptent avec joie et réservent une surprise aux jeunes mariés en leur offrant une noce à la fois royale et romantique. La célébration, en guise de cadeau de mariage, se fera à leur frais et sera évidemment couronnée de feux d'artifice !

L'union civile est signée à la mairie et à la sortie des nouveaux époux, par pure coïncidence, les cloches de l'église voisine se mettent à carillonner. Avant de rejoindre leurs invités pour le vin d'honneur au Château de Rolle, Hélène et Claude décident de faire une halte pour vivre un petit moment d'intimité juste à eux. Ils entrent dans l'église Saint-Saphorin érigée en 1520. Inspirés par le caractère sacro-saint du monument moyenâgeux, les amoureux se prêtent serment et se promettent de s'aimer pour la vie. Un mariage d'âmes pour ces tourtereaux qui sont alors seuls au monde, là où nul témoin n'est nécessaire. Claude se dit athée mais néanmoins sensible à l'aspect sacré de ces temples du silence et du recueillement.

Durant leur court voyage de noces, ils font un détour à Séville, en Espagne, où Claude ne veut pas s'éloigner de l'hôtel. Hélène qui parle couramment l'espagnol part donc seule à la découverte de la ville et déambule dans les vieilles rues étroites, parmi les échoppes et les étals des marchands. Elle en revient avec un cadeau pour son amoureux, un clown à l'air tristounet un peu à l'image de Clo-Clo, qui tient un bouquet de ballons à la main. Ils le baptisent Sévillo.

Claude reprend goût à la vie et il dédie à Hélène sa chanson *Enfin revivre*.

Cet amour immense les enveloppe comme d'épaisses et chaudes couvertures de laine jusqu'à ce que la vie les retire une à une pour créer un grand froid.

Hélène est une femme entière et active, elle désire mordre dans la vie. Jamais elle n'abandonnera sa carrière professionnelle et, bien qu'elle ait tout tenté pour apporter de la joie dans la vie de celui qu'elle aime, ses dix années de vie commune avec cet homme habité par la peur, l'anxiété et le manque de confiance en soi l'ont peu à peu vidée de sa propre essence.

Elle se demande si Claude n'a pas simplement besoin d'une spectatrice, d'une admiratrice, d'une présence silencieuse qui soit là pour le prendre dans ses bras quand il souffre. Mais voilà que cette souffrance semble être maîtresse en sa demeure, en son âme; Hélène ne peut le sauver, mais elle sauvera sa peau.

En 1996, Hélène met un terme à leur vie commune. Avant la séparation, elle suggère à Claude de partir en Suisse afin d'y trouver le soutien de ses meilleurs amis, pour ne pas vivre seul la tristesse de la voir le quitter.

Lorsque Claude revient d'Europe, lui qui avait espéré que cet épisode ne serait en fait qu'une pause, un temps de réflexion, affronte la dure réalité en ressentant le vide causé par l'absence d'Hélène, sa plus précieuse orchidée.

Seul sur sa montagne, il rêve d'une scène largement inspirée du *Petit Prince* de Saint-Exupéry, comme si un renard lui disait :

«Les hommes ont oublié cette vérité. Mais tu ne dois pas l'oublier. Tu deviens responsable pour toujours de ce que tu as apprivoisé. Tu es responsable de ton orchidée.»

Et il s'entend lui répondre :

«Je sais… Je sais, renard… Je n'ai pas su l'arroser, je suis un piètre jardinier de l'amour. Je ne suis pas un prince, je ne suis que pianiste.»

*Mariage avec Hélène LeTendre, 1986.*

*Paroles et musique*
*de Claude Léveillée, 1989*
*Version de 1995*

## Enfin revivre

*Quand l'amour pleure*
*C'est qu'il se meurt*

*Mais tu me mens comme on respire*
*Mais moi je t'aime comme on délire*
*Mon corps, mon âme en Espagne*
*Mes mains, mes yeux ils sont au bagne*
*Derrière de tout petits barreaux*
*Faits d'insouciance et d'habitude*
*Où sont passés nos grands chevaux*
*Qui nous faisaient solides et beaux*
*Quand nous crevions les cinq à sept*
*D'une ville quelconque à la retraite*
*Mais je sens le temps qui respire*
*Et ce feu qui se fait vampire*
*Qui reprend mes 20 ans, j'expire*
*Je veux m'éclater au soleil*
*Fini le monde et ses bouteilles*

*Mais la mer, la mer se calme*
*Et puis plus rien ne bouge*
*Seul, un homme qui respire*
*Qui désire se vivre*

*Mais je te mens comme on désire*
*Malgré mon cœur, malgré mes maux*
*C'est comme le feu qui agonise*
*Faut-il souffrir, faut-il mourir?*
*Mais de nuit blanche en matin blême*
*Faudrait peut-être se dire je t'aime*
*Et puis refaire les mots d'amour*
*Les petits gestes de tous les jours*
*S'inventer sous les clairs de lune*
*Des enfants blonds et de lumière*
*Retiens mon corps, retiens mon âme*
*Adieu Venise, adieu l'Espagne*
*Mes yeux mes mains sont pleins de bois*

Mes yeux mes mains sont pleins de toi
Je t'ai ramené nos chevaux

Regard, regarde, ils s'aiment
Et puis plus rien ne bouge
Seul, un homme qui respire
Qui désire se vivre

Refaire son bois, refaire son âme
Les deux sont faits de vieux papiers
De manuscrits inachevés
De pages blanches et de brouillons
Voici mon corps, voici mon nom
Mes yeux et notre destinée
Et puis refaisons-nous l'amour
Une fois peut-être, et pour toujours
Sans compromis, sans tricherie
Tout nus, sans rien, comme deux enfants
Au beau milieu de l'océan
Et puis dans un moment d'extase
Nous referons le tour du monde
Nous nous dirons: « Adieu le monde…
La terre, la mer et nos chevaux »
Comment te dire que tout chavire
Que tout respire… Enfin revivre

# LES ANNÉES 1990-2000

## LÉVEILLÉE, OBJET D'HUMOUR

Claude Léveillée sait qu'il est de bonne guerre de devenir la cible des humoristes quand on a fait le choix de mener une carrière publique. Il est du même avis face à la critique alors qu'il se croise les doigts en lisant les journaux les lendemains de première et après la parution d'un album. Qu'elles soient bonnes ou mauvaises, il conserve toutes les critiques par souci archivistique mais aussi par honnêteté.

Au cours de ses années de métier, on ne peut pas dire qu'il a été le souffre-douleur attitré des humoristes. Il n'a cependant pas été épargné, quelques caricaturistes s'étant amusés à le dessiner dans cette sempiternelle pose du pauvre diable accablé, portant tout le poids du monde sur ses épaules et se noyant dans ses larmes. Claude s'en amuse aussi et les dessins des plus talentueux méritent même d'être encadrés et accrochés aux murs de sa demeure.

Il conservera aussi son exemplaire d'avril 1992 de *Mad Québec* qui, de son encre noire, n'a pas ménagé le personnage de *Scoop*. Émile Rousseau goûte comme les autres aux sarcasmes des bédéistes.

En 1988, lorsqu'il permet que sa chanson *Frédéric* serve dans une publicité du géant américain du hamburger McDonald, cette location d'œuvre musicale suscite la controverse. Claude n'a pas prêté *Mon pays*, *Les patriotes* ou *Les fils de la liberté*, des chansons qu'on aurait pu qualifier de patrimoniales. Il s'agit de *Frédéric*, une œuvre apparemment adoptée par la famille québécoise qui défend farouchement sa fille-chanson contre cette union avec l'empire américain. Il n'en fallait pas plus pour qu'il soit la cible des francs-tireurs les plus populaires de l'heure, le groupe Rock et Belles

Oreilles. Les humoristes ne ratent pas l'occasion de jeter leur grappin satirique sur notre Léveillée complètement décontenancé par la tournure des évènements.

Mais il faut bien gagner sa croûte. Son ami Ferland chante bien le beurre sans aucune levée de boucliers. Entre autres vedettes québécoises, Dufresne et Pagliaro ont fricoté avec Chrysler et ce bon rebelle Charlebois est apparu dans une pub de Renault 5 sans provoquer d'émeute.

Léveillée en tire une bonne leçon : jamais plus de prêts de chansons. Intouchables !

L'adage dit que si on ne vaut pas une bonne risée, on ne vaut pas grand-chose. C'est certes une consolation lorsqu'on est le sujet d'une bonne blague, mais elle a un petit goût aigre-doux. Si Claude consent à jouer le jeu, il se désole toutefois lors du *Bye-Bye* de 1992, la revue humoristique de l'année à Radio-Canada. En fait, ce n'est pas parce qu'on casse du sucre sur son dos qu'il est attristé, mais plutôt parce que ses bons papa et maman Léveillée, qui ne sont plus très jeunes, ont été bouleversés par cette plaisanterie offensante faite aux dépens de leur fils chéri.

En 1994-95, Claude Léveillée passe encore dans le moulinet du groupe RBO qui fait une parodie de *Scoop*. Plusieurs des personnages de la série en font les frais, Émile Rousseau en fauteuil roulant n'y échappe pas. Claude ne boude pas pour autant ces amuseurs publics, pourvu qu'ils ne soient pas abuseurs de public !

Or un an plus tard, il accepte l'invitation de participer à l'émission *Besoin d'amour* animée par Guy A. Lepage sur le réseau TQS. L'ex-RBO fait maintenant une carrière solo et son humour mordant, non dénué d'intelligence, plaît bien à Léveillée. Est-ce que le titre de l'émission a laissé croire à Claude qu'il allait prendre part à une soirée télévisée baignant dans une atmosphère romantique ? Qu'il n'avait qu'à venir chanter l'amour en se livrant au piano ? C'est possible.

Mais l'amour, version Guy A. Lepage, n'a rien à voir avec le romantisme de Léveillée. Diffusée le 18 janvier 1996, cette émission de télévision restera pour Claude l'exemple parfait de ces moments de sa vie où il aurait préféré être ailleurs.

En toute innocence et naïveté, Claude ouvre l'émission en prononçant le boniment de présentation habituel :

*Caricature d'Yves Paquin, 1979.*

«On le dit chien, on le dit baveux et pourtant il a tellement besoin d'amour. Mesdames et messieurs, votre animateur, Guy A. Lepage!»

Guy rejoint Claude au piano, le remercie de sa présence et annonce qu'il réserve son invité pour le dessert. Claude ignore le menu qu'a concocté son hôte. Il rejoint les coulisses et observe le déroulement de l'émission sur l'écran des moniteurs.

Guy débute par une entrevue avec une travailleuse du sexe prénommée Martine qui, de sa voix chaude et sensuelle, exerce l'art des conversations téléphoniques titillantes. D'emblée, la dame ne semble pas du tout gênée du métier qu'elle exerce et affirme même y prendre beaucoup de plaisir. Les tabous, très peu pour elle. Elle ne se sent jamais embarrassée par les questions de l'animateur. Ses réponses sont franches, directes et ne s'encombrent pas d'un vocabulaire scientifique pour nommer les parties anatomiques que sollicite l'exultation du corps.

En coulisses, Claude Léveillée est agacé et un peu mal à l'aise.

Guy A. Lepage poursuit en présentant son plat principal. Il annonce aux téléspectateurs et à l'auditoire dans la salle qu'après plusieurs tentatives d'appel à des lignes érotiques, qui se sont avérées vaines parce que sa voix reconnaissable entre toutes le trahissait, il a finalement réussi à parler à une interlocutrice en prenant un accent français. Il présente alors le montage de l'enregistrement légèrement censuré.

Évidemment, la dame au bout du fil n'emprunte pas ses répliques à la littérature érotique du XVIIIᵉ siècle. On est loin de la subtilité des *Liaisons dangereuses* de Choderlos de Laclos ou de *Thérèse philosophe* du marquis Boyer d'Argens.

À l'écran, Guy A. Lepage se tord de rire comme un adolescent qui joue un bon tour par téléphone. Feignant d'avoir du plaisir, il pousse des exclamations de jouissance plus rocambolesques les unes que les autres : «Aaahhh! Ooo... Uuu... Y...»

Gaby, la dame au bout du fil, récite machinalement le laïus qu'elle a dû répéter cent fois sans s'arrêter à cet étonnant défilement de voyelles affectées. Habituée à entendre les fantasmes les plus insolites, elle poursuit sans s'interroger sur l'identité de son interlocuteur et doit se dire que de toute façon, ils sont fous ces Français !

« Argh ! Ah ! Oui… Flûte ! Pipeau ! Schtroumpf ! », s'exclame le farceur en étouffant un rire compulsif.

Guy A. s'amuse comme un gamin. Claude, toujours en coulisses, voudrait filer à l'anglaise. Mais après la pause publicitaire, il doit être servi comme dessert… Que lui réserve son hôte ? Dans le dernier tiers de l'émission, l'animateur présente enfin notre Claude Léveillée comme une idole de sa jeunesse qu'il est honoré d'avoir parmi ses invités.

— Monsieur Léveillée, je vous aime depuis longtemps sans vous connaître vraiment. Mais dites-moi si je me trompe… J'ai toujours eu l'impression que vous étiez un homme sombre et sauvage… L'êtes-vous ?

— Ben, voyons !

— Est-ce que vous êtes à l'image de votre image ?

— Plutôt le contraire… J'adore m'amuser. J'adore rire.

— Faites-vous des *partys* ? Êtes-vous le genre à jouer du rock sur la tête comme Jerry Lee Lewis ?

— Peut-être pas du rock sur la tête, mais disons qu'au piano… oui !

Faisant référence au froid qui sévit dehors, Claude en guise de démonstration propose de jouer une musique inspirée des styles de l'Amérique du Sud et s'exécute au piano avec *Des îles blanches*.

Guy enchaîne avec ses félicitations pour la récompense que Claude vient de recevoir. Il est le dixième lauréat de la médaille Jacques Blanchet qui souligne la persistance de la qualité tant littéraire que musicale de son œuvre. Alors qu'un Guy A. Lepage visiblement amusé le questionne sur le fait que ce prix lui soit remis par le récipiendaire de l'année précédente, Plume Latraverse, et qu'il tente d'amener Claude à dévoiler son opinion sur cet auteur-compositeur-interprète iconoclaste, Léveillée profite de sa réponse pour lui témoigner adroitement de son malaise d'être parmi les invités du jour :

— Je suis bien content de ce prix. Pour ce qui est de Plume Latraverse, il s'agit d'un contraste. J'aime les contrastes, j'aime ça la vie et la vie est faite de contrastes. Sinon ce serait monotone.

— Oui, mais Plume…

– Tu sais que ce soir, je me suis demandé : qu'est-ce que je suis venu faire dans cette émission par rapport aux lignes téléphoniques ? Là, oui, j'ai compris, c'est les contrastes ! T'as le côté sexuel et t'as le côté qui va ailleurs, qui dépasse un peu tout ça... beaucoup même !

Et l'on peut lire, dans le visage de Claude Léveillée qui lève les sourcils très haut, qu'il parle d'élévation de l'âme bien au-dessus de la ceinture.

– Et vous avez une préférence ?

– J'aime planer. Voler très haut !

Et Claude en offre un exemple éloquent en présentant quelques chansons de son nouvel album *Mes années 70*, dont *Ce soir si on s'aimait*, *Adagio pour une femme* et *Les amoureux de l'an 2000*, une prestation qui propose un autre langage que celui des lignes érotiques.

Après cette performance au piano et les applaudissements qui s'ensuivent, Guy A. Lepage poursuit son entrevue en citant un article de magazine où Claude avoue : « J'ai mes érables et ma terre où j'ai bâti ma propre cabane, où j'ai mis l'être aimé, et les animaux que je préfère aux hommes. » Guy demande alors à Claude :

– Vous aimez les animaux plus que les hommes ?

– Tu ne verras jamais un animal tricher, être hypocrite, mal aimer ou être mal-aimé, jamais !

Or ce taquin de Guy A. Lepage réserve une surprise à Claude afin de voir s'il assume véritablement ses propos. La caméra se porte à l'arrière-plan, le décor s'ouvre et en sort alors une magnifique femme, très stylée, dans une robe noire moulant parfaitement sa taille filiforme. Elle serre contre elle un iguane assez corpulent qu'elle soutient très fermement en le pressant devant sa taille, non par affection, mais parce que le reptile l'a souillée de ses excréments. Guy A. Lepage est mal à l'aise pour cette jolie femme et l'odeur est nauséabonde, mais... *the show must go on!*

– Monsieur Léveillée, vous êtes sur une île déserte et vous avez le choix. La mademoiselle ou l'iguane ?

– Les deux !

– Vous n'avez pas le droit.

– Aïe ! Aïe ! Aïe ! C'est difficile, ils sont tous les deux superbes… Attendez ! J'ai déjà dit un jour que j'avais beaucoup de difficulté à négocier avec mes coups de foudre.

– Et là, vous en avez deux en même temps.

– Oui, mais ça fait un bel orage !

Après les tempêtes de l'humour, vient toujours le beau temps. Et, bien que Claude se demande encore ce qu'il faisait là, il n'hésiterait pas à serrer à nouveau la pince de Guy A. Lepage parce qu'il partage cette idée qu'avait Victor Hugo : « Faire rire, c'est faire oublier. Quel bienfaiteur sur la terre qu'un distributeur d'oubli ! »

*Claude et sa petite pouliche Tiny.*

*Claude et sa chienne Pénélope.*

*Avec Pinceau.*

## Un caillou dans la voix

L'ode à la dépendance… Ne me quitte pas, toi mon amie, ma compagne de toujours, tu ne me quittes jamais. Tu es toujours là, ma douceur, ma récompense, ma consolante. Je peux compter sur toi, tu te colles à moi, je porte mes lèvres à toi constamment, frénétiquement pour me sentir bien. Tu es ma dépendance, ma fidèle, si fidèle… ma cigarette.

Tout doit finir entre nous. Quarante ans de vie commune, presque un demi-siècle que tu m'empoisonnes. C'est fini, m'entends-tu ? Je te déteste à présent.

Fidèle… salope, toujours là, même lorsque je ne te veux plus. Tu es collante comme une sangsue hermaphrodite, tu n'as pas de préférence. Si tu dois te coller aux lèvres d'une femme, tu te fais petite queue blanche à sucer, tu te présentes bien longue et droite entre les lèvres, entre les doigts, et tu rapetisses et rapetisses dans un nuage de fumée ondulante et faussement sexy pour devenir un affreux mégot minable.

Putain ! C'est ironique ! On suce la mort à petites doses, jour après jour, sur saveur de goudron. Quelques filets crasseux subtilement empreints d'arsenic.

Salaud d'androgyne. Même sort quand tu te fais mâle, suceur de vie fumigène si tu te colles aux lèvres d'un homme. On te suce comme le sein de la mère-mort, celle qui succède à la première, une mère récupérant petit à petit ce que l'autre avait donné dans un premier souffle. La vie reprise en t'inspirant chaque fois pour que tu laisses, de tétée goudronneuse en tétée venimeuse, les longues traînées de ton lait noir dans ma gorge. Je me racle et peu à peu, ma voix se feutre, se cache, se terre, se colle au sol, elle devient rocailleuse.

Léveillée n'a plus de voix !

Les critiques s'empressent de dénoncer mon handicap et moi, j'annonce en y croyant que je ne chante plus depuis belle lurette, que la chanson, j'en ai fait le tour, que je suis arrivé à un autre niveau créatif où le comédien porte les paroles de la chanson plus intensément qu'en la chantant. La chanson est finie ; c'est une époque révolue, cette histoire de couplet, refrain, couplet, refrain.

Cette voix d'avant, finalement, je la trouvais immature, une voix de castrat. Aujourd'hui, elle est plus profonde, elle traîne son vécu. Mais elle ne s'élève plus. Je ne risque plus de la faire monter, c'est trop périlleux, elle est vacillante. J'en suis rendu à ne plus rire, sinon je tousse à m'en fendre les poumons. Je ne dors plus à l'horizontale, faisant de ma femme une veuve du lit. Le rythme de ma respiration l'effraie. Plusieurs fois par nuit, l'apnée dont je souffre lui fait croire qu'elle dort auprès d'un cadavre. Elle résiste à l'envie de mettre un miroir devant ma bouche. Elle se colle doucement contre mon épaule et s'approche de mon cœur dans un geste qui semble amoureux et empreint de tendresse, mais qui a davantage pour but de la rassurer que je suis encore en vie. Aussi, pour lui éviter mes quintes de toux ou mon silence de mort, je dors dorénavant assis dans un fauteuil du salon.

Les fumeurs invétérés comme moi, à fumer trois paquets par jour, sont justement nommés des *chain-smokers* : la dernière cigarette est allumée avec le mégot de la précédente. Sans arrêt, j'en enfile une après l'autre, clope par-dessus clope. Il n'y a que sous la douche et durant mes quelques heures de sommeil que je ne joue pas les cheminées. Si j'habitais l'Alsace, j'imagine qu'une volée de cigognes se disputeraient ma tête pour y faire leur nid !

Depuis un certain temps, je tousse plus qu'à l'habitude. Cela doit être une grippe, un vilain virus venu d'Orient ou de quelque autre contrée lointaine. Le satané virus s'est glissé à bord d'un avion en s'accrochant, comme un passager clandestin, au sac à main d'une hôtesse de l'air qui, elle, l'a traîné jusqu'à Mirabel. Elle a serré la main de tous les passagers qui débarquaient au Québec et qui, d'accolades en accolades, un baiser de bienvenue par-ci, un baiser d'accueil par-là, ont propagé ce maudit microbe oriental. Ouais !

C'est pour ça que je tousse comme un tuberculeux. Un microbe asiatique, petit mais tenace, s'est collé à moi.

Je tente de faire corroborer mon diagnostic par mon ami le docteur Michel Cardin qui m'expédie illico chez l'oto-rhino-laryngologiste, le docteur Guy Boutin. Le jour de la Saint Valentin 1992, après m'avoir examiné à son bureau, l'air inquiet, il lance :

– Monsieur Léveillée, pour poser un diagnostic précis, je dois vous faire passer une laryngoscopie.

– Ça fait mal une laryngo machin chose ?

– C'est plus inconfortable que douloureux. Vous allez être anesthésié localement et un fibroscope ira sonder vos cordes vocales et votre larynx, question de voir ce qui ne va pas.

– C'est un maudit microbe asiatique que j'ai attrapé.

– Monsieur Léveillée…

– Appelez-moi Claude, s'il vous plaît.

J'aime bien penser qu'un médecin est un ami intime. Cela me rassure d'être entre ses mains ; ainsi, il me semble qu'il me soignera comme si j'étais un copain de longue date. Il va me guérir, nous sommes de vieux potes !

– Claude, vous fumez beaucoup ?

– Oui, enfin euh… Oui.

J'imagine qu'il ne sert à rien de lui mentir, il ne sera pas dupe.

– Depuis quel âge ?

– Dix-huit ans.

– Vous avez 60 ans…

– Cinquante-neuf !

– Alors, 41 ans de copinage avec la cigarette. Elle a eu tout son temps pour faire le mal.

– Le mal ?

– Je dois vérifier si vous n'êtes pas atteint d'une tumeur cancéreuse.

Cancer… La rouille au corps, la tache indélébile qui s'étend comme le vin rouge sur notre plus belle nappe blanche, comme la marée noire sur la mer, comme l'imbécillité sur l'homme. Je suis fini !

Le docteur Boutin tente de me rassurer, mais se doit aussi de m'informer des risques de faire face à une tumeur maligne.

Je rentre chez moi, ma Valentine m'attend. Je n'ai pas le cœur à la fête ; même ma passion pour le chocolat s'est évanouie.

Je dois entrer à l'Hôpital Sacré-Cœur le 2 mars. C'est loin, deux semaines à me tourmenter, à imaginer le pire. Je ne suis pas du genre optimiste, je dresse plutôt les pires scénarios. Je me sens comme un condamné dans le couloir de la mort attendant le verdict, l'ultime grâce. Je fais des promesses au ciel. J'implore ma dernière chance. Je plaide l'ignorance, la légitime défense. La cigarette, c'est elle la coupable, la tentatrice, celle qui, je le croyais pourtant, me donnait du style, de la gueule comme Humphrey Bogart, un air viril et mystérieux. Je suis victime d'une arnaque des compagnies de tabac ; qu'elles viennent payer le prix à ma place !

Deux semaines avant de savoir. Les deux plus longues semaines de ma vie. Je me ronge de l'intérieur, ma toux ne m'offre aucune trêve, je crache, je suis en train de pourrir, de me décomposer. Je vais mourir très bientôt.

Voilà qu'arrive le jour de la laryngoscopie. Je suis une boule d'acier, mes nerfs sont enchevêtrés comme ces bandes élastiques roulées serrées à l'intérieur d'une balle de golf. Je n'aime pas le golf.

Au matin du 2 mars, je me présente à l'hôpital avec ma prescription où est noté, à la section *Diagnostic de l'invalidité actuelle* : « laryngite chronique avec polypose – corde vocale droite, et leucokératose ». Les termes médicaux ont ceci d'impressionnant : plus ils sont compliqués, plus ils effraient. Évidemment, lorsque je serai vieux, si je survis à cela, je pourrai participer à un duel de petits vieux se relançant au jeu de celui qui a subi la maladie la plus terrible. On sera la ligue du vieux poêle se chamaillant comme des vétérans de guerre qui arborent leurs cicatrices pour savoir qui a la plus grosse. Je me vois déjà m'obstiner avec mon vieil ami et voisin Rosario Dumoulin qui me dirait :

–Je me suis fait scier l'os du pied parce que j'avais un terrible *hallux valgus*, moi, môssieur !

– Bordel ! Veux-tu ben me dire qu'est-ce que c'est ça ?

– Un gros oignon !

– Bah ! C'est rien ! Moi, en 92, j'ai eu une *laryngite chronique avec polypose – corde vocale droite, et leucokératose !* que je lui répliquerais en me frottant la gorge.

– Ouais, en tout cas ma phosphate, elle est comme neuve !

– Ta phosphate ?

– Ben oui, le docteur m'a fait un toucher rectal, pis y'a dit que tout est correct !

– Ah ! Tu veux dire ta prostate !

– C'est ça ! Toi, la tienne ?

– Mon docteur dit que c'est celle d'un jeune homme. Y'a de quoi faire des jaloux !

Oui, plus tard, je débattrai avec Rosario. En attendant, on m'appelle pour l'examen.

Le docteur Boutin essaie de me rassurer, mais je suis crispé, raide comme une barre d'acier. Je vivrai dans les prochaines minutes une véritable torture digne de l'inquisition. Mon médecin sourcille, ce qu'il voit n'est pas beau. Il me dit qu'il prélève un échantillon d'aspect granuleux qu'il fait analyser tout de suite.

Lorsque les analyses du laboratoire aboutissent dans les mains du docteur, le diagnostic tombe : tumeur bénigne.

C'est une consolation, certes, et non une désolation. Reste qu'il faut tuer l'ennemi avant que sa force ne décuple. On me garde pour m'opérer le lendemain. Enlevez-moi ça au plus maudit ! Exérèse de polype, qu'ils disent.

À mon réveil, le docteur Boutin me montrera, dans un petit flacon à pilules, cette entité qui avait osé se loger sur ma corde vocale droite. Un caillou squatteur évincé à coups de scalpel.

Il m'explique que je l'ai échappé belle, mais que je demeure sujet à la rechute si je continue de fumer.

Je veux bien promettre de marcher sur la lune, la tête à l'envers et même sans habit d'astronaute, n'importe quoi, même aller prendre des leçons de solfège.

Je dois arrêter.

Avril sera mon mois de préparation mentale. Je fume encore, mais je m'exerce à la haïr, celle que j'ai tant aimée, elle qui me jurait d'être fidèle, toujours là. Cette cigarette a tenu promesse, mais c'est moi qui dois rompre, la quitter, la tromper avec une dame que je convoite, une jolie demoiselle qu'on appelle Santé.

Le 4 mai, je fume mon dernier paquet de cigarettes un peu compulsivement en calculant à quel intervalle j'en allume une pour griller ma dernière avant d'aller me coucher.

Il m'en reste une, juste une, la dernière… Elle est importante, c'est l'ultime cigarette. Il est vingt-trois heures, je dois prendre ma dernière bouffée et écraser mon dernier mégot à minuit pile. C'est ainsi que j'ai planifié l'exécution de mon divorce. En expulsant pour une dernière fois la fumée de mes poumons, je m'assure que le couple Léveillée-*Craven A* sera séparé jusqu'à ce que vie s'ensuive.

Je me suis endormi un moment pour me réveiller à minuit trente.

Merde ! Elle est là, encore, tentant une fois de plus de me faire flancher pour qu'on remette ça.

C'est elle contre moi. Je la regarde. Minuit trente et une, la date a changé. Je prends mon stylo et écris sur le paquet : 4 mai 1992, dernière cigarette. Puis je le referme sur elle. Qu'elle sèche, cette sèche !

Ce fut sa pierre tombale.

Mourra bien qui mourra le dernier.

# SCOOP

Claude Léveillée dépeint sa vie comme une mosaïque, un agrégat d'aventures vécues selon le bon plaisir du hasard. Il se dit également tireur de ficelles céleste qui s'amuse au fil des rencontres de sa vie à la mener sur différents sentiers.

Là où il y a croisement de voies, c'est bien à l'intersection des métiers de musicien et de comédien. Les artistes multidisciplinaires doivent souvent justifier leur pluralité d'emplois. C'est qu'il y a de ces gens faciles à déconcerter : il ne peut être comédien, c'est un chanteur ! Elle ne peut être chanteuse, c'est une comédienne ! Il est rassurant d'accrocher une étiquette à la veste de nos artistes. Une sorte de fiche technique où l'on préfère n'avoir qu'une seule case à cocher.

Au tout début de sa carrière, Claude Léveillée était pour plusieurs un comédien. Les enfants l'avaient connu comme leur ami Tintinet, le clown Clo-Clo, Mouille-Farine, Monsieur Papillon, Monsieur Bémol, etc. Leurs aînés et leurs parents, eux, le reconnaissaient dans le Philippe de *Côte de sable*, l'Orpha de *Par-delà les âges*, l'abbé Gravel d'*Absolvo te*, le Renato d'*Inquisition* et dans bien d'autres rôles qui confirmaient son métier de comédien. Or, si les spectateurs ne semblaient pas le moindrement dérangés par le fait que l'artiste Léveillée se promenait tantôt sur le sentier de la musique, tantôt sur celui du jeu théâtral, de son côté, le milieu professionnel ne pensait pas toujours à Claude Léveillée lorsqu'il s'agissait d'incarner un rôle dans un film ou une télésérie.

Mais la musique n'a pas que des clés se posant sur une portée. Elle est aussi la clé qui ouvre la porte qu'on croyait fermée.

En 1991, le producteur Vincent Gabriele pense à Claude Léveillée pour composer la musique du générique d'une nouvelle télésérie écrite par Réjean Tremblay en collaboration avec Fabienne Larouche, *Scoop*. Claude apprend qu'il n'est pas le seul compositeur sollicité et, fouetté par cette émulation, il court au studio de Jean-Pierre Limoges pour se mettre au travail. Il a très bien saisi le genre de musique auquel Gabriele s'attend : l'effervescence d'une salle de presse, la pression de l'heure de tombée quotidienne, l'exaltation de la une, l'urgence.

Après seulement quarante-huit heures, Vincent Gabriele reçoit la visite de Claude à son bureau. L'artiste est venu lui soumettre personnellement l'enregistrement du thème qu'il a composé. Le producteur est enchanté et lui offre tout de suite d'élargir le mandat en chargeant Claude de créer aussi la trame musicale des épisodes. Lorsque Gabriele invite le réalisateur Georges Mihalka à venir écouter la musique en présence de Claude, une étincelle scintille dans l'œil de Georges... Les verres fumés que porte le compositeur posent un voile de mystère sur son regard. Mihalka s'enthousiasme, il a devant lui l'homme d'affaires qu'il cherchait pour le rôle d'Émile Rousseau, le propriétaire du journal. C'est Léveillée qu'il leur faut !

Lorsque Mihalka fait part de sa découverte aux auteurs, Réjean Tremblay s'y oppose.

« Je ne voulais rien savoir, non pas que je n'aimais pas Claude Léveillée, bien au contraire. J'avais adoré ses chansons dans ma jeunesse, j'étais fou de *Frédéric* ! Je ne le connaissais pas comme comédien, mis à part son fameux rôle de Clo-Clo. À dire vrai, j'avais déjà mon idée de l'allure d'Émile Rousseau, un homme grand, avec de la prestance et qui inspire la crainte. Je pensais à Jacques Godin ou Yves Létourneau. Mihalka me fit part de sa vision avec conviction. Il me dit que le Rousseau que j'avais créé en m'inspirant de Paul Desmarais et de Pierre Péladeau n'était pas qu'un simple homme d'affaires rusé, et que rendu à ce niveau de génie financier, on parle d'un art, d'un artiste. Un poète de la finance ! »

Mihalka demande à Tremblay de lui faire confiance, il est sûr de son coup : Léveillée, c'est Rousseau ! Réjean se rend vite à l'évidence que son réalisateur a le pif. Au bout de sept épisodes, l'incarnation que Léveillée fait de Rousseau est tellement puissante que

Émile Rousseau dans Scoop.

dorénavant, l'acteur nourrit l'auteur. Émile Rousseau n'est plus un personnage de fiction, il existe !

Il lui faut un scénario digne de son talent de grand financier. « Un des problèmes de l'écriture avec un personnage comme Émile Rousseau, c'est qu'il est plus intelligent que les auteurs. Émile est un génie de la finance, pas nous ! Comment lui écrire des scènes à sa hauteur ? Dans la troisième série, par exemple, je voulais que Rousseau soit aux prises avec une OPA[1] hostile, mais qu'il s'en sorte par un coup de maître. J'étais bien embêté. Puis j'ai eu la chance de croiser André et Paul Desmarais junior à un concert à la Place des Arts et j'ai fait part de mon ennui à Paul qui m'a donné le truc pour m'en sortir. L'entreprise adversaire de Rousseau devait trouver les fonds nécessaires à la prise de pouvoir grâce à des partenaires asiatiques, mais il apparaîtrait à la dernière minute que notre génial financier a eu le bras assez long pour se rendre jusqu'en Asie et forcer le retrait de ceux-ci dans leur alliance avec son rival. Je me suis inspiré de *Barbarians at the Gate*, le téléfilm qui relate les stratégies triomphantes d'Henry Kravis[2]. »

Réjean Tremblay va s'informer auprès de sources sûres pour ajouter de la cohérence au scénario. Car la question est délicate : est-ce qu'un important financier comme Rousseau irait jusqu'à appeler le premier ministre du Québec pour l'informer de la vente d'une grande entreprise d'ici à des intérêts étrangers, ou bien serait-ce l'homme d'État qui prendrait les devants ? Il s'enquiert auprès de l'expert incontesté, l'honorable Robert Bourassa[3] lui-même qui lui apprend que le cas échéant, ce serait Rousseau qui aurait la délicatesse de lui téléphoner.

Léveillée, quant à lui, inspire à l'auteur la fibre artistique d'Émile. Sous des dehors de requin financier se cache un amoureux de la grande musique. Et sa fille Stéphanie, incarnée par Macha Grenon, bien décidée à embêter son père, le confronte à un Plume Latraverse complètement cacophonique pour l'oreille précieuse du mélomane.

---

1. Offre publique d'achat.
2. Financier américain qui, en 1988, a monté et réussi la plus grosse offre publique d'achat à cette date, celle du géant de l'agroalimentaire RJR Nabisco pour plus de 30 milliards de dollars.
3. Premier ministre du Québec de 1970 à 1976 et de 1985 à 1994.

L'acteur nourrit l'auteur, répète Réjean Tremblay. Ce fut le cas pour le personnage de Lulu, tellement habité par Denis Bouchard qu'il ne pouvait plus demeurer un second rôle dans *Lance et compte*. Idem pour Léone, la présidente du syndicat des journalistes de *Scoop*, avec son tempérament de feu, incarnée par Francine Ruel.

Le très riche, mystérieux et séduisant Émile Rousseau fera fantasmer les femmes. On citera même son nom dans la liste des hommes les plus sexy du Québec.

Claude joue ce rôle depuis déjà deux ans. Pour les plus jeunes qui le découvrent, Léveillée est un acteur formidable et ils sont surpris d'apprendre qu'il est aussi une auteur-compositeur-interprète renommé. On le redécouvre, et l'ancien devient la révélation de l'année. En 1993, Claude entreprend l'enregistrement d'une trilogie de son œuvre musicale et livre une première époque, *Mes années 60*[4]. Après ce succès, il poursuit en 1995 avec la sortie de l'album *Mes années 70*[5] et bien qu'anachronique, il y intègre la musique composée pour la série *Scoop*. L'année suivante, il lance *Mes années 80*[6]. Ici encore, Claude déroge au fil du temps et parmi les quinze titres qu'il grave, onze sont des pièces originales qu'il a envie de faire découvrir.

Pour Léveillée, cette renaissance lui apporte une énergie nouvelle. La force de Rousseau, telle une aura, persiste même lorsque les caméras ne tournent plus. Certains proches affirment qu'à l'époque, Léveillée était devenu Rousseau.

Aussi, quand il lit le scénario de la quatrième saison, Claude reçoit au nom de Rousseau un diagnostic qu'il refuse d'admettre. Réjean Tremblay se souvient d'un appel téléphonique mémorable : « J'étais sur la route, je revenais de la capitale après une partie de hockey des Nordiques de Québec contre le Canadien de Montréal. Claude me téléphona, complètement angoissé, pour me dire qu'il venait de lire le scénario et qu'en apprenant qu'Émile survivait à l'écrasement de son hélicoptère privé mais en sortait quadriplégique, il ne pourrait jouer cela. Dans la première heure

---

4. Disques Aube, CD-0294 (1993).
5. Disques Aube, CD-0296 (1995).
6. Disques Aube, CD-0297 (1996).

de notre conversation, je n'entendais que ses objections. Il était terrifié et me demandait si j'avais songé à son image. Il avait peur d'être vu dans un état végétatif. Je le rassurais en lui disant que Rousseau était peut-être paralysé mais qu'il lui restait sa force et sa volonté. Il me demandait : "Comment je vais jouer ça ? Cloué à un fauteuil roulant, moi ? Y as-tu pensé, Réjean ? Est-ce que tu réalises ce que tu me demandes de faire ? " Je lui ai répondu : "Mais avec tes yeux, Claude ! " Il m'a demandé s'il pouvait casser sa voix et se laisser pousser la barbe pour faire une coupure visuelle, une distinction entre lui et Rousseau. J'acceptai d'emblée puisque c'était logique qu'un homme paralysé ne puisse se raser de près tous les jours. J'ai rassuré Claude pendant trois heures, tout le long de mon voyage de retour. Il n'y avait que la nuit, le silence, lui et moi au téléphone ; je me rappelle cette proximité. »

Claude, inquiet de ne pas arriver à être crédible, ira avec le réalisateur rencontrer des quadriplégiques et comprendra à les voir combien on oublie trop souvent de remercier la vie de simplement pouvoir marcher. Tandis qu'il joue les scènes où il est cloué à son fauteuil roulant, il est obsédé par l'idée qu'un véritable quadriplégique décèle chez lui l'imposture. Surtout, il ne faut pas bouger ! Dès que la caméra tourne, il se braque et reste figé comme la pierre.

Mais ce rôle de grand handicapé est loin de le cantonner à des scènes où l'on ne percevrait plus chez lui qu'un corps mutilé recevant des soins infirmiers. Rousseau s'offre ce qu'il y a de plus beau à la fin de sa vie. «On a réalisé des scènes très fortes pour Émile. Lorsque le producteur a vu dans le scénario que Rousseau se payait le luxe d'un concert privé, d'un opéra de Wagner à la Place des Arts, il hurlait de rage ! Mais la scène finale du *Vaisseau fantôme*, alors que les amoureux s'enfoncent dans la mer, était d'une puissance symbolique remarquable. C'était l'empire Roussac qui s'engloutissait avec la fin tragique de son créateur. »

Un homme de la trempe de Rousseau qui a toujours tout contrôlé autour de lui ne peut que se rebeller lorsque le destin décide pour lui. Si l'on peut être maître de sa vie, ne peut-on pas aussi être maître de sa mort ?

Réjean Tremblay déclare dans *La Tribune* du 18 février 1995: «Je crois avoir écrit, c'est-à-dire *tenu* le personnage de Rousseau, pendant trois ans. Mais pour les dernières séquences, sans nous en rendre compte, Fabienne a pris la main. C'est elle qui s'est risquée au jeu de la vie et de la mort. »

Rousseau demande à son meilleur ami, Paul Vézina (Raymond Bouchard), de pousser la solidarité et l'amitié jusqu'au dernier retranchement, de l'aider à mourir. Mais Paul agira seulement à titre de témoin ; ce sera Bruno (Pierre Chagnon), son fidèle et morbide serviteur, qui se chargera d'exécuter la volonté suprême de son employeur. Il n'en faut pas plus pour que cet épisode de *Scoop IV* déclenche dans les médias un débat sur le suicide assisté. Et dans le même article de *La Tribune*, Claude émet l'opinion qu'à la suite de sa rencontre avec des quadriplégiques, il n'approuve pas une fin semblable pour tous. « J'ai appris par ces êtres extraordinaires qu'il y a un moment où tu choisis de mourir. La personnalité même de M. Rousseau commandait cet aboutissement. Je pense aussi personnellement qu'au nom de l'amour qu'il faut avoir de soi, au nom de ceux qu'on aime, on doit rester maître de la carcasse qui porte nos vies. Par contre, je ne demande à personne d'endosser ce que je dis. Ce que je souhaite, c'est que chacun se tienne debout et réfléchisse par lui-même. Notre finalité n'appartient à personne ; la littérature, la télévision ou les chansons n'ont rien à nous imposer, nous sommes libres d'oser être nous-mêmes. La seule chose que nous devons refuser, c'est d'être régis par l'opinion des autres. »

Jeudi, le 16 février 1995, près de deux millions de téléspectateurs assistaient au dernier soupir du puissant Rousseau. Un deuil pour le public, mais aussi pour Léveillée qui déclarait dans le même journal : « Jeudi, un petit quelque chose en moi est mort. Un ami ou un rêve ? Je ne sais pas. J'avais peut-être encore des voyages à faire avec Émile Rousseau. Au fond, c'est comme les vraies amitiés ; tu ne sais pas de quoi elles sont faites et il ne faut pas chercher. »

La télésérie *Scoop* fut vendue dans plusieurs pays dont la Russie, la Turquie, l'Indonésie ainsi qu'en Amérique latine et dans les pays arabes, et même traduite en allemand. Au Gala des Gémeaux, en 1995, elle fut mise en nomination dans dix catégories dont celle de la meilleure musique, celle qu'avait signée Claude Léveillée.

Le rapprochement entre Rousseau et Léveillée s'est fait automatiquement pour lui comme pour le public et les médias lorsqu'en 2004, on apprit qu'il souffrait d'hémiplégie, séquelle de son accident vasculaire cérébral, ce qui l'oblige notamment à se déplacer en fauteuil roulant. Encore une fois, le sort a décidé de fusionner le personnage et l'acteur.

Claude Léveillée a pensé à son ami Rousseau, mais comme il est l'auteur de sa vie, il s'est refusé la même fin, persuadé que le rêve continue encore, et il ne veut s'en éveiller.

## CLAUDE QUI RIT, CLAUDE QUI PLEURE

Inexorablement, l'étiquette de « triste Léveillée » lui fut collée toute sa vie. Les journalistes artistiques et les critiques culturels appelèrent l'auteur-compositeur-interprète tantôt l'écorché, l'angoissé, celui qui porte toute la peine du monde sur ses épaules, tantôt le dernier romantique, le souffreteux, l'accablé d'angélisme, le poète tourmenté. La liste de qualificatifs est sans fin dans tout ce qui caractérise les âmes blessées. Mais Léveillée est-il si triste qu'on le dit ?

Certes, ce n'est pas le boute-en-train de la fête. Ne comptez pas sur lui pour faire un marathon de blagues avec roulements de tambour triomphants, surtout pas de ces blagues grivoises qu'il a en horreur, particulièrement racontées devant des dames. Mais l'humour fin, les jeux d'esprit, la répartie audacieuse, subtilement sarcastique, les gymnastiques de mots à la Devos, il aime et ce sens de l'humour fait de Claude Léveillée un être charmant. Il peut être très agréable de se retrouver en sa compagnie lorsqu'il est de bonne humeur.

Je me souviens des premiers moments où j'ai fait sa connaissance, combien, avec lui, je m'amusais avec les mots. Il s'agissait entre nous d'un jeu, une sorte de ping-pong intellectuel, une joute oratoire où, même à table lors d'un dîner, tout était prétexte à la théâtralité. À la fin de l'envoi, je touche ! Telle était notre devise.

En lui servant un de mes plats dont j'étais assurée du succès, je lui disais :

– Monsieur, vous verrez, je vous aurai par la panse !

– Madame, vous m'aurez par la pensée ! me répondait-il avec son index levé bien droit au-dessus de sa tête en guise de point d'exclamation.

Touché ! Ou plutôt touchée, je l'étais…

Et comment je le fais rire ? En l'imitant. C'est qu'il a le sens de la dérision. Lorsque Claude se plaignait du drame qu'il vivait de devoir encore une fois faire réparer un pneu de sa voiture et qu'il pestait contre le malheur qui ne cessait de l'accabler, c'est en le parodiant que je lui servais la réplique. En levant les bras au ciel puis en me collant le poing sur le front, je lançais : « Mon Dieu ! Quand pourrai-je vivre ma vie d'homme ? Hélas ! C'est mon funeste destin ! » Alors, il se mettait à rire, sachant très bien qu'il avait tendance à exagérer et que je lui passais là une petite leçon pour remettre les choses en perspective. Ce qu'il appelait « une tragédie » était plutôt une emmerde, passez-moi l'expression.

Cette image du triste sire, il la projetait déjà tout jeune. À peine âgé de 25 ans, il avait le front sillonné de ces rides de l'homme ayant vécu bien des tourments. Et que dire de ses épaules voûtées que son père tentait de redresser chaque fois qu'il passait derrière lui en lui reprochant son maintien, ce qui agaçait royalement Claude ? « Allez, mon garçon, redresse-moi ça. Les épaules par en arrière, la colonne bien droite ! » Il s'agissait d'une scoliose et les années passées au piano n'arrangeraient pas les choses.

Triste sire ou non, il a toujours livré avec une grande intensité les textes de ses chansons ; il les chante, mais il les joue aussi en bon comédien qu'il est. Et il ne faut pas oublier qu'il a appris aux cotés de Piaf qu'il ne fallait pas monter sur scène, mais ÊTRE sur scène. Forcément, le public ne peut que croire, lorsque Claude pleure un rendez-vous manqué, qu'il est en train de livrer une page de sa propre vie. Comme l'amour souffrant est l'éternel sujet de bien des chansons, on le croit terriblement malheureux en amour. Il chante pourtant souvent l'espoir, la liberté, le pays, et il se défendra d'être triste en vous jouant la *Valse fofolle* ou *Gigue et Jazz* pour plaider sa désinvolture méconnue.

Claude a un talent caché qu'il réserve à ses amis proches : il est un excellent imitateur. Il m'a fait un « Claude Blanchard » époustouflant, un homme pour qui il avait une affection particulière. En 1962, Monsieur Blanchard faisait partie de la distribution d'*Absolvo*

*Mister Jockey…*

*Te* à Radio-Canada et jouait le rôle d'un fier-à-bras de la pègre montréalaise. En fait, c'était lui qui assénait un coup sur la tête du jeune abbé Gravel qu'incarnait Claude ! Entre les scènes, les deux Claude discutaient. Blanchard admirait la musique de Claude, ils étaient pourtant de deux mondes différents. Blanchard venait des *Night Clubs* et Léveillée représentait l'univers des chansonniers qui lui semblait plus « pur ».

Claude Blanchard voulait que Léveillée perde ses préjugés défavorables envers les boîtes de nuit qui avaient la réputation d'être des nids de mafieux. Il l'avait invité pour lui montrer que la clientèle avait beaucoup de classe et que l'élégance y régnait. Léveillée s'y rendit, constata en effet que son ami Blanchard donnait une prestation devant un très bel auditoire, mais évidemment ce monde n'était pas le sien. Ce sera le seul contact en carrière des deux artistes, mais ce souvenir leur imposera pour la vie un respect mutuel.

En 2005, on lançait un disque hommage à Claude Léveillée. En plus d'être un témoignage d'estime des autres artistes pour son œuvre, ce disque avait aussi le but avoué auprès du grand public d'amasser des fonds afin de venir en aide à Claude pour son maintien à domicile. Je reçus un appel chez moi qui me surprit alors :

– Madame Michaud ?

– Oui c'est moi…

– Claude Blanchard à l'appareil.

Je reconnaissais sa voix rocailleuse.

– J'ai entendu parler à la radio votre projet de faire un album hommage pour Claude.

– Oui. Il est déjà en impression numérique.

– Je veux aussi faire quelque chose pour Claude Léveillée parce que, vous savez, c'est un grand artiste, un vrai celui-là. Ce n'est pas une vedette. Je l'ai toujours aimé.

– Et il vous aime aussi, monsieur Blanchard, il me l'a déjà dit.

– Je ne sais pas comment, mais je vais faire quelque chose, un spectacle ou… On me demande toujours de faire un nouveau disque. Je mettrai une chanson de lui, il recevra tous les droits. En ce moment, je sors de l'hôpital, je viens d'être opéré. Je vais finir ma convalescence et m'y mettre.

Il me défila une liste impressionnante d'opérations qu'il avait subies. Ces dernières années, il ne faisait que déjouer la mort et surtout combattre un cancer des poumons.

– Vous n'avez pas envie de vous reposer, monsieur Blanchard, et de profiter de la vie auprès de vos proches ? Regardez ce qui est arrivé à Claude, il s'est écroulé sur scène !

– Arrêter ? Pas question ! C'est lorsque j'arrêterai que je mourrai. C'est ça qui me tuera.

– Faites attention à vous. Je transmettrai votre affection à Claude.

– Dites-lui que je suis avec lui.

Peu de temps après, Monsieur Claude Blanchard est décédé avant de pouvoir réaliser ce projet de chanter du Léveillée, mais l'intention était là et le cœur y était. Un grand cœur épuisé mais si généreux. Léveillée l'imite encore : « *Que reste-t-il de nos amours, que reste-t-il de ces beaux jours ?* » Des éclats de rire.

Léveillée est-il si romantique ? Absolument ! À vous faire rêver, mesdames. Un vrai de vrai. Il croit que la fenêtre de la femme que l'on aime doit être fleurie tous les jours, que lorsqu'on lui écrit, on doit choisir son plus beau parchemin et en confiner les secrets dans une enveloppe fermée par un sceau de cire. Il m'a avoué un jour avoir rêvé de se battre en duel à l'épée pour une femme. Mais son âme chevaleresque s'exprime plutôt à la douce, avec son piano, sa seule arme de séduction massive qui lui a valu, dit-il, d'être aimé… Et c'est avec son piano qu'il tentera de rappeler des amours envolées.

En effet, le romantisme de Claude Léveillée est ailleurs. Car à trop vouloir épouser la manière des anciens, on se tache parfois les doigts. Claude explique :

« Un jour, je me suis dit que je devrais écrire avec une vraie plume d'oiseau. J'avais l'encrier et il me manquait la plume d'un volatile ; c'était au printemps et une volée de corbeaux perchait dans mes arbres. Je me suis dit que pour une fois, ils pourraient être utiles ceux-là au lieu de me casser les oreilles avec leurs croassements disgracieux de tôle déchirée. Je me suis dirigé vers eux et j'ai trouvé au sol la plus grosse plume, toute noire, qui pouvait convenir à la tâche. J'avais tout le matériel et je voulais voir si l'inspiration était tributaire de l'outil d'écriture. Allais-je être à la hauteur des Molière, Verlaine ou Victor Hugo ? Je taille la pointe, la trempe dans l'encrier et... *Putain ! Bordel de merde !* Je sais, ce n'est pas de la poésie mais ça défoule. Impossible d'écrire avec ce truc-là. Vivement un bon stylo *Bic* ! C'est avec un simple stylo que j'ai écrit toutes mes chansons, et sur des bouts de papier recyclés ! »

On a beau offrir à Claude des livres vierges aux belles reliures, des papiers vélins, c'est bien souvent sur des *Post-it* qu'aboutit sa poésie, ou sur de vieilles enveloppes...

## Docteur Jekyll et Mister Hyde

Pour les uns, Claude Léveillée est d'une gentillesse infinie, aimable, humble, généreux ; pour d'autres, il est exécrable, vaniteux, d'un sale caractère ou une tête enflée. Deux hommes en un, Docteur Jekyll et Mister Hyde... En fait, qui le rencontre dans un endroit public, dans les coulisses ou après un spectacle peut trouver l'un ou l'autre.

Il faut comprendre quel est le prix de la célébrité. Claude déteste se retrouver dans la foule. Il souffre d'une grande timidité, à tel point qu'il en dit : « Je n'ai qu'une seule envie dans un endroit public, c'est celle de regarder le plancher, et si je pouvais me glisser en dessous, je le ferais. » Dans une file d'attente, il ne se supporte plus. Il se sent coincé, et si quelqu'un l'oblige à faire la conversation alors que son seul et urgent désir, c'est d'atteindre le prochain guichet libre, c'est là que dans son inconfort, il peut maladroitement et même brusquement rabrouer son interlocuteur. Et que dire de ceux qui, dans un élan d'affection, se jettent sur lui pour l'embrasser ? Oh, c'est vivre dangereusement !

Sachez que cet homme, lorsqu'il était enfant, ne permettait même pas à sa mère de lui jouer dans les cheveux sans qu'elle entende un catégorique « Ne me touchez pas ! » Alors, imaginez un inconnu...

Mais Claude peut aussi se livrer généreusement. C'est ce qu'il fait déjà sur scène, on le sait. Un jour, je l'accompagnais alors qu'il avait accepté d'aller rencontrer les enfants d'une école primaire. J'avais une crainte, que ces petits issus d'une génération qui n'avait pas été bercée par les chansonniers ne sachent pas rendre hommage à leur célèbre visiteur et qu'ils le traitent comme un vieux croulant « pas rapport ».

Afin de faire leur éducation, la direction de l'école avait entrepris, à travers les cours d'art et de musique, d'élargir l'horizon culturel de ces enfants élevés au son des Back Street Boys. Ils étudièrent pendant des mois les textes de ses chansons et les grandes lignes de sa vie.

Au jour de la grande rencontre, Claude et moi sommes arrivés dans le gymnase où des centaines de petits cœurs battaient à l'idée de le rencontrer « en vrai ». J'ai cru à ce moment-là que je venais leur présenter Elvis Presley ou Brad Pitt ! J'aurais dû engager des gardes du corps ! Ils se sont littéralement jetés sur lui pour le toucher, le flatter, le caresser, et j'ai dû les repousser doucement mais fermement, tellement ils étaient nombreux à l'encercler. Ils criaient : « Tu vas nous chanter *Frédéric* ! et *Le cheval blanc* ! et *Taxi* ! »

À la fin du spectacle, les enfants furent conviés à une séance d'autographes. C'est ainsi qu'une ribambelle de 150 petits attendirent devant Claude sa précieuse griffe, chaque écolier en demandant une pour maman, une pour mamie, une pour « matante » et une pour lui-même… Une fillette est même tombée dans les pommes en l'approchant et un petit garçon se remettait en rang, volant des places aux autres pour pouvoir obtenir un deuxième tour. Et Claude signait inlassablement un autographe personnalisé pour chacun. Je le priais de n'écrire que son nom, car à ce rythme-là, nous allions y passer la nuit. Cent cinquante enfants… Je voyais que Claude s'épuisait. De concert avec la professeure, on a convenu que Claude allait signer un autographe collectif qu'on ferait photocopier et remettre aux enfants déçus. Claude avait le cœur déchiré et m'a fait jurer de ne plus jamais lui faire vivre cela. Il signerait pour tous ou ne signerait rien. Il ne pouvait supporter le regard d'une petite fille triste ; il ne voulait pas se sentir coupable d'injustice.

Juste et bon, il accepta l'année suivante l'invitation des professeurs d'une autre école. Il fallait voir Claude assis en indien parmi les enfants qui le câlinaient, ou couché sur le sol du gymnase. La professeure n'en revenait pas que le grand Léveillée soit aussi accessible. Elle était dans un tel état de choc émotif que Claude lui offrit à la blague une Valium avec un sourire désarmant. Je lui rappelai qu'elle était devant un clown professionnel : Clo-Clo a eu des foules d'enfants comme premier public.

Puis vint le moment où Claude se mit au piano… Jamais de sa vie, il n'avait vu un piano dans un si mauvais état. Pour Claude, les pianos sont des chevaux à dompter ; celui-là était une véritable picouille ! On aurait dit qu'il allait rendre l'âme à chaque note ; je crois même qu'il lui en manquait. Lorsque Claude appuyait sur le pédalier, c'était comme si le pauvre destrier venait de perdre un fer, et puis deux et puis trois. Au quatrième, Claude le laissa retourner à sa stalle ; il ne voulait pas l'achever, pauvre vieux piano.

Ça, c'est Claude : Mister Jockey et Docteur Âme…

*… et Docteur Âme.*

## CLAUDE L'ENGAGÉ

Léveillée est un grand romantique, certes. Combien de ses chansons n'ont-elles pas pleuré des amours perdues, murmuré celles qu'on retrouve, rêvé celles qu'on espère ? Léveillée le romantique ? Une évidence !

Mais il y a aussi Claude l'engagé, celui qui plaide pour l'homme libre, celui qui veut se libérer des absurdités de la race humaine. Il chante son pays, sa beauté, sa vastitude :

> *Mon pays quand il te parle*
> *Tu n'entends rien tellement c'est loin… loin… loin… loin…*
>
> *Mon pays* [1965]

Il chante aussi ses fondateurs, ceux qui n'ont pas courbé l'échine devant l'ennemi :

> *Portez très haut votre drapeau*
> *Nous n'en avons pas, nous n'en avons guère*
> *Alors, portez très haut vos oripeaux*
> *Ceux que vous aurez au prix d'une guerre*
>
> *Les patriotes* [1961]

Un soir de février, alors qu'il venait d'écrire cette chanson ainsi que le *Requiem des patriotes 1837*, une tempête de neige soufflait aux carreaux du Manoir de l'Aube quand on frappa à la porte de sa demeure.

C'était un villageois de Saint-Benoît, un homme d'âge vénérable qui habitait depuis des lustres une vieille maison bâtie en pièces sur pièces au bout de la montée Chénier. Il avait bravé à pied la route escarpée et enneigée pour venir voir l'artiste, en haut sur sa montagne, afin de lui demander de sauver « la maison de la soupe ». Cette maison de patriote est celle que le Général Colborne, qu'on surnommait « le Vieux Brûlot », avait épargnée de l'incendie par lequel il dévasta le village de Saint-Benoît le 16 décembre 1837 malgré l'absence de résistance des villageois. Il y avait installé ses pénates et selon la légende, il y avait enchaîné des prisonniers qui, au dire de ceux qui croient en ces choses, traîneraient encore leurs chaînes dans la maison pour nous le rappeler.

Claude avait la réputation de récupérer toutes les vieilleries des environs. En mal de modernisme, on trouvait toujours preneur chez ce « ramasseux » d'antiquités à qui, bien souvent, on voulait faire plaisir ou offrir une bonne affaire. Ainsi, avant même que cela ne devienne la mode, il a fait honneur à plusieurs pièces de mobilier et d'architecture récupérées du patrimoine menacé de Saint-Benoît. Et alors qu'il venait de composer ces chansons engagées, il s'entendit proposer de sauver la vieille maison des patriotes, comme si Jean-Olivier Chénier lui-même le lui avait demandé. Claude a peut-être déjà deux maisons, mais qu'à cela ne tienne, jamais deux sans trois ! Il pourra y loger ses parents.

Au printemps, la rumeur se répand à vive allure dans le village : ce fou de Léveillée fait déménager la maison de la soupe sur billots, en plein milieu du rang !

## Le Québec au cœur

Comme nombre d'artistes émergents des années soixante, Claude Léveillée est vite reconnu comme un sympathisant de la cause indépendantiste.

Lors de la crise d'octobre 1970, Pierre Elliott Trudeau instaure la loi des mesures de guerre qui suspend les libertés individuelles en permettant de fouiller les maisons sans mandat et d'emprisonner sans accusation quiconque est soupçonné de militer pour l'indépendance du Québec. On ne manque pas de rendre visite à celui qui a eu Pierre Bourgault dans son cercle d'amis. Lorsque les agents de la Gendarmerie royale viennent effectuer leur fouille chez Léveillée, ils s'arrêtent sur une arme accrochée au mur. Ce fusil, véritable antiquité, a appartenu à un patriote, un petit gars de quinze ans dénommé Colchet dont le nom est gravé au couteau sur la garde de la gâchette. Claude s'insurge contre un agent qui ose toucher à

« Portez très haut votre drapeau ! »

cet objet sacré, craignant de le voir saisi comme pièce à conviction par cet abruti inculte en matière de patrimoine québécois. « Touchez pas à ça ! Gang de tatas ! Ça va vous péter dans face ! Ça marche tout croche après un siècle ! »

Contrairement à bien d'autres artistes engagés, Léveillée n'est pas arrêté. Sans être un militant enragé, il voit ses convictions politiques confirmées. Et les mots sont faciles à trouver lorsqu'il s'agit de parler de son pays et de ce qui lui est si cher, la liberté. Pour les rebelles, pour ceux qui affrontent le colonisateur, il n'a pas de mal à écrire.

> *Seuls !*
> *Ils sont morts seuls, ces mal-aimés*
> *Tous ces fils de la liberté*
> *Sans testament, loin des enfants*
> *Pour un pays quand même*
> *Je vous aime*
> *Les fils de la liberté* [1981]

Mais il sait que ce pays n'est pas tout à fait le sien.

> *Je viens de loin… je viens de rien*
> *Salut l'Indien*
> *Ce pays n'est pas le mien*
> *Ce pays… c'est le tien*
> *Et cette femme n'est pas la mienne*
> *Cette femme, c'est l'amour*
> *On ne possède rien*
> *Rien ne nous appartient*
> *Oh ! me permets-tu, mon frère l'Indien*
> *D'habiter à tes côtés, à t'écouter*
> *À te connaître et surtout, surtout*
> *Surtout te reconnaître*
> *Salut l'Indien* [1976]

Léveillée devient reporter d'un jour pour l'encart Perspectives du journal *La Presse*, publié le 15 novembre 1975. Avec son agent Guy Roy, il va rencontrer les Inuits de Frobisher Bay, appelée maintenant Iqaluit depuis le 1er janvier 1987. Claude rend visite à un ancien du village qui veut bien répondre à ses questions, mais sans toutefois quitter du regard le téléviseur qui est devant lui. Claude y jette un coup d'œil pour voir ce qui peut autant susciter son intérêt.

– Mais grand-père, il n'y a rien dans cet écran, c'est de la neige !

– Ouais ! Je sais mon petit gars, mais celle-là est en couleur ! J'en ai de la blanche tout autour de moi tant que j'en veux, mais y'a que là que je peux en voir en couleur !

Le vieillard lui raconte tout de même les traces qu'a laissées sur son peuple le passage de l'homme blanc : femmes violées, alcoolisme et toutes ces motoneiges qu'on leur a vendues, les faisant abandonner leurs traîneaux à chiens moins rapides mais si fiables. Ces mécaniques réduites au silence gisent maintenant sur le sol comme dans un cimetière, salissant de leur rouille la neige immaculée. Les pièces de rechange de ces machines sont inaccessibles, alors…

Touché par cette misère, Claude leur dédiera plus tard *La Froide Afrique*, une chanson écrite plus tôt, témoignant de ses talents de visionnaire qui le feront sorcier aux yeux de certains :

> *J'ai entendu dire*
> *Que des pétroliers seraient en vue*
> *J'ai entendu dire*
> *Que le nord du Nord serait perdu*
> *C'est fini les grands espaces*
> *L'homme a bien dit faut que je passe*
> *J'ai entendu dire*
> *Que les caribous allaient mourir*
> *Les oiseaux m'ont dit*
> *Qu'ils étaient partis*
> *Les rivières auraient changé de rivière*
> *Hier*
>
> *La froide Afrique* [1973]

Voilà la prémonition d'un évènement qui se réalisera dix ans plus tard. Durant les dernières semaines de septembre 1984, près de dix mille caribous périssent en se noyant dans la rivière Caniapiscau, dans la Baie d'Ungava, en tentant de traverser le cours d'eau en amont de la chute du Calcaire. Les Cris accuseront Hydro-Québec d'être responsable et les spécialistes affirmeront qu'il s'agissait d'une catastrophe naturelle.

Des évènements qui surviennent partout dans le monde, de ceux qui font l'Histoire, trouvent écho dans les textes et les musiques de Léveillée. Déjà, en mars 1957, il ne pouvait taire la honte qu'il portait pour ceux qui avaient réduit des hommes à l'esclavage :

*Je suis né tout noir*
*Au milieu des champs*
*Ayant pour toit, le soir*
*Le ciel et ses diamants*
*Je ne m'étonne plus*
*De me voir presque nu*
*Et si je pleure*
*C'est à cause de ma couleur*
*Quand je vois le coton blanc*
*Devant moi se dresser*
*Je sens mon cœur battant*
*Et je ne peux plus couper*
*L'homme blanc me gronde*
*Je ne sais quoi répondre*
*Va-t'en d'ici maladroit*
*Y a pas compris pourquoi…*
*Le poète de coton blanc* [1957]

Convaincu que les guerres fomentées par les gens de pouvoir sont le fléau de l'aberration, de l'imbécillité de l'homme, il les dénonce l'une après l'autre. Pour celle du Viêt-nam, il écrit :

*Pourquoi ce champ de guerre*
*Au lieu d'un champ de riz ?*
*Mon cœur me dit : arrière !*
*Le sergent me crie : vas-y !*
*Le petit soldat de chair* [1968]

Quant aux guerres qui secouent sans cesse le Liban, qu'elles soient régionales, civiles ou de religion, elles lui paraissent éternelles :

*Et de cortèges en civières*
*On espère, on espère*
*Et de Liban en Liban*
*On en crève en rêvant*
*[…]*
*Passez, passez messieurs, trépassez… messieurs*
*Laissez-vous vivre* [1989]

Et que dire de cette guerre faite aux femmes, plus insidieuse encore? Le drame du 6 décembre 1989, la tuerie de l'École polytechnique, le laisse sans mots. Lui qui élève la femme au plus haut niveau, lui qui croit qu'il serait bon pour les siècles à venir de voir des femmes à la tête des États, il préfère, plutôt qu'écrire, leur dédier à tout jamais sa chanson *Soir d'hiver*. Et pour que jamais l'on n'oublie, il n'ajoute à cette intense composition sur le poème du non moins intense Nelligan pas un seul mot, mais bien un glas de 14 notes sur son piano qu'il fait résonner à la fin, chaque fois qu'il l'interprète.

La folie des hommes. En elle, il pourrait puiser tant de chansons. Encore et encore…

À la suite des événements du 11 septembre 2001 à New York, il ne pouvait se taire et écrivit une « toile musicale ». Ici, il ne s'agit plus de chanson, mais plutôt d'un texte où le chanteur n'est plus, c'est l'acteur qui le livre sur sa musique :

> *Et moi aurais-je ce courage ?*
> *De sauter du haut d'une tour*
> *La plus haute des tours*
> *Par amour ?*
> *Qu'il faisait beau ce matin-là*
> *Le ciel était d'un bleu, d'un bleu…*
>
> *La tour* [2004]

### L'indépendantriste[1]

Après la défaite du dernier référendum de 1995 sur la souveraineté du Québec, Claude l'engagé ne cache pas sa déception face aux résultats du scrutin. Voilà la deuxième fois que le peuple dit NON au projet de vivre souverain dans ses terres. Nos patriotes doivent se retourner dans leur tombe.

Les larmes lui viennent encore aux yeux lorsque Claude évoque René Lévesque qu'il nomme le père du Québec. En 1999, les éditions Leméac publient un texte écrit en 1943 par René Lévesque alors âgé de vingt ans. Le manuscrit a été retrouvé dans les affaires personnelles de René Constantineau après son décès. À l'époque réalisateur à Radio-Canada, homme de théâtre et ami de l'auteur,

---

1. Renvoie au titre de la chanson de Robert Charlebois, *L'indépendantriste* (1992).

Constantineau avait passé cette commande au jeune journaliste encore à ses débuts.

Corinne Côté, la veuve de l'ancien premier ministre, autorise Radio-Canada à faire de ce texte une fiction radiophonique diffusée en direct du TNM. Tout naturellement, on pense à en confier la musique originale à Claude Léveillée.

Le compositeur n'a pas à réfléchir deux fois. Pour Lévesque, on dit OUI… comme on devrait le dire pour devenir un pays. Claude a déjà dit OUI à Pierre Bourgault, aussi. En mars 1965, au Forum de Montréal, il n'avait pas hésité à se joindre à une pléiade d'artistes comme Monique Leyrac, Pauline Julien, Renée Claude, Jean-Guy Moreau, Claude Gauthier, Pierre Calvé, Hervé Brousseau et bien d'autres pour participer à un spectacle d'envergure destiné à renflouer les coffres du jeune Rassemblement pour l'Indépendance nationale, le R.I.N.

Claude ne monte pas aux barricades, mais plutôt sur ses grands chevaux lorsqu'il envoie un télégramme à Pierre Elliott Trudeau en 1977, avec copie conforme à René Lévesque, alors premier ministre du Québec, et Camille Laurin, ministre des Affaires culturelles :

« MES DERNIERES ILLUSIONS SONT DISPARUES, APRES LE PORTRAIT QUE LE CANADA A FAIT PUBLIQUEMENT DE LUI-MEME. JE RESPECTE LES GENS INTELLIGENTS, MAIS JE CONTROVERSE (sic) LE MAUVAIS GOUT DE L'HOMME ENVERS UNE UTOPIE IRREVERSIBLE. TROIS SIECLES M'ONT CONFIRME CE SOIR QU'ON NE PEUT DEMANDER A UN PAYS DE S'UNIR, SI DIAMETRALEMENT OPPOSES D'UNE PART ET D'AUTRE PART LE QUEBEC SI UNIFIE SI FONDATEUR ET SI LUI-MEME, ENVERS ET CONTRE TOUS…

PAR RESPECT POUR MES ANCETRES FONDATEURS DE CE PAYS…

ET J'ESPERE QUE LA COMEDIE EST FINIE

CLAUDE LEVEILLEE AUTEUR COMPOSITEUR ET INTERPRETE DU QUEBEC »

Après les deux échecs référendaires, Claude Léveillée ne cache pas sa déception. Dans une entrevue accordée au magazine *7 jours* le 5 juillet 1997, alors qu'il doit faire la promotion de son album *Bagages oubliés*, il se confie comme jamais à Serge Turgeon qu'il respecte beaucoup pour son travail à la présidence de l'Union des artistes, notamment pour ses actions à la défense des droits des créateurs.

« Quand on approche du Québec, qu'on va atterrir, on se dit que ça aurait pu être un pays, mais que ça ne l'a jamais été depuis la bataille des Plaines d'Abraham. On a eu trois fois la chance d'avoir nos propres frontières et de pouvoir se dire : "Je crois que mon grand-père ne pensait pas comme l'Allemand qui a immigré en Alberta." On parle souvent de "racines" ; ce n'est pas moi qui ai inventé ce mot-là. Quand on parle à un Noir, on voit qu'il sait ce que veut dire le mot *roots*. Mais penses-tu qu'un Québécois serait prêt à se battre pour cela ? C'est une risée ! On est rendu à se demander si un pays c'est 49,9 % ou 50,2 %. Un pays, ce n'est pas une ligne contraste, ce n'est pas un pourcentage. C'est l'ensemble de ceux qui l'ont bâti, de ceux qui étaient là avant nous, y compris l'Indien, à qui l'on se doit de demander s'il nous permet de vivre à ses côtés. Un rendez-vous manqué : "Mon Dieu, j'aurais donc dû y penser, j'aurais donc dû me battre pour le pays", c'est tout ça dont il est question. La grande émotion, quoi ! »

Son découragement frise l'amertume envers ses compatriotes : « À l'époque, les Québécois ont eu l'occasion de se prononcer. Et ils m'ont déçu. J'ai pris pour acquis que c'est terminé. Il y a un prix pour construire un pays. Ils préfèrent le frigo, la *Chevrolet*, l'Amérique... ».

Bien avant la tourmente des accommodements raisonnables, il expose son point de vue sur le multiculturalisme : « Je comprends d'instinct qu'on veuille quitter des pays totalitaires où pression, compression, mitraillette, absence de liberté sont le lot quotidien des habitants. Je comprends aussi qu'on n'accepte pas d'avoir mal, de voir ses enfants souffrir, et qu'on désire partir à tout prix. Mais je crois que, quand on arrive quelque part, on doit respecter les gens qui nous reçoivent et accepter la façon dont ils mangent et s'habillent, accepter qu'ils aillent à la mosquée ou à l'église, et la manière dont ils se coiffent, se décoiffent ou enlèvent leurs souliers.

Comme le disait Félix, la moindre des choses, c'est d'être poli. Au départ, on n'est pas chez soi. On le sera peut-être plus tard, mais il faudra l'avoir mérité. Ça se mérite un pays parce que c'est une façon de vivre, d'être, de penser. »

Il estime que la non-intégration de l'immigrant ne peut mener qu'au chaos : « Le multiculturalisme auquel on veut nous faire croire, c'est la plus belle tour de Babel que les hommes ont inventée depuis la vraie. Et les politiciens n'ont pas le courage de le dire. Depuis le 16 octobre 1932, jour où je suis né, pas un seul n'a eu le courage de se lever, après avoir été élu, pour dire ce qu'il pensait profondément. Je sais qu'il y en a qui croient que le multiculturalisme n'est qu'une source d'incompréhension entre les peuples, mais ils ne l'ont pas dit et ils ne le feront jamais. C'est pour ça qu'il n'y aura jamais de pays du Québec. Qu'on se le dise une fois pour toutes ! »

Et cette souveraineté ne lui semble plus accessible. « On a eu un moment pour dire OUI, ou NON, et on a dit NON. C'est fini, tranche-t-il. Quand c'est fini, c'est fini. On ne pose pas deux fois ce genre de question. On ne joue pas avec un pays. Le vrai pays, il se trouve d'abord en soi. Si on ne l'a pas découvert, comment peut-on le faire connaître aux autres ? S'il ne nous est pas essentiel, si nos grands-pères ne vivent pas en nous, si on sent que l'on n'a pas de racines d'appartenance, on ne devrait pas parler de ça. On devrait partir : la planète est grande et il y a de la place pour tout le monde. Aujourd'hui, je suis un citoyen du Monde. C'est la planète qui m'intéresse. »

En 2002, Claude fait le pilote d'un émission qui doit être diffusée par Télé-Québec. Il y est conteur de capsules historiques mettant en valeur des régions touristiques du Québec. Le projet est retenu mais les fonctionnaires refusent la participation de ce narrateur jugé trop québécois de souche, trop emblématique de la cause souverainiste. Claude ne s'étonne plus, il joue les devins : « Je parie ma chemise qu'ils vont choisir un Noir. »

L'avenir lui donne raison, Luck Mervil sera le choix retenu. Le Québec a une nouvelle réalité, il faut s'adapter. Et n'est-ce pas là un merveilleux modèle d'intégration ? Luck fut nommé *Patriote de l'année 2004-2005* par la Société Saint-Jean-Baptiste.

Aujourd'hui, Claude Léveillée n'espère plus voir de son vivant le Québec se vivre comme pays, et pourtant il demeure convaincu d'une chose, que nous n'avons rien à voir avec le Canada anglais. Les deux solitudes n'ont pas le choix de partager leurs frontières terrestres ; d'un point de vue géographique, elles peuvent être de bonnes voisines, mais elles ne se ressemblent en rien et leur union est un mariage forcé. « À quand le divorce ? », se demande-t-il.

Peut-être faudrait-il chanter plus fort ?

*Peuple à genoux, attend ta délivrance…*

Non… ça c'était pour son père, le maître chantre de l'église Sainte-Cécile dans la Petite-Patrie.

Mais alors, peut-être que la dernière mouture de la chanson *Les patriotes* pourrait devenir le chant de ralliement d'un nouveau parti, les Jeunes Patriotes du Québec ?

Je me souviens…Il se souvient… Vous vous souvenez ?

*Portez très haut votre drapeau*
*Nous n'en avons pas, nous n'en avons guère*
*Alors, portez très haut votre pays*
*Celui que nous sommes en train de refaire*

*Les patriotes*[2]

---

2. Finale revue et corrigée en 1971.

Québec, le 22 juin 1979.


Monsieur Claude Léveillée
10,110 rue Lafrenière
St-Benoît, Mirabel
Québec  JON 1K0

Cher ami,

Je vous remercie, ainsi que vos trois cosignataires, de votre télé-gramme du 13 juin dernier attirant mon attention sur la situation du Patriote.

Renseignements pris auprès de mon collègue des Affaires culturel-les, celui-ci, au cours d'une rencontre avec les deux animateurs de la Boîte au début de cette année, avait en effet pris l'engage-ment moral d'assurer à l'entreprise l'aide financière du gouverne-ment dès que de nouveaux locaux seraient trouvés.

Au stade actuel, je puis vous indiquer que la proposition d'immeu-ble faite par les responsables du Patriote a été acheminée par les Affaires culturelles aux organismes de contrôle et que le tout est actuellement en bonne voie de règlement.

Merci de tenir aussi haut le flambeau de la chanson de notre pays et au plaisir de vous rencontrer bientôt.

Très cordialement vôtre,

*René Lévesque*

# ÉPILOGUE

## Quand le rideau tombe

C'est le 27 avril 1964 que Claude Léveillée a posé son micro pour la première fois sur la scène de la Salle Wilfrid-Pelletier de la Place des Arts, devenant ainsi le premier auteur-compositeur-interprète québécois à s'y produire. Un grand saut où il a retenu son souffle, où, rongé par le trac, il a cru mourir.

> *Un jour, attends, je me rappelle*
> *Il y a de cela quelques années*
> *Un jour, attends, je me rappelle*
> *C'était un soir en février*
> *J'avais pris place sur une scène*
> *Et lentement s'ouvrit tout grand*
> *Mon rideau de scène*
>
> *Et maintenant la vie, la mort, l'amour, la haine*
> *En moi bataillent*
> *Et maintenant les joies, les peines, l'ennui, l'espoir*
> *En moi font rage*
> *Et maintenant j'attends, j'ai peur, et je suis seul*
>
> *La Scène* [1965]

Et 40 ans jour pour jour après cette première, il abandonne son micro contre sa volonté.

La vie, la mort, en lui bataillent.

Le 27 avril 2004, à la Maison de la culture Marie-Uguay de Ville-Émard, Claude a un malaise au bras gauche alors qu'il commence à jouer cette pièce qui, sur le plan pianistique, n'est pas simple : *La valse fofolle.*

Soudain il s'arrête en remontant son bras comme s'il essayait de se défaire d'une toile d'araignée qui le tiendrait captif. Devant son public, il annonce à son régisseur :

« Marc, ça ne va pas, on la reprend ! »

Il recommence alors et de nouveau, il éprouve cette étrange sensation. En s'excusant auprès de son public, il tente de dissimuler son inquiétude d'un ton faussement amusé :

« Voyons ! Je n'arrive pas à me débarrasser de ce fil, je suis pris avec… »

Comme si la manche décousue de son veston était retenue par un fil coincé entre deux notes du piano.

Il se lève avec son micro et encore une fois s'adresse à Marc Desjardins à la régie.

« On l'oublie, celle-là, on passe à la suivante ! »

La chanson qui suit n'exige pas sa présence au piano, il se fait accompagner d'une bande sonore. Claude se rappelle avoir craint que la chanson suivante au programme soit sa plus difficile, *Mon pays*. Mais Marc démarre comme prévu l'enregistrement de *La tour*, une nouvelle composition encore inédite en 2004.

Claude se met à reculer vers son piano, comme pour s'y appuyer. Il sent que son bras gauche ne répond plus. En s'adressant au public ainsi qu'à Marc, il dit doucement :

« Non, là… ça ne va vraiment pas… Ce n'est pas normal, vraiment pas. »

Puis au même moment, sa jambe gauche ne le supporte plus. Il s'écroule sur les planches au pied de son piano. Claude conserve encore à ce jour la dernière image de ce moment, un voile de poussière sur le sol, de petits amas pelucheux qui flottent et lui chatouillent le nez.

Une femme médecin, spécialisée en pédiatrie, se précipite sur la scène pour lui porter secours tandis qu'on évacue la salle dans un murmure empreint de pudeur et d'inquiétude.

Claude, qui garde toujours mon numéro en cas d'urgence dans l'une de ses poches, dans son portefeuille et dans sa voiture, demande qu'on me joigne au téléphone. D'une voix posée et douce, la docteure m'explique que Claude a eu un malaise et qu'il doit être transporté en ambulance à l'hôpital sur-le-champ.

Elle se doute fort bien de ce qui se passe puisqu'il est dirigé sur l'Institut de Neurologie de Montréal.

Marc récupère les affaires personnelles de Claude dans sa loge et se fait conduire à l'Institut. Il se souvient : « Claude était pleinement conscient lorsqu'il est entré aux soins intensifs. Tout le personnel médical s'affairait autour de lui, l'urgentologue, une neurochirurgienne voilée, des infirmières de toutes nationalités. On aurait dit qu'un détachement de l'ONU l'entourait ! On m'invita à regarder les résultats du *scanner* et j'entendis la docteure lancer un " Ohhhhh ! " dans un souffle estomaqué. Elle n'avait pas besoin de rajouter un seul mot, même pour un non-initié, c'était flagrant. Ce que j'avais devant les yeux ne laissait aucun doute sur l'envergure de l'hémorragie cérébrale qu'il venait de subir : la moitié de son cerveau était atteinte. Les pronostics étaient pessimistes. »

Moi aussi, je me souviens… Cette nuit-là, j'attendais que Marc me rappelle pour me donner des nouvelles de Claude. Je croyais d'abord que Claude était tombé d'épuisement, l'année qu'il venait de passer en tournée pour présenter son spectacle célébrant ses cinquante années de carrière l'ayant poussé au bout de ses capacités. Je voyais venir une prescription sévère de repos forcé. Seuls les médecins pouvaient arrêter Claude Léveillée. Auparavant, des signaux d'alarme l'avaient fait se désister en 2003 du spectacle *Don Juan* où il devait assumer le rôle de Don Carlos.

Marc me téléphona enfin :

– Marie-Josée, Claude m'a demandé de t'appeler… et… les médecins disent qu'il est peut-être en train de vivre ses derniers moments… *In extremis*, ils pourraient l'opérer…

– J'arrive tout de suite !

Je me suis habillée en trente secondes. J'étais sous le choc, je pleurais. Il était presque minuit et je craignais de prendre le volant dans cet état, envahie par l'anxiété et l'angoisse. J'ai pensé alors rejoindre le poste de police près de chez moi et leur demander de me conduire à l'hôpital. J'ai appris cette nuit-là que ce n'était pas un service offert à la population. Les agents, bien que compatissants, m'expliquèrent qu'ils n'étaient pas autorisés à le faire, notamment pour des raisons d'assurances. Lorsque je leur dévoilai la raison de l'urgence, que Claude Léveillée était à l'article de la mort, on m'a répliqué qu'après le récent scandale de l'incartade de Wilfred

Le Bouthillier, qui avait utilisé une ambulance en guise de taxi pour arriver à l'heure pour son spectacle, il n'était pas question pour eux de prendre ce genre de risque.

J'eus beau argumenter qu'il ne s'agissait pas ici d'un caprice de star, on me répondit que c'était tout simplement interdit et que le règlement, c'était le règlement !

Arrivée par mes propres moyens à l'Institut de Neurologie de Montréal, je retrouve Marc en compagnie du docteur André Olivier qui vient de prendre la relève et qui me demande :

– Vous êtes sa femme ?

– Non, je suis son adjointe, secrétaire privée si vous voulez, mais bien avant tout, son amie.

Il m'explique combien l'hémorragie cérébrale a été foudroyante, que « pour le moment » il écarte l'intervention chirurgicale et qu'à toutes les heures, il suivra au *scanner* l'étendue de cette marée rouge dans la tête de Claude. Il m'annonce aussi que « pour le moment », une des séquelles est la paralysie complète de son côté gauche, l'hémiplégie, mais qu'heureusement le centre de la vocalisation ne semble pas affecté « pour le moment » et que c'est justement une chance extraordinaire que sa parole ne soit pas touchée. Et comme toute intervention dans la boîte crânienne comporte un haut risque, il repousse cette possibilité aussi longtemps qu'il est possible de le faire.

Je ne peux m'empêcher de lui poser la question :

– Paralysé temporairement ? Ou pour toujours ? Va-t-il pouvoir encore jouer du piano ?

– Vous savez, madame Michaud, il est trop tôt pour le savoir ; présentement, il est plutôt question de le garder en vie. Nous allons veiller sur lui et en prendre soin comme si c'était notre petit frère.

Que c'était bon à entendre ! Oui, le docteur Olivier dégageait la force du grand frère qui est prêt à tout pour que rien de mal n'arrive à son cadet. Et me regardant droit dans les yeux, il ajouta :

– Écoutez... Je ne peux vous dire à quel point je vais faire attention à lui, mais sachez que c'est pour lui que mon fils s'appelle Frédéric...

Il ne m'en fallait pas plus ; je savais que Claude était entre bonnes mains.

Claude, intubé, communiquait maintenant par écrit. Les premiers mots qu'il écrivit furent : «Je vais m'en sortir.»

Il était trois heures du matin. Je pouvais quitter l'hôpital, Claude devait se reposer. Je n'osais plus m'approcher de lui car lorsqu'il me voyait, il pleurait et essayait de me parler, et cet effort déclenchait toutes les alarmes des moniteurs veillant sur ses signes vitaux.

Tout ce que je pus lui dire fut «Chut! Claude, ne dis rien...» en reculant à pas de velours vers la sortie.

Je quittai la salle des soins intensifs pour rejoindre Marc dans la salle d'attente et lui offris de le conduire chez lui. Nous avons alors convenu d'un plan de communication : les proches de Claude ne devaient pas apprendre la terrible nouvelle par les médias, mais se faire réveiller en pleine nuit par une sonnerie de téléphone, émerger d'un sommeil profond pour entendre «Raymonde, Jean... votre frère...», ça n'allait pas non plus. J'avais peur de les mettre en état de choc.

Non... le matin, enfin, dans quatre heures, je les appellerais. J'avais sous-estimé l'appétit des médias, mais également la vanité d'un membre du personnel de la salle Marie-Uguay qui, comme le dit trop justement la chanson *« le bonheur pour tout le monde c'est d'être télévisé, de se changer en électricité »*, voulait sa minute de gloire et pouvoir dire «j'étais là, j'ai vu, j'ai entendu, le poète est tombé et je vous offre le *scoop*!»

Et voilà! À six heures du matin, je devais m'excuser de donner des nouvelles de Claude après RDI. N'aurait-il pas été légitime pour sa famille de l'apprendre autrement?

J'ignorais que l'aube suivant cette terrible nuit deviendrait le prologue d'une longue aventure, un énorme chapitre de sa vie, mais aussi de la mienne.

Rares sont les biographes qui se font happer dans une telle mesure par la vie réelle de leur sujet. Si cette proximité me permet à moi, l'auteur, d'écrire à la première personne en empruntant la voix de mon sujet au point que cette voix se substitue parfois à la mienne dans mes pensées, ce rapprochement enfreint l'objectivité nécessaire au biographe.

Écrire la vie de Claude Léveillée, c'est frôler l'émotion à l'état pur. Il est l'Émotion. Le livre devient un grand remous, un tourbillon immense qui, par sa force, vous entraîne vers lui, dans son noyau, dans ses pages. Et là, je deviens personnage. Je dois donc m'arrêter ici.

Aussi, les dernières lignes de ce livre s'adresseront à Claude Léveillée lui-même.

Pour ce jour, Claude, mon ami, mon sujet, où je t'ai prêté mes mots et toi le récit de ta vie, pour cette fois où tu as accueilli ma promesse d'amitié et celle d'être toujours là lorsque tu aurais besoin de moi, pour cet instant où tu décidas de m'appeler ton vieux pote pour me raconter qu'une jolie femme t'avait abordé au marché, j'ai écrit ces deux livres.

Pour ce grand abandon et ce superbe défi, je te dis merci.

Et pour cette fois où tu savais que je souhaitais me libérer de ce grand tourbillon qui tourne autour de toi, ce jour où tu m'as dit : « Mariejo, sauve ta peau ! »

Je vais suivre ton conseil.

Je n'écrirai pas le Tome III, je n'ai plus de mots.

Merci de me libérer.

Ton vieux pote

Mariejo

# DISCOGRAPHIE

# CHRONOLOGIE

## 45 tours

*Ouragan/Opinion publique/Le vieux piano*, 1960, Columbia, ESRF 1292

*Frédéric/Par delà les âges*, 1962 ou 1963, Columbia, C4-6888

*Frédéric/Avec nos yeux*, 1963 (?), Columbia Europe, 1406

*Ne dis rien/Par delà les âges*, 1963 (?), Columbia Europe, 1407

*Frédéric/Ne dis rien/Avec nos yeux/Par delà les âges*, 1963 (?), Columbia Europe, EP 5642

*Taxi/Je viendrai mourir/Tu m'auras donné/L'hiver*, 1963 (?), Columbia, EP 5914

*Il est une saison - thème d'ouverture/On ne voit pas les cœurs*, 1965, CT 33103/33104

*Doux temps des amours/Rappelle-toi le temps*, 1965, CT 33105/33106

*Tu sais, ma chambre.../Il n'y pas de bout du monde/Les cœurs* (extrait de la comédie musicale *Il est une saison*) / *Soir d'hiver*, 1965, Columbia Europe, EP 6213

*Pour les amants/Il y a longtemps*, 1968, Columbia, C4-7024

*Don't ask why/If I call Montreal*, 1968, Columbia, C4-2835

*Pour une chanson/Maintenant je repars*, 1969 ou 1970, Leko, LEP 80.101 (France)

*Le navire de l'enfance/Maintenant je repars*, 1970, Leko

*Si jamais/C'est moi qui ce soir*, 1970 (?), Leko, LE-45-47

*Marie-Rose/Qui*, 1970 (?), Leko, LE-45-48

*Une petite fleur/La nuit, l'hiver*, 1970, Leko, LEP 80.102

*Cheval de bois/Tout comme au fil de l'eau*, 1972, Pathé, SP 221

*Pour quelques arpents de neige/Les nuits d'octobre*, 1972, Barclay, 60229

*Les amoureux de l'an 2000/La froide Afrique*, 1974, Barclay

*If tonight /Adagio for a woman*, 1975, Leko/Les Disques Manoir, 2020

*Les filles de l'Acadie/Ce soir, si on s'aimait*, 1975 (?) Barclay, 60328

*Toi mon royaume/Au royaume de l'amour*, 1978, Polydor, 2065 396

*On est tous mal pris/Ce n'était rien* (instrumental), 1982, Pro-culture, PPC 2033

*Les yeux de la faim* (création collective), 1985, Kébec-Disc, KD-1985

*Les années folles/Premier hiver*, 1982, Pro-culture, PPC 2048

*Des îles blanches/Des îles blanches*, 1989, GMD, GMD-1301-28

## Albums

*Claude Léveillée*, 1962, Columbia, FL-289 (mono)/ FS-535 (stéréo), réédition, 1967, Harmonie, HFS-9083.

*Les vieux pianos/Le rendez-vous/Emmène-moi au bout du monde/La légende du cheval blanc/Chanson vieillotte/Arthur/Les après-midi d'hier/Le nom/Votre visage/La complainte du marin/Déjà je suis parti/ L'Équateur.*

*Claude Léveillée*, 1963, Columbia, FS-603, réédition,1972, ESP-1411/(1974) Harmonie HFS-9084 et CBS FS 748.

*Ne dis rien/L'hiver/Avec nos yeux/Frédéric/Taxi/ Tu m'auras donné/Je viendrai mourir/Coffres d'automne/ Comme guitare/Par-delà les âges.*

*Cloclo à la ferme*, 1963, Columbia Harmony, HFL 8001.

*Un matin d'automne/Je fais du sport/Les poules/ Le cerceau/Le petit lierre/Le procès de la petite souris/ Caneton/Les enfants et la pluie/Le bébé baluchon/La ballerine/Le suçon/Le petit pantin de bois/La ronde des bouteilles de lait/La fin du jour.*

*Claude Léveillée à la Place des Arts*, 1964, Columbia, FL-311/FL-611, réédition, 1968, Harmonie, KHF-90209.

*De loin/Frédéric/La source/Le reel de la ville/Dans mon paradis/Le chercheur d'or/Les radios de mon quartier/ Rupture/Pour toi/Boulevard du crime/Carrousel.*

*Noël avec Clo-Clo*, 1964, Harmony, HFL 8003.

*Introduction/Bonhomme hiver/Les résolutions du jour de l'an/Les pingouins/Les petits soldats du roi/La canne à pêche/Berceuse du petit piano/Le petit serin/Les marins/ La guignolée/Le tambour/Gâteau des rois/Bonhomme hiver.*

*Claude Léveillée à Paris*, Vol 1, 1965, Columbia, FS-318/FS 618 ; réédition, 1976, CBS, 81553.

*Aux trapèzes des étoiles/Emmène-moi au bout du monde/Les vieux pianos/La légende du cheval blanc/ De loin/Frédéric/Le rendez-vous/La scène/Les patriotes/ Mon pays.*

*Léveillée-Gagnon*, 1965, Columbia, FL-331/ FS-631 ; réédition, *Une nuit, un moment*, 1971, Columbia, GFS-90128/FS 90126-90127 double.

*Baie des Sables/Poisson/Lueur/Rupture I/Rupture II/ Frédéric/Douze I/Douze II/Silence/Source/Carrousel.*

*Édith Piaf dans la voix*, 1965, EMI-Columbia France, FSX-169 ; réédition, 2003, Capitol EMI, 58498325.

*La vie n'est pas triste/Les rues de Paris/Kiosque à journaux/Ballet du métro/Le métro de Paris/L'usine/ Flânerie/Partie de cartes/Dors mon Paris/Cauchemar/ Pas de deux/Un amour nous est né/Toute la ville danse.*

*Claude Léveillée à Paris*, vol. 2, 1965, Columbia, FL-339/FS-639 ; réédition, 1968, Harmonie, HFS-90086.

*Les fraises des bois/Où va mon cœur/Chant des aïeux/ Tu sais, ma chambre/Il n'y a pas de bout du monde/ La chanson italienne/Tambours crevés/Soir d'hiver/ Marche/Les cœurs/Berceuse/Il en est passé.*

*Léveillée + 10*, 1966, Columbia, FL-346/ FS-646/CBS 63 001 (Europe).

*Le chemin du roy/Il y a longtemps/M'sieur Dédé/ Le grenier fantasque/Chez Larry/Encore/Parlez parlez/ Plus le temps passe/Belle jeunesse/Que m'importe.*

*Claude Léveillée chante un simple soldat*, 1967, Columbia, FL-351.

*Mes camarades/Les roses d'été/Moquerie/La fille du voisin/Adieu printemps/À ceux qui cherchent des châteaux/À ceux qui cherchent des châteaux II/Dans la rue sans nom/Ambiance du parc/Pour le meilleur et pour le pire/Les grands soleils / Piano pour enfant seul/Tous les enfants perdus/Chagrin/Ton cœur qui bat sous ta vareuse.*

*1 voix, 2 pianos*, 1967, Columbia, FL-362/FS-662 ; réédition, *Une nuit, un moment*, 1972, Columbia, GFS-90128 (FS-90126-90127 double).

*Un retard/Un moment/Une nuit/Une grève/Un soir/Un regard/Gigue et jazz/Dialogue/La tortue malade d'avoir mangé... /Grande valse fofolle/Escapade/Bolide.*

*Elle tournera la terre,*1967, Columbia, FS-677.

*Elle tournera la terre/Et puis la neige vint/Au fond d'un long couloir/Le quatuor/Le cérémonial de l'amour/Elle tournera la terre/Ballet 12345/Ballet de la rencontre/Ballet rêve du pianiste/Ballet de la Fontaine/Ballet conférence de presse/Ballet des gants.*

*Léveillée -10 ans de chansons*, 1968, Columbia, F3L-100/F3S-300 compilation(FS-668/FS-669/FS-670).

*Ne dis rien/L'hiver/Avec nos yeux/Taxi/Tu m'auras donné/Je viendrai mourir/Comme guitare/Par-delà les âges/Aux trapèzes des étoiles/Emmène-moi/Les vieux pianos/La légende du cheval blanc/De loin/Frédéric/Le rendez-vous/La scène/Les patriotes/Mon pays/Les fraises des bois/Où va mon cœur/Tu sais ma chambre/Soir d'hiver/Les cœurs/Il en est passé/Le chemin du roy/Il y a longtemps/Le grenier fantasque/Encore/Parlez, parlez/Plus le temps passe/Que m'importe/À ceux qui cherchent des châteaux/Adieu printemps/Les roses d'été/Pour le meilleur et pour le pire.*

*Pour les amants*, 1968, Columbia, GFS-90122 compilation, double (FS-90120/FS-90121).

*Encore/Pour les amants/Si j'appelle Montréal/À ceux qui cherchent des châteaux/Ne dis rien/Tu m'auras donné/Je viendrai mourir/Comme guitare/Tu sais, ma chambre/ Il en est passé/Aux trapèzes des étoiles/Emmène-moi/De loin/Le rendez-vous/La scène/Les patriotes/Mon pays/Où va mon cœur/Le grenier fantasque/Il y a longtemps.*

*L'étoile d'Amérique*, 1969, Leko, KS-100.

*L'étoile d'Amérique/Mon amour, si tu savais/L'étrange retour/Soir d'hiver/Pour une chanson/Maintenant je repars/Le navire de l'enfance/Le petit soldat de chair/On a plus le temps/Si je dis trop/Armand et Juliette/Le bois des amours.*

Édition européenne, 1969, Leko, LEX 80.501.

*L'étoile d'Amérique/Mon amour, si tu savais/L'étrange retour/Soir d'hiver/Maintenant je repars/Le petit soldat de chair/Le navire de l'enfance/Si je dis trop/Pour une chanson/Le bois des amours.*

*Le cérémonial de l'amour*, 1970, Columbia, FS-726

*Le cérémonial de l'amour/Où va mon cœur/Le grenier fantasque/Il y a longtemps/Adieu printemps/Encore/Pour les amants/Que m'importe/Plus le temps passe/Si j'appelle Montréal/À ceux qui cherchent des châteaux/Elle tournera la terre (Ballet de la Fontaine).*

*Claude Léveillée*, 1970, Leko, KS-101 ; Suède, 1973, ALP 50-109.

*C'est moi qui ce soir/Si jamais/Qui/ Marie-Rose/Une p'tite fleur/Cette grève/La nuit, l'hiver/Mon p'tit soleil/C'est encore plus beau chez moi/Au creux de ma main.*

Frédéric-*Claude Léveillée* n° 2, 1970 (?) Leko, LEX 80.502.

*Frédéric/La nuit, l'hiver/Cette grève/Au creux de ma main/Qui/Une petite fleur/Marie-Rose/C'est moi qui ce soir/Si jamais/Mon petit soleil.*

*Si jamais – si jamais* (instrumental), 1971, Leko, KS-102.

*Si jamais/Marie-Rose/Une petite fleur/Au creux de ma main/Cette grève/Si je dis trop/L'étrange retour/Pour une chanson/L'étoile d'Amérique/Le navire de l'enfance.*

*If Ever-Claude Léveillée* (instrumental), 1971, Leko (distribué par Columbia), KS-103, Side A MS-9041/ Side B MS-9042.

*If ever/Smile and roses/South yes/Who knows/Hat on a driveway/Sleeping by the sea short/Beat the congas/A song is a trip/Cat and mouse/Follow the arrow.*

*Les grands succès de Claude Léveillée* (compilation), 1971 (?), Columbia, GFS-90012 : album double, FS-90011(F-90011-A & F-90011-B) FS-90010 (F-90010-A & F-90010-B) ; réédition,1991, Sony Music, BUK-50217 « Collections » ; mai 2006, Sony BMG, 82876829452.

*Les vieux pianos/La légende du cheval blanc/Avec nos yeux/Taxi/Frédéric/Le chemin du roy/M'sieur Dédé/L'hiver/Par delà les âges/Belle jeunesse/Les fraises des bois (Extrait du drame musical-Les Éphémères /Adieu printemps /Tambours crevés (Extrait du drame musical Les Éphémères)/Il n'y a pas de bout du monde/Le cérémonial de l'amour/Que m'importe/Plus le temps passe/Marche (Extrait du drame musical Les Éphémères)/Soir d'hiver.*

*Cheval de bois*, 1972, Leko/Barclay, KS-105/80125.

*Le voyage (Une mauvaise journée – Enfance – Un chemin)/Une étoile au cœur/Tout comme au fil de l'eau/ Ma partie de cartes/Les anges blancs/Emmène-moi au bout du monde/Cheval de bois/Je t'ai apporté une rose/Quand le rideau tombe/Quand on se retrouve.*

*La vie en elle*, Guy Jodin, musique d'ambiance de Claude Léveillée, 1972, 33 tours, Barclay, 80140.

*Édith/C'était la vie en elle/Elle aimait les chansons western/Des fois je fais ça pour entendre ta voix/Le complet/La vie en elle (instrumental).*

*Contact* (instrumental), 1972, Leko/Barclay, KS-104/80147.

*La rivière bleue/La fille des îles/Le piano du nord/ L'oiseau rouge/Contact.*

*Clo-Clo et Bibi en vacances*, 1972, Barclay/Leko, 10021/KS-106.

*Le chœur des puces/Hilaire, le petit ourson/Dors, mon chéri/Les voyages de la cloche/Le petit « seveu »/À la ferme de grand-père/Il court, le bouffon/Ma ménagerie/ Trois petites souris/Berceuse à mon chien.*

*Les amoureux de l'an 2000*, 1973, Leko-Barclay, KS-107/80174.

*Les amoureux de l'an 2000/Tu vis seul dans un parc/ Et quand l'amour s'en va/46ᵉ Étage/Pour quelques arpents de neige/La froide Afrique/Seul en ce monde/Ma blanche liberté/Les étangs de ma vie/Quand mon piano.*

*Claude Léveillée - La froide Afrique - Contact* (version européenne de l'album *Les amoureux de l'an 2000*), 1973 ou 1974, EMI (Pathé Marconi) Europe, 2C-06412704.

*Les amoureux de l'an 2000/Tu vis seul dans un parc/ La froide Afrique/Ma blanche liberté/Et quand l'amour s'en va/46ᵉ Étage/Seul en ce monde/Contact/Les étangs de ma vie/Si j'appelle Montréal/À ceux qui cherchent des châteaux/Elle tournera la terre (Ballet de la Fontaine).*

*Les beaux dimanches* (musique originale du film de Marcel Dubé), 1974, Barclay, 80202.

*Ils avaient l'amour/Dominique chez les hommes/Les clavecins de l'amour/L'amour blues/Les beaux dimanches/ L'amour bossa/Pénombre/Discrétion/Provocation strip/ Le bleu générique.*

*10 succès pour toi de Léveillée*, 1975, Barclay, 80206.

*Le rendez-vous/Quand le rideau tombe/Soir d'hiver/ Gigue et jazz/Frédéric/La légende du cheval blanc/Mon pays/Les vieux pianos/L'hiver/Elle tournera la terre.*

*On remonte en amour*, 1975, Barclay, 80216.

*Vers cette nuit/La peinture/Ce soir si on s'aimait/ Adagio pour une femme/On remonte en amour/Les filles de l'Acadie/Ce matin un homme/Le kid/Ne me parlez plus de vos chagrins/Je serai là.*

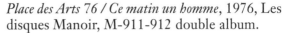

*Place des Arts 76 / Ce matin un homme*, 1976, Les disques Manoir, M-911-912 double album.

*L'enfance/L'étoile d'Amérique/Gigue et jazz/Vers cette nuit/Ma blanche liberté/La peinture/La légende du cheval blanc/Pour quelques arpents de neige/La froide Afrique /Frédéric/Les filles de l'Acadie/La grande valse fofolle/Adagio pour une femme/Taxi/Soir d'hiver/Ne me parlez plus de vos chagrins/Maintenant je repars/Ce matin un homme/Clo-Clo/Quand le rideau tombe.*

*Le Temps d'une saison* (avec Félix Leclerc), 1977, Polydor, 2675-144.

*Pieds nus dans l'enfance/J'inviterai l'enfance/ Les mauvais conseils/Les vieux pianos/Gigue & jazz/ La peinture/Cheval de bois/Soir d'hiver/Les soirs d'hiver/Les patriotes/Pour quelques arpents de neige/L'encan/Le chant d'un patriote/Comme une bête dans la neige/La mort de l'ours/La complainte du pêcheur/Poissons/100 000 façons de tuer un homme/ Les litanies d'un petit homme/Sors-moi donc Albert/Frédéric/Variations sur le verbe donner/La prière bohémienne/La légende du cheval blanc/ Adagio pour une femme/ Les rendez-vous/Histoire de Jean-Baptiste/L'hiver/La grande valse/Bozo/Ce soir si on s'aimait/Un an déjà/Le tour de l'île.*

*Black Sun* (instrumental), 1978, Polydor, 2424-171.

*Nuit lunaire/Requiem pour un astronaute/Soleil noir/Adagio pour un poète/Les plaines de feu/Fleur de lit/Le blue bar/La chasse/Romance de garnison/Dernier bal/Les géographes/Un homme dans la nuit.*

*Le long voyage*, vol 1, 1978, Polydor, 2457-104.

*Les vieux pianos/Le rendez-vous/Frédéric/La légende du cheval blanc/Ce soir si on s'aimait/L'étoile d'Amérique/ Ma blanche liberté/Seul en ce monde/Le petit soldat de chair/Adagio pour une femme/Elle tournera la terre.*

*Léveillée-Leclerc - La Légende du petit ours gris/ Le journal d'un chien* (extraits), 1979, Polydor, 2424-196.

*La légende du petit ours gris : Dormir l'hiver/ Première nuit d'homme/Fête en forêt/Blessante froidure/Blanche découverte/Nocturne pour un petit ours gris*

*Le journal d'un chien (extraits) : Complainte d'un chien/Folle jeunesse/Attente dans la nuit/Nocturne pour un chien/Ma famille/Au couchant de la vie*

*Rassemblement*, 1979, Kébec-Disc, KDM-975.

*Rassemblement/Grande fête/Rencontre/Échouage/ Gaspésiens/La soirée/Le cri du nord/Le reel de la crevette/ Clôture et nature/Baie des ancres/Les trottoirs quais/ Retrouvailles.*

*Escale 80*, 1979, Disques Cam, CML-2006 ; réédition *Escale 84*, 1984, Disques Amplitude, PS-2504.

*Ouverture 1604/Premier hiver/Les aboiements/ Nuages d'automne/Tambour déchu/Complainte acadienne/ Complainte acadienne (reprise)/Porte de fer/Blessante litanie/L'inaccessible pays/La voix du silence/Le cri du nord/Le reel de la crevette/Clôture et nature/Baie des ancres/Les trottoirs quais/Retrouvailles.*

*Claude Léveillée*, 1982, Pro-culture, PPC 6019.

*La grande vie/On est tous mal pris/Les après-midi d'hier (nouvelle version)/Premier hiver (instrumental)/ Fils de la liberté/Les années folles/Ce n'était rien (instrumental)/Toi qui n'a plus 20 ans/Le coyote/Les vieux pianos.*

*Enfin revivre*, 1989, GMD, 1303-27, (vinyle), 1303-27 (CD); réédition, 1995, Aube, 0295 (CD).

*Enfin revivre/Le petit mouchoir/...Pour un pays imaginaire/Laissez-vous vivre/Moto de juillet/Et je t'aime/ Pierrot Lunaire/Des îles blanches/Les clés du bonheur/ La traversée fantastique.*

*Mes années 60* (CD), 1994, Aube, CD-0294.

*Les vieux pianos/La scène/Emmène-moi au bout du monde/Les rendez-vous/Avec nos yeux, avec nos mains/ Ne dis rien/Soir d'hiver/Pour quelques arpents de neige/Le petit cheval de bois/Les années folles/Taxi/La légende du cheval blanc/Mon pays/Frédéric/Le temps d'une chanson.*

*Mes années 70* (CD), 1995, Aube, CD-0296.

*Ma blanche liberté/Ce matin un homme/La froide Afrique/Le petit soldat de chair/L'étoile d'Amérique/Marie Rose/Les filles de l'Acadie/Si jamais (sélection exclusive sur CD)/Les amoureux de l'an 2000/Adagio pour une femme/Ce soir si on s'aimait/Vers cette nuit/Le navire de l'enfance/Maintenant je repars/Quand le rideau tombe/ Scoop.*

*Mes années 80* (CD), 1996, Aube, CD-0297.

*Le grand ménage/Sur la pointe du cœur/Et je t'aime/Été 86/Salut frangin/Les fils de la liberté/Été 89/ Les bagages oubliés/Toi que j'aime/Enfin revivre/Été 80/ Pierrot lunaire/Été 88/Il piccolo valzer (La petite valse)/ La petite patrie.*

*...Un homme, un piano* (CD), 1997, Aube, Distribution Gam, CD-0298.

*L'Enfance/Poissons/La source/Grande valse fofolle/ Douze I et II/Piano chagrin /Fleur sauvage/Pour les amants/Gigue et Jazz/Partir/Rupture I et II/Baie des sables/Sous la lune/La desirade/Scoop générique/Scoop (extrait)/Berlin sous la neige/Sagres.*

*Bagages oubliés* (CD), 1997, Aube, album promotionnel sans numéro d'étiquette.

*Enfance/Moto de juillet/Pierrot lunaire/Petite patrie/Vieux pianos/Bagages oubliés/Soir d'hiver/ Douze 1 et 2/Froide Afrique/Cheval blanc/Enfin revivre/ Mon pays/Frédéric.*

*Claude Léveillée-Collection Émergence.* Compilation, 1997, Sony, C2K 91057/Disque A : CK 91074/ Disque B : CK 91075.

*Disque 1 : Ne dis rien/L'hiver/Avec nos yeux/Frédéric/ Taxi/Tu m'auras donné/Je viendrai mourir/Comme guitare/Par delà les âges/Les vieux pianos/La légende du cheval blanc/Le rendez-vous/Emmène-moi au bout du monde/Le reel de la ville/Les radios de mon quartier/ Boulevard du crime/Baie des sables/De loin/Aux trapèzes des étoiles/Poissons/La scène/Les patriotes/Mon pays/Rupture II/Frédéric (Instrumental) Source/Carrousel.*

*Disque 2 : Les fraises des bois/Où va mon cœur/Tu sais ma chambre/Il n'y a pas de bout du monde/Soir d'hiver/Les cœurs/Il en est passé/Un retard/Le chemin du Roy/Il y a longtemps/Le grenier fantasque/Chez Larry/ Encore/Parlez parlez/Plus le temps passe/Que m'importe/ Un soir/Les roses d'été/Adieu printemps/À ceux qui cherchent des châteaux/Pour le meilleur et pour le pire/ Gigue et jazz (...)/Elle tournera la terre/Et puis la neige vint/Le quatuor/Le cérémonial de l'amour/Pour les amants/Elle tournera la terre.*

*Rêves inachevés – Virage* (CD double), 1998, Aube, CD2-0299.

*Mirages/Doux sommeil/Petites amours/Émouvante auberge/Sauvages cerises/Pleine lune/Fragile pipeau/Bons vents/Fabuleux rêve/Tendre jardin/Grandes voiles/Sublime départ/Belle errance - CD2 : Fabliau musical.*

*Au temps des boîtes à chansons - Les années de la Butte à Matthieu* (CD), 1999, Richelieu, RIC 2 9951.

*Que dans les îles/Frédéric/Le procès d'une petite souris/ La complainte du marin/Monsieur Dédé/Les eaux de pluie/Le nom/Les après-midi d'hier/Emmène-moi au bout du monde/Le rendez-vous/Les vieux pianos/La légende du cheval blanc.*

*Rêves inachevés – Blanche, la bien-aimée* (CD double), 1999, Aube, CD2-0301.

*Blanche/Pélerins polaires/Fêtes de nuit/Sombre piège/Toundra/Bouscueils/Détresse/Tam-tambour/Secrets (Ô Sainte Nuit)/Polarius/Aubes boréales/Rêve de nuit - CD 2 : Fabliau musical.*

*Rêves inachevés – Non-stop le rebel* (CD double), 2000, Aube, CD2-304.

*CD 1 : Repaire/Départ/Braise/Un rapt/Viol/Mer/ Duel/Requiem/Pastorale*

*CD 2 : Les refuges du rêve (instrumentale)/Refuge/ Évasion/Braise/Panique/Désir/Miroir/Destin/Prière/ Aube.*

*Mes immortelles… je vous les confie*, 2003, Aube, CD-2-305.

CD 1 Paroles… : *Les vieux pianos/Présentation par Édith Piaf/Boulevard du crime/Emmène-moi au bout du monde/La légende du cheval blanc/ Frédéric/Taxi/Ne dis rien/Le rendez-vous/ Pour quelques arpents de neige/Soir d'hiver/ La scène/Mon pays/L'étoile d'Amérique/La froide Afrique/Le petit mouchoir/Pierrot Lunaire/Enfin revivre/Les îles blanches/ Laissez-vous vivre/Frédéric/Bonsoir Édith.*

CD 2 …et musiques : *Un retard/Scoop (générique)/Douze I/Douze II/Rupture I/ Rupture II/La source/Gigue et jazz/Baie des sables/La désirade/ Poissons/Berlin sous la neige/Piano chagrin/L'enfance/Sombre piège/Partir/ Détresse/Braise/Absence/Aube/Rivières perdues/Rivières d'amour.*

*Cœur sans pays*, 2008, Aube, CD-0307.

*Le grand loup/Se taire/C'est comme ça/La tour/Ma fille/Samuel/Petit grain de sable/Sarah/Coeur sans pays/Naître piano.*

## Albums collectifs

*De Félix à Charlebois.* Avec les disciples de Massenet,
33 tours, 1967 (?), Nobel, NBL-603.

*Quand les hommes vivront d'amour/Je te ferai un jardin/Frédéric/Hymne au printemps/Je reviens chez nous/California/Viens faire un tour/Bozo/Amène-toi chez nous/C'est pas fini/La danse à Saint-Dilon.*

*1 fois 5* (Charlebois, Deschamps, Ferland, Léveillée, Vigneault),
33 tours, 1976, Kébec-Disk, KD 923-924 (disque double).

*Gens du Pays/The Frog song/Il me reste un pays/ L'étoile d'Amérique/ Aimons-nous/ Le petit roi/Tout l'monde est malheureux/Les fesses/Les vieux pianos/La grande valse fofolle/Le doux chagrin/Vive les Jeux olympiques/ J'sais pas comment, j'sais pas pourquoi/Chacun dit je t'aime/Ce matin un homme/Mon ami Fidel/Les gens de mon pays/Un peu plus haut, un peu plus loin/La même gigue/ Gens du pays (reprise).*

*Le Québec en fête,* 33 tours, 1980, CBS disque Canada,
FFC-80041-80042/FFC2-80039 (disque double).

*Mon Pays/L'hiver/Pour les amants/Frédéric/Shippagan/ Comme un million de gens/ Viens danser/Comme un fou/V'là le bon vent/L'arbre est dans ses feuilles/ Mais je m'en vais demain/Poissons/Chez nous, c'est vous/La tête en fête/Hey you Woman/Le vent se lève/Être avec vous.*

*Je vous entends chanter,* spectacle en hommage à Gilles Vigneault
à la Place des Nations, 33 tours, 1980, Kébec-Disc,
KD-507-508 (disque double)

*Le doux chagrins/Tam ti delam/Le voyageur sédentaire/Pendant que.../ Beau voyageur/L'hiver/Ah! Que l'hiver/J'ai planté un chêne/Quand vous mourrez de nos amours/Mon pays/Si les bateaux/Avec nos yeux/Le nom/La Corriveau/ Quand nous partirons pour la Louisiane/Jack Monoloy/La Manikoutai/Les gens de mon pays/Il me reste un pays/Gens du pays.*

*Les yeux de la faim,* (au profit de la Fondation Québec/Afrique)
45 tours, 1985, Kébec-Disc, KD-1985

*Les yeux de la faim/Les yeux de la faim.*

### *Don Juan*, CD, 2003, PGCCD 9446

*L'homme qui a tout/Cœur de pierre/Mon fils/Du plaisir/ N'as-tu pas honte/
Les femmes/Vivir/L'amour quand il vient/Le sang des soldats/Aimer/Je pense à
lui/Changer/L'amour est plus fort/Duel à l'aube/Seul.*

### *Le temps d'une chanson… le temps de dire je t'aime Claude Léveillée*, CD, 2005, Aube, CD-306

*Le temps d'une chanson/Pour quelques arpents de neige/Emmène-moi au bout
du monde/Le rendez-vous/Soir d'hiver/Ne dis rien/Marie-Rose/La légende du
cheval blanc/La scène/Les vieux pianos/Frédéric/Avec nos yeux, avec nos mains/
Les amoureux de l'an 2000/Mon pays/Soir d'hiver (instrumental).*

## Ils ont chanté Léveillée

Edith Piaf, 1960 ou 1961, 45 tours, Columbia, SCRF 412
*Opinion publique* (H. Contet)/*Ouragan* (C. Léveillée).

Édith Piaf, 1960 ou 1961, 33 tours, Pathé Marconi/Columbia, FS 1083
*Ouragan/Le vieux piano* et d'autres titres par différents auteurs-compositeurs.

Édith Piaf, *Boulevard du crime*, 1961, 45 tours, Columbia, ESFR 1262
*Boulevard du crime* et deux autres titres par différents auteurs-compositeurs.

Pauline Julien, *Enfin…*, 1962, 33 tours, Columbia, FL 290/FS 536
*La complainte du marin* et d'autres titres de différents auteurs-compositeurs.

Pauline Julien, 1962, 33 tours, Columbia, FL 296/FS 542
*El señor/Le rendez-vous* et d'autres titres par différents auteurs-compositeurs.

*Monique Leyrac chante Vigneault et Léveillée*, 1963, 33 tours, Columbia, FL-301/FS-601
*Funambule/L'hiver/Je viendrai mourir/Les hirondelles/Par un chemin de prairie/Tu ris/Comme guitare/Il en est passé/Les nuages/Il n'y a pas de bout du monde.*

Renée Claude, vol. 1, 1963, 33 tours, Select, M-298.024/S-398.024
*Les gens de la tournée /T'occupe pas* et d'autres titres par différents auteurs-compositeurs.

Renée Claude, vol. 2, 1964, 33 tours, Select, M-298.071/S-398.071
*Funambule* et d'autres titres par différents auteurs-compositeurs.

André Gagnon, *Piano et orchestre*, 1965, 33 tours, Columbia, FL 325/FS 625
*Avec nos yeux/Je viendrai mourir/Pour toi* et d'autres titres par différents auteurs-compositeurs.

Les comédiens de *Il est une saison*, 1965, 45 tours, (?), CT 33103/33104
*Il est une saison/On ne voit pas les cœurs.*

Les comédiens de *Il est une saison*, 1965, 45 tours, (?), CT 33105/33106
*Doux temps des amours/Rappelle-toi le temps.*

Jacques Douai, *Récital n° 9 : 15 ans de chansons*, 1965, 33 tours, Disques BAM, LD 410
*Frédéric* et d'autres titres par différents auteurs-compositeurs.

Nicole Perrier, 1966, 33 tours, Columbia, FL-340/FS-640
*Le vaisseau d'or/Pour toi/ Mirages* et d'autres titres par différents auteurs-compositeurs.

Les comédiens de *Ne ratez pas l'espion*, 1966, 45 tours, (?), CT 33143/33144
*Ne ratez pas l'espion/Chanson espagnole*

Les comédiens de *Ne ratez pas l'espion*, 1966, 45 tours, (?), CT 33145/33146
*Le mot de passe/Rendez-moi les médailles.*

*3-12* : 3 chefs d'orchestre-arrangeurs interprètent 12 chansonniers, 1967 (?), 33 tours, Select, SP-12.155/SSP-24.155
*Frédéric* et d'autres titres par différents auteurs-compositeurs.

André Gagnon, *Pour les amants*, 1968, 33 tours, Columbia, FS-680
*Soir d'hiver, Pour les amants* et d'autres titres par différents auteurs-compositeurs.

André Gagnon, *Don't ask why*, 1968, 33 tours, Columbia, ELS-331
*Don't ask why, Soir d'hiver* et d'autres titres par différents auteurs-compositeurs.

Roger Williams, *Only for lovers*, 1968, 33 tours, Kapp Records, KS-3565
*Only for lovers* (instrumental) et d'autres titres par différents auteurs-compositeurs.

Raymond Berthiaume, 1968, 45 tours, TC Vedettes, VD 3082
*Un air sur mon piano/Pour les amants.*

André Gagnon, *Mes quatre saisons*, 1969, 33 tours, Columbia, FS-712
Automne – Claude Léveillée : *1er mouvement : Frédéric/2e mouvement : Et puis la neige vint/3e mouvement : Les vieux pianos* et d'autres titres par différents auteurs-compositeurs.

Richard Huet, 1971, 33 tours, Polydor, 2424 026
*Elle tournera la terre* et d'autres titres par différents auteurs-compositeurs.

Isabelle Aubret, *Une étoile au cœur/Mes souvenirs*, 1972, 45 tours, Disques Meys, 10037
*Une étoile au cœur* (Claude Léveillée)/ *Mes souvenirs.*

Georgette Lemaire, *Toute la ville danse/Le rondo à l'amour*, 1973, 45 tours, 6009 396
*Toute la ville danse* (Claude Léveillée)/*Le rondo à l'amour.*

*Complicité Angelilo et Hamel*, 1973, 33 tours, Barclay, 80180
*On ne sait plus* et d'autres titres par différents auteurs-compositeurs.

*Pierre Dufresne*, 1974, 33 tours, DERAM, XDEF-100
*Quel âge avais-tu ?* et d'autres titres par différents auteurs-compositeurs.

Martin Peltier, *Amour et liberté*, 1975 (?), 33 tours, Disques Capitol, ST 70.027
*La légende du cheval blanc* et d'autres titres par différents auteurs-compositeurs.

Julie Arel, *Merci à toi*, 1976, 33 tours, Disques Capitol-EMI du Canada, ST 70045
*Merci à toi* et d'autres titres par différents auteurs-compositeurs.

Le chœur des Deux-Montagnes, *De tout notre cœur...*, 1976 (?), 33 tours, ?, MF 003
*Quand mon piano* et d'autres titres par différents auteurs-compositeurs.

Julie Arel, *Je vous aime*, 1977, 33 tours, Disques Capitol-EMI, ST 70.056
*Les cœurs* et d'autres titres par différents auteurs-compositeurs.

*Concept neuf* (instrumental), 1980, 33 tours, Kébec-Disc, KD-996
*Gigue et jazz* et d'autres titres par différents auteurs-compositeurs.

*Mimi Lorca*, 1980, 33 tours, Az2, DIS 217
*Ce matin... un homme* et d'autres titres par différents auteurs-compositeurs.

*La rencontre* – L'Ensemble Claude Gervaise joue Leclerc, Léveillée, Vigneault, 1982, 33 tours, Pro-Culture, PPC 7004
*Intermède florentin : Les hirondelles/A toye : Pour les amants/Bransle de village et double : Gigue et jazz/Ricercar sobre la cancion : Le chemin du roi* et d'autres titres par différents auteurs-compositeurs.

Nicole Martin, *Il est en nous l'amour et ses plus grands succès*, 1985, 33 tours, ISBA, IS-2003
*Il est en nous l'amour* et d'autres titres par différents auteurs-compositeurs.

Nicole Martin, *Histoires de femme*, 1987, 33 tours, Les disques Nicole Martin, NM-002
*Mon père et ma mère* et d'autres titres par différents auteurs-compositeurs.

Pierre Létourneau, *Y'a du bonheur*, 1988, 33 tours, Mérite, MDC 9014
*La nuit dernière/Petite sœur* et d'autres titres par différents auteurs-compositeurs.

Marc Javelin, *Corps et âme*, 1989, 33 tours, Les disques Tox, TOX 3000
*La légende du cheval blanc* et d'autres titres par différents auteurs-compositeurs.

V'la l'bon vent, *Planète terre*, 1990, 33 tours, V'la l'bon vent, VBV-1990
*Les clés du bonheur* et d'autres titres par différents auteurs-compositeurs.

Isabelle Boulay, *Scènes d'amour*, 2000, CD, Sidéral, SID-2702
*Frédéric* et d'autres titres par différents auteurs-compositeurs.

Laurent Brunetti, *Chaque instant*, 2001, CD, DO 65299
*La scène* et d'autres titres par différents auteurs-compositeurs.

# Comédien
## Télévision

*Les enfants de la rue* : Radio-Canada, 1956-1957

*Le secret de la rivière perdue* : rôle de Bozo,
Radio-Canada, 1957

*Profil d'adolescent* : le « Bum » Lucien, rôle de composition,
Radio-Canada, 1957

*La lanterne magique* : rôle de Monsieur Papillon,
Radio-Canada, 1957

*Domino* : rôle de Tintinet puis de Clo-Clo, Radio-Canada,
du 26 octobre 1957 au 26 mai 1962

*La Boîte à surprises* : invité occasionnel en Monsieur Papillon
et Clo-Clo, Radio-Canada, de 1957 à 1962

*Trèfle à quatre feuilles* : un saboteur, rôle de composition,
Radio-Canada, 1957

*Sang et or* : rôle de Mouille-Farine, Radio-Canada, 1958

*Plein air* : Monsieur Bémol, accordéoniste attitré de
l'émission, Radio-Canada, 1958

*Quatuor* : rôle du petit télégraphiste, Radio-Canada, 1958

*Le Courrier du roy* : Radio-Canada, 1958

*Le pic du condor* : Radio-Canada, 1958

*Inspecteur Leduc* : TéléFrance, 1960

*Côte de sable* : rôle de l'aviateur Philippe,
Radio-Canada, 1960-1961

*Le Grand duc* : quelques apparitions,
Radio-Canada, 1960-1961

*Par-delà les âges* : rôle d'Orpha, Radio-Canada, 1962

*Absolvo Te* : rôle de l'abbé Gravel, Radio-Canada, 1962

*Inquisition* : rôle de Renato, Radio-Canada, 1962
(diffusion en 1963)

*Tuez le veau gras* : rôle de Pierre Dubuc, Radio-Canada, 1964
(diffusion en 1965)

*Il est une saison* : rôle de Philippe, Radio-Canada, 1967

*La perdrière* : rôle de Sébastien, Radio-Canada, 1971

*Les fils de la liberté* : rôle d'un fondeur de cuiller,
coproduction Antenne 2 et Radio-Québec, 1980
(diffusion en 1981-1982)

*À voix basse* : rôle de Marc, Radio-Canada, 1980
(diffusion en 1981-1982)

*Les noces de juin* : rôle du jardinier Pierre,
Radio-Canada, 1983 (diffusion en 1984)

*La vie promise* : Radio-Canada, de 1983 à 1985

*Il était une fois dans un piano* : rôle du clown Fadosi,
Radio-Québec, 1989-1990 (diffusion en 1990)

*Scoop 1, 2, 3 et 4* : rôle d'Émile Rousseau,
Radio-Canada, de 1991 à 1995

*Meurtre en musique* : rôle d'Alex Fugère, 1993
(diffusion en 1994)

*Les Grands Procès - L'affaire Coffin* : rôle du juge Lacroix,
TVA, 1995

*Soir d'hiver* : rôle principal, émission spéciale de Noël, 1997

*Diva* : rôle de l'éditeur Michel Bertrand, TVA, 1998

*Tabou 1 et 2* : rôle de Normand Charest, TVA, 2002.

## Théâtre

*Orion le tueur* : reprise,
troupe du Théâtre de Quat'sous, 1956

*La tour Eiffel qui tue* : rôles de Papazian et d'un
polytechnicien (M. Buffe), il joue également du piano à
bretelles (accordéon), troupe du Théâtre de Quat'sous, 1957

*Les oiseaux de lune* : rôle du Colonel Chabert,
troupe du Théâtre de Quat'sous, 1958

*Doux temps des amours* : rôle de Georges,
Théâtre de la Marjolaine, 1964

*Elle tournera la terre* : rôle de Pierre,
Comédie-Canadienne, 1967

*L'arche de Noé*, théâtre de la Marjolaine, 1968

*La tour Eiffel qui tue*, reprise : rôles de Papazian,
d'un polytechnicien (M. Buffe) et d'un voyou,
troupe du Théâtre de Quat'sous, 1976

*Don Juan* : rôle de Don Luis, 2003
(il doit cependant se désister)

## Cinéma

*La Ligne de démarcation*, de Claude Chabrol :
rôle de Presgrave, 1966

*Un gars d'la place*, de Valmont Jobin : rôle de Charles,
Office national du film (ONF), 1983

*Jésus de Montréal*, de Denys Arcand : rôle d'un professeur
de théologie, 1989

*67 bis, boulevard Lannes*, documentaire de
Jean-Claude Labrecque : lui-même, 1991

*Drive-in*, de Daniel Morin : rôle de Jean-Claude Levasseur,
SMAC Films inc., 1996

*L'Homme idéal* : rôle d'un champion de golf,
de Georges Mihalka, 1996

*La Conciergerie des monstres*, de Michel Poulette :
rôle de Maurice St-Cyr, 1996

*La lune viendra d'elle-même*, de Marie-Jan Seille :
rôle de M. Langlois, 2004

## Compositeur
### Musique pour la télévision

*Domino*, chansons pour enfants, Radio-Canada,
de 1957 à 1962

*La Marie d'un printemps*, musique de scène pour
un téléthéâtre, Radio-Canada, 1958

*La Boîte à surprises*, chansons pour enfants interprétées
par Lise Roy, Radio-Canada, de 1958 à 1963

*Par-delà les âges*, chanson thème et trame musicale,
Radio-Canada, 1962

*Tuez le veau gras*, chanson thème *De loin* (paroles et musique)
et trame musicale, Radio-Canada, 1964

*Il est une saison*, Radio-Canada, 1967

*Le monde de Marcel Dubé*, musique thème *Un retard*,
Radio-Canada, de 1968 à 1971 :

*Virginie*, 1968 (4 juin)

*Médée*, 4 épisodes, 1968 (du 9 au 30 juillet)

*Manuel*, 4 épisodes, 1968 (du 6 au 27 août)

*La Cellule*,1969 (30 juin)

*Florence*, 1969 (14 juillet)

*Bilan*, 4 épisodes, 1969 (du 4 au 25 août)

*Le Naufragé*, 1971 (7 septembre)

*Le Temps des lilas*, 4 épisodes, 1971
(du 30 novembre au 21 décembre)

*Entre midi et soir*, 8 épisodes, 1971
(du 5 octobre au 23 novembre)

*Table tournante*, d'Hubert Aquin, Radio-Canada, 1968

*Des souris et des hommes*, Radio-Canada, 1970
(diffusion en 1971)

*L'échéance du vendredi*, Radio-Canada, 1971

*Les deux valses*, Radio-Canada, 1971

*La perdrière*, Radio-Canada, 1971 (diffusion en 1972)

*Une femme en bleu au fond d'un jardin de pluie*,
Radio-Canada, 1973

*Le millionnaire à froid*, Radio-Canada, 1974

*Le Pélican*, Radio-Canada, 1974

*Il est une saison*, Radio-Canada, reprise, 1974

*Qui perd gagne*, Radio-Canada, 1974

*Les fils de la liberté* (avec Alain Leroux),
coproduction Antenne 2 et Radio-Québec,1980-1981

*La vie promise*, Radio-Canada, de 1983 à 1985

*Bon dimanche*, musique thème et enchaînement
des chroniques, TVA, 1988

*Bottines et Boussole*, Productions La Sterne, 1989

*Il était une fois dans un piano*, 1989-1990 (diffusion en 1990)

*Scoop 1, 2, 3 et 4*, Radio-Canada, de 1991 à 1995

*Meurtre en musique*, 1993 (diffusion en 1994)

*Pignon sur rue* (avec Kevin Parent), Télé-Québec, 1995

## Musique pour le cinéma

*La patinoire*, de Gilles Carle, ONF, 1963

*Les Éperlans*, de Dorothée Brisson, ONF, 1964

*Trouble-fête*, de Pierre Patry, 1964

*Volley-ball*, de Denys Arcand, ONF, 1966

*Dimensions*, de Bernard Longpré, ONF, 1966

*En octobre*, de Jacques Bobet, ONF, 1967

*Taxi*, de Roland Stutz, ONF, 1969

*Les beaux dimanches*, de Richard Martin, 1974

*Torngat*, Productions La Sterne, 1984

*Mes voyages en Canada de Jacques Cartier*
(musique de l'album *Escale 80* réutilisée pour
ce documentaire), Productions La Sterne, 1984

*La vie cachée du golfe St-Laurent*, 1986 (diffusion en 1988)

*The dance goes on*, de Paul Almond, 1991

*Drive-in*, de Daniel Morin, 1996

## Musique pour le théâtre

*La belle rombière*
(musique de scène et accordéoniste sur scène), 1957

*Les oiseaux de lune*, 1958

*Le Pierrot canadien* (musique de scène),
Festival folklorique de tous les pays, 1958

*Militaire Fanfaron* (musique de scène), 1959

*Ubu roi*, troupe l'Egrégore, 1961 ou 1962

*Les masques*, troupe l'Egrégore, 1961 ou 1962

*Deburau*, 1962

*Les Éphémères*, troupe du Théâtre de Quat'sous, 1963
(jamais présentée)

*Vêtir ceux qui sont nus*, 1963

*Au retour des oies blanches*, 1966

*Un simple soldat*, 1967

*La ménagerie de verre*, Nouvelle Compagnie Théâtrale, 1973

*L'été s'appelle Julie*, Bateau-théâtre L'Escale, 1975

*Zone*, 1977

*Je veux voir Mioussov*, Compagnie Jean Duceppe, 1989

## Comédies musicales

*Gogo Loves You*
(composition de 1960 à 1964, surtout en 1960),
présentée une fois *off* Broadway en octobre 1964

*Doux temps des amours*, Théâtre de la Marjolaine, 1964

*Il est une saison*, Théâtre de la Marjolaine, 1965

*Ne ratez pas l'espion*, Théâtre de la Marjolaine, 1966

*Il est une saison*, Théâtre de la Marjolaine,
reprise à la Comédie-Canadienne, 1967

*On n'aime qu'une fois*, Théâtre de la Marjolaine, 1967

*Elle tournera la terre*, Comédie-Canadienne, 1967

*L'arche de Noé*, Théâtre de la Marjolaine, 1968

*Les posters*, Théâtre du Rideau-Vert, 1968

*Doux temps des amours*, Théâtre de la Marjolaine, 1972

*Pour 5 sous d'amour*, Théâtre de la Marjolaine, 1973

## Musique pour la radio

Service international, CBC, 1957

*Défense de stationner*, « esquisse »,
musique de scène et chansons, CBC, 1957

*Nicole et l'amour*, radio-roman,
Premier rôle masculin, poste de Verdun, 1963

*Aux quatre vents* de René Lévesque, fiction radiophonique,
rôle du vent de l'Ouest, Radio-Canada, 1999

## Autres commandes musicales

*Le dict de l'aigle et du castor* de Gilles Vigneault, narration
accompagnée de sa musique interprétée par l'Orchestre
symphonique de Québec, 1972 ; reprise en 1986 avec
l'Orchestre métropolitain et en 1990 avec l'Orchestre
symphonique de Laval

*Fleur de lit* pour les Ballets Jazz de Montréal
(ballet pour les Jeux olympiques), 1976-1977

*Petit concerto pour Hélène*, drame musical, 1978

*Rassemblement*, drame musical, 1979

*Acadie mon trop bel amour*,
pour les Ballets Eddy Toussaint, 1979

*Un printemps inachevé* ou *5 saisons pour un piano*,
pour les Ballets Eddy Toussaint, 1980

*4 saisons pour un piano*,
pour les Ballets Eddy Toussaint, 1981-1982

## Autres projets

*L'étoile d'Amérique*, éditions Leméac, 1972

*Pierre et le loup*, avec l'Orchestre symphonique de Québec,
comédien et narrateur (5 représentations), 1972

*Acadie mon trop bel amour*, narrateur, 1979

*Les poètes de chez-nous habités*, pour les CÉGEP,
de 1978 à 1981

*Solitudes*, livre d'art, éditions Art Global, 1982

*Le voyage au bout de la route ou la ballade du pays qui attend*,
de Jean-Daniel Lafond, participation, ONF, 1987

*Mon enfant je t'aime*, chanson-thème du Téléthon
pour la recherche sur les maladies infantiles, 1994

*Parlez-vous rock'n roll?*, narration dans le cadre de l'émission
*Le choc du présent*, Radio-Québec, 1994

*Vingt mille lieux/La mer de Cortez*, narration, 2001

## Prix, trophées, honneurs et nominations

Trophée Calvert 1957,
pour le meilleur spectacle présenté dans le cadre du
Dominion Drama Festival of Canada,
avec *La tour Eiffel qui tue*

Trophée Martha Allan 1957,
pour le meilleur spectacle visuel présenté dans le cadre
du Dominion Drama Festival of Canada,
avec *La tour Eiffel qui tue*

Trophée Calvert 1959,
pour le meilleur spectacle présenté dans le cadre du
Dominion Drama Festival of Canada, avec *Militaire Fanfaron*

Plaque du 3e Gala de la chanson canadienne de
Radio-Canada, 1959, douzième place avec *Les vieux pianos*

Prix Columbia pour la meilleure composition canadienne
dans le cadre du Grand prix du disque canadien
de CKAC, 1962

Trophée Méritas 1966,
décerné par *le Journal des vedettes* au Gala des artistes

Grand prix auteur-compositeur-interprète,
décerné lors du Festival du disque 1966

Les chansons d'or du Québec 1973,
prix remis par *Dimanche-Matin* et les stations du réseau
Télémédia, pour la chanson *Frédéric*, une des dix plus belles
chansons du Québec des dix dernières années
selon les choix du public

Plaque en bois remise par Radio-Mutuel
au vingtième Carnaval de Québec, en 1974;
on peut y lire « Hommage à Claude Léveillée pour avoir
diffusé l'image du Québec à travers le monde »

Plaque de métal gravée remise en 1988 lors du Festival
mondial de l'image sous-marine pour la meilleure adaptation
musicale, pour le film *La vie cachée du golfe St-Laurent*

Les Classiques de la SOCAN 1993,
décernés à Claude Léveillée et aux Éditions de l'Aube
pour les chansons *Pour les amants* et *Frédéric*

Mise en nomination en 1993 pour la meilleure musique
originale de l'ensemble d'une émission ou d'une série toute
catégorie, pour la musique de *Scoop 2*

Personnalité de la semaine *La Presse*, 7 août 1994

10ᵉ médaille Jacques-Blanchet, 1995

Officier de l'Ordre du Canada en 1996

Chevalier de l'Ordre national du Québec en 1998

Chevalier de l'Ordre de la Légion d'honneur
de France en 1998

Personnalité de la semaine *La Presse*, 11 octobre 1998

Félix « Hommage » au Gala de l'ADISQ, 1999

Les classiques de la SOCAN 1999,
décernés à Claude Léveillée et aux Éditions de l'Aube
pour la chanson *La légende du cheval blanc*

Prix SOCAN « Harold Moon » 2000;
le prix W.M. Harold Moon pour la contribution
à l'essor de la musique canadienne sur le plan international
est la plus haute distinction que remet la SOCAN

Prix spécial du jury « Miroir »,
décerné par le Festival d'été de Québec, édition 2000

Disque platine pour l'album *Don Juan*
auquel il a participé, 2003

Félix de la Compilation de l'année
pour l'album *Mes immortelles... je vous les confie*, 2004

Intronisation au Panthéon des auteurs et compositeurs
canadiens pour sa carrière et la chanson *Frédéric*, 2005

Disque d'or pour la vente de plus de 50 000 albums *Le temps d'une chanson le temps de dire je t'aime Claude Léveillée*, 2006

Nomination dans la catégorie Album populaire de l'année pour l'album *Le temps d'une chanson le temps de dire je t'aime Claude Léveillée* au Gala de l'ADISQ 2006

Certificat honorifique offert à Claude Léveillée par la Ville de Montréal pour souligner l'apport de l'artiste à la vitalité culturelle de la ville, 2006

Prix SOCAN 2006 décerné à Claude Léveillée et aux Éditions de l'Aube pour la chanson *L'étoile d'Amérique* (interprétée par Star Académie) qui s'est maintenue en première position du palmarès BDS du 10 octobre au 28 novembre 2005

Prix Sylvain-Lelièvre 2007 de la Société professionnelle des auteurs et des compositeurs du Québec (SPACQ) pour souligner les réalisations de sa carrière d'auteur-compositeur

Dans *Absolvo Te*, 1962.

*En studio.*

*Coanimateur de l'émission* Les immortelles *à la radio CFGL.*

*Clo-Clo à la Place des Arts, 1976.*

*Avec le réalisateur Claude Chabrol (à gauche), 1966.*

*Le maire Jean Drapeau, Claude Léveillée et l'actrice et chanteuse américaine Eartha Kitt en 1981.*

*Avec Eartha Kitt et le maire Jean Drapeau.*

*Claude Léveillée et Eartha Kitt, 1981.*

*Un petit mot de remerciement d'Eartha Kitt.*

*Luc Plamondon, Claude Léveillée et Jean-Pierre Ferland*

« La légende raconte que Jean-Pierre et moi sommes frères ennemis,
mais dans frères ennemis il faut se rappeler qu'il y a le mot frère…
J'aurais aimé avoir écrit, *Une chance qu'on s'a…* »

CL

*Claude Léveillée avec quelques amis dont Yvon Deschamps, Ginette Reno, Jean-Pierre Ferland et Danielle Ouimet.*

# ANNEXES

LA BOÎTE À CHAUSSURES

TEXTE DE ROBERT CHARLEBOIS

MONOLOGUE D'YVON DESCHAMPS

## LA BOÎTE À CHAUSSURES

Nous sommes le 24 août 1959. Il y a à peine six jours que Claude Léveillée a rejoint Édith Piaf à Paris. Le jeune homme de 27 ans fonde de grands espoirs sur sa collaboration avec la grande dame de la chanson française qui lui a fait une proposition qu'il ne pouvait refuser : devenir un de ses compositeurs et travailler avec elle à Paris. Il plonge dans cette aventure en prenant tous les risques. Il quitte un emploi de comédien à Radio-Canada, serre la main de ses complices de la boîte Chez Bozo – dont certains le voient partir non sans un peu d'amertume – et laisse sa belle épouse Micheline, alors enceinte de huit mois, qui l'encourage et le seconde ; ils se promettent de se retrouver à trois sous peu. Car qui prend mari, prend pays.

Claude va vers quoi ? Il ne sait pas ! À cette époque, Léveillée est plus comédien que chanteur et à 27 ans, il ne compte encore aucun disque à son actif, seulement des prestations sur scène et à la télévision, toutes très appréciées, certes, mais qui ne rapportent pas un rond. Il ignore aussi comment il vivra. L'impresario de Piaf, Lou Barrier, n'a pas parlé de rémunération. Ignorant tout de l'univers des droits d'auteur, il imagine que composer des chansons pour Piaf, la plus grande chanteuse française, est certainement garant d'une éventuelle fortune… Comment oserait-il seulement poser même l'ombre de cette question sans passer pour un amateur ?

Souriez de cette belle naïveté qui habite notre jeune Léveillée. En témoigne ici la correspondance assidue qu'il a entretenue avec ses parents qui se révéleront d'un appui inconditionnel à leur fils bien-aimé, parti dans les vieux pays avec tout son talent, sa candeur et sa foi…

*Le Hallier, le 24 août 1959*

*Chère maman, cher papa,*

*Permettez-moi de venir causer un peu avec vous ; il y a une semaine que je suis arrivé au pays de la France ; je l'ai déjà traversé dans sa longueur en automobile à cause de la tournée : j'ai vu Menton-Cannes-Avignon-Valence-Annecy-Paris et le Hallier où je me trouve présentement, en Normandie, à la ferme de Madame Piaf, pour m'y reposer une semaine. Je n'ai pas été malade : je reçois mes piqûres. Le temps est magnifique, mais c'est très dur d'être seul sur un autre continent, loin de sa femme, de son petit qui va naître et de ceux que l'on aime… Enfin, si Dieu le veut, je l'accepte et lui demande de me seconder. Ce dont j'ai le plus souffert, ç'a été du sommeil car il nous a fallu voyager jour et nuit pendant la tournée. Heureusement, je ne chante pas avant la fin de septembre, je crois. Je reste à la ferme pour me refaire une santé et travailler avec Madame Piaf dans son studio. Elle nous a quittés hier et doit rentrer définitivement le 1er septembre à la ferme. Je reste seul ici avec « Tante Susu » qui est une bonne vieille nourrice normande, la cuisinière de Madame Piaf et sa petite-fille, Christiane. Tante Susu prend soin de moi comme de son propre fils. Vous n'avez donc pas à être inquiets de rien. Je prends du soleil, du bon air pur de la Normandie et je mange comme trois.*

*Comment ça va à la maison ? Votre santé à vous deux ? De grâce, prenez le temps de vivre et reposez-vous bien. Comment va ma petite sœur Raymonde ? Dites-lui que je l'embrasse et que je pense à elle et que je lui souhaite le plus beau bébé du monde. Et toi maman, je ne t'oublie pas. Tu*

*sais, tu seras toujours pour moi la meilleure et la plus sage :
prends soin de toi – ne t'inquiète surtout pas de moi, ça va
très bien et c'est Dieu qui veut que les choses soient ainsi –
encourage bien ma petite femme et dis-lui tout ce que je
saurais lui dire si j'étais là. Soyez très gais avec elle – elle en
a tant besoin. Et toi, bon papa, toi qui m'es un modèle de vie
d'homme et d'époux, je compte sur toi pour veiller sur ma
petite Miche et sur mon petit qui naîtra bientôt. Conseille-
la, guide-la, encourage-la souvent. J'espère que ta santé est
bien et que tu profites un peu de la vie, toi aussi. Bon, et bien
à présent, je dois vous quitter – ne vous inquiétez pas de moi,
Dieu m'accompagne et je le prie de veiller sur vous deux que
j'aime tant et que j'embrasse tendrement.*

*Votre Claude*
XXXXXXXXXXX

Cette missive reçue le 28 août à Montréal aura pour effet de
rassurer les parents de Claude qui lui répondent le 30 août 1959,
chacun à son tour. Sa mère l'encourage en ces mots :

*Continue ton chemin tracé par Dieu, il te suivra, te pro-
tégera jusqu'au bout, ne l'abandonne jamais. Il te demande
beaucoup de sacrifices et de travail, mais sachant bien la
grande foi que tu possèdes en Lui, c'est une preuve d'amour
en laquelle il a toujours répondu. Quand l'ennui sera trop
grand, écris-nous comme tu le fais si bien ; de cette façon,
nous nous sentirons plus près les uns des autres, car c'est bien
humain d'éprouver des moments de solitude…*

Pierre Léveillée, quant à lui, signe la deuxième page de cet
envoi après avoir élaboré sur des questions pécuniaires qu'il règle
pour son fils. En bon père de famille, pragmatique et gestionnaire
prudent, il offre sa collaboration financière :

*Si tu as besoin au point de vue finance de l'autre côté, ne te gêne pas, nous nous arrangerons pour t'aider. Sois courageux comme d'habitude. La Victoire est proche et le beau message que tu désires livrer au Monde le sera dans un court délai. Continue de surveiller ta santé. Nombreux sont ceux de mes amis qui sont contents de toi, t'encouragent et te souhaitent pleine réussite pour un de nos petits canayens.*

*Une bonne poignée de main de ton père qui pense très souvent à toi et aussi qui est bien fier de toi.*

La Victoire avec un grand V est proche... Que d'encourageantes paroles d'un père à son fils mais aussi quelle charge de mission ! Comme il ne voudrait pas le décevoir !

Depuis son arrivée, Claude a accompagné Édith durant une semaine entière pendant sa tournée, profitant de ce moment pour se lier d'amitié avec l'amoureux de Piaf, le peintre américain Douglas Davis. La semaine suivante, il se retrouve sans elle à sa maison de campagne de Condé-sur-Vesgre, dans les Yvelines, et il ne sera pas témoin, le 30 août, de la rupture entre Piaf et Davis qui en marre du mauvais caractère de la diva et qui s'est enfui à Paris par le train. Édith, en colère, ira en boîte au Biarritz, et c'est le premier septembre que Madame Piaf rejoint « son petit Canadien » pour se reposer dans son havre de paix et l'entendre composer pour elle. Mais ce moment de villégiature qui devait lui permettre de reprendre son souffle avant d'entamer une tournée en Algérie s'arrêtera là, dans la nuit du 20 au 21 septembre. On amène Édith d'urgence à l'Hôpital Américain de Paris où les médecins diagnostiquent une pancréatite pour laquelle elle sera opérée le 22 septembre. Le lendemain de cette intervention chirurgicale, de l'appartement du 67 bis, boulevard Lannes à Paris, Claude écrit à ses parents que la victoire pourrait être un peu retardée.

*Paris, mercredi 23 septembre 1959*

*Bonjour petite maman, bonjour papa,*

    *C'est votre fils, exilé par l'amour de son art, qui veut vous causer quelques instants, trop courts bien sûr. Il y a déjà un mois que je suis sur le sol français. Je ne vous cacherai pas que la lutte est terrible à tous points de vue ; mais ça ne fait rien, vous m'avez donné tous les merveilleux instruments pour lutter et vaincre fermement.*

    *Ma vie à Paris est plutôt calme depuis une semaine. Madame Piaf est entrée en clinique médicale pour un repos de 3 semaines afin d'être en forme pour sa prochaine tournée de 60 villes en Afrique du Nord (Algérie) à compter du 21 octobre – il est fortement question que je fasse cette tournée. Ma santé est très bonne – je ne me connaissais pas ce talent d'adaptation rapide. À Paris tout est lumineux, tout est soleil, tout est chaud, tout est majestueux et profond – remarquez qu'il y a ici des imbéciles et des ratés comme dans toutes les villes du monde. Je me promène un peu dans les différents quartiers de Paris – les quais de la Seine, Champs Élysées, St-Germain des Prés, Montparnasse, Bois de Boulogne, Passy, les terrasses des cafés, la Tour Eiffel, les Tuileries, etc. Je suis seul à l'appartement de Madame Piaf avec sa cuisinière, sa femme de chambre, le chauffeur et la secrétaire (c'est pas toujours très drôle ces domestiques).*

    *Heureusement, il y a un phonographe, des disques et un superbe piano à queue, la radio et la TV, mais les heures de repas sont très différentes de l'Amérique. Le petit-déjeuner à 9h, le déjeuner à 1h30 pm, le dîner à 7h30 pm et le souper à 10h30 pm, donc 4 repas par jour – je vous avoue que c'est assez agréable. Je regarde avec envie les magnifiques vitrines des plus grands magasins du monde, mais ça fait un peu mal de ne pouvoir rien acheter car c'est très cher et un gars comme moi qui commence à zéro doit en prendre son parti. C'est ainsi qu'est la vie. Et je pense toujours avec une joie profonde qu'un petit enfant va naître bientôt et vous serez grand-papa et grand-maman d'un futur grand pianiste, car il voudra sûrement dépasser son papa, le faiseur de chansons. J'espère que vous n'êtes pas trop déçus d'avoir un fils qui fait des chansons ; peut-être seriez-vous plus fiers d'avoir un médecin, un avocat ou un grand industriel… Enfin, je crois que Dieu l'a voulu ainsi et que je n'ai pas fait erreur en m'exilant pour la voie qu'il m'avait tracée.*

*Maintenant, parlons un peu de vous. J'espère que maman se ménage très bien et ne se fait pas trop de soucis pour son Claude qui devient un homme à l'étranger, et que toi papa, tu es toujours le grand pilier, fort, honnête et bon comme l'amour. Vous aimez toujours votre bon petit appartement ? Je suis heureux de vous savoir enfin réunis dans un quartier qui aurait dû toujours être le vôtre. Les programmes de TV sont toujours aussi bons ? Et ma petite sœur Raymonde, comment va-t-elle ? Ça doit être très dur pour elle. Dites-lui que je pense souvent à elle et que si ma solitude et ma souffrance intérieures d'exilé comptent un peu dans la balance des offrandes à Dieu, je leur offre pour son bonheur à elle et son mari et pour que leur petit enfant, lui, soit une lumière à visiter et une force. Père à l'étranger, c'est pas très, très rigolo – redites à ma Miche combien je souffre avec elle et combien je suis fier d'elle et je voudrais qu'elle le soit autant de moi. J'attends mon poupon et ma femme avec tout l'espoir que j'ai gardé de la vie. De grosses bises à Michelle, Isabelle et grand frérot Jean. Des amitiés à tous ceux que j'ai pu oublier (tante Thérèse et ses deux filles). Je vous laisse tous deux – priez très fort pour moi – je vous embrasse tendrement et pense sans arrêt à vous deux, ma petite maman et papa que j'admire tant.*

*À la prochaine lettre,*

*Claude*

*P.-S. Écrivez-moi souvent.*

Au moment d'écrire cette lettre, Claude n'imagine pas que dans les jours qui vont suivre, il passera beaucoup de temps au chevet d'Édith qui ne se remet pas si facilement de sa pancréatite. C'est le 25 septembre, alors qu'il est chargé de surveiller le ballon ventilatoire, témoin de la respiration de Piaf, que Claude apprendra par un télégramme la naissance de son fils Pascal. Claude est déchiré de ne pas être présent auprès de son épouse et de son fils. La longue hospitalisation de Piaf et la précarité de son état de santé sèment le doute chez Claude quant à la possibilité que son épouse puisse le rejoindre à Paris dans les prochaines semaines. Il lance un appel au secours à son père pour que celui-ci parvienne à la dissuader de venir le rejoindre avec l'enfant dans cet univers incertain où la maladie règne davantage que la musique et la fortune.

*Paris, mardi 7 octobre 1959*

*Bien cher Papa,*

*C'est la première fois de ma vie que je ressens au plus profond de mon être tant de responsabilités qui peuvent peser sur les épaules fragiles d'un gars de 27 ans qui est en train, en ce moment, de risquer le tout pour le tout. Car le même gars, il y a deux mois, s'engageait lourdement et fermement sur un oui dans toute la grande aventure qui s'offrait à lui.*

*Depuis, j'ai déjà essuyé de rudes et effroyables combats, physiques et moraux ; grâce à Dieu, grâce à mon amour pour ma femme et mon Pascal, j'ai réussi à me maintenir en un équilibre assez stable. La partie n'est pas finie, elle est loin d'être gagnée. Je pense même qu'elle s'annonce très dure. Au moment où ma femme vient de terminer un acte de courage sans bornes, Pascal, moi je m'apprête à franchir la dernière partie de mon champ de bataille.*

*Après avoir tout quitté, après avoir tout encaissé depuis 6 semaines, fatigue, désespoir sur désespoir, attente sur attente, situations INIMAGINABLES, angoisse sur angoisse, paternité à l'étranger, je me retrouve au 7 octobre devant ceci : Piaf sort dimanche, le 12, je vais au Hallier à sa ferme où durant la convalescence (indéterminée, 1 à 2, 2½ mois) elle s'engage à me préparer à démarrer dans X temps.*

*D'autre part, ma femme et mon fils attendent le moment de me rejoindre ; financièrement je suis dans l'impossibilité de les faire venir de suite. J'oublie que je crève d'ennui, et je sais que c'est le dernier pas à franchir.*

*J'aimerais tant que ma femme comprenne dans quelle impuissante impasse et angoisse je me trouve. D'une part l'amour de ma femme, d'autre part, je joue en ce moment l'ENJEU de toute ma carrière future. Je demande à ma femme et à vous tous, toi papa, maman et à mes beaux-parents de comprendre la gravité de ma situation actuelle. Si je retarde le plus possible la venue de Miche et Pascal en France, c'est que ce serait une FOLIE de les faire venir maintenant.*

*Si je te raconte ces choses, papa, c'est pour que tu puisses bien les faire comprendre, assimiler et digérer par ma femme. Je lui ai écrit ces choses cet après-midi, mais j'ai peur qu'elle* se décourage et qu'elle ne se rende pas compte de la gravité de son arrivée trop prématurée à Paris.

Je sens et je sais que la situation va bientôt atteindre son paroxysme. Je vous demande de redoubler de confiance en ce que je vous dis, car c'est moi qui suis sur le champ de bataille ; il n'y a que moi qui puisse voir vraiment ce qui s'y passe. Crois-moi papa, je déploie en ce moment toutes mes énergies, tout ce qui me reste d'amour, de force, d'espoir, de contrôle et de lucidité pour gagner cette étape qui s'annonce très dure pour moi et surtout ma femme.

Ta lettre m'a tellement fait de bien, j'ai tant besoin qu'on m'écrive ; merci encore pour ton magnifique présent de $100 Je n'y touche pas, je vais tellement en avoir besoin bientôt. Il n'est plus question que je retourne au Canada : *VAINCRE ET GAGNER*, c'est tout ce qui me reste à faire en France. Je te remercie beaucoup pour toute la générosité dont tu fais preuve à mon égard. Ne vends pas tout de suite l'auto à moins que ma femme te le dise – elle seule peut juger si c'est nécessaire ou pas pour elle. Tout ce que j'ai laissé en arrière lui appartient et qu'elle en dispose comme elle veut. Tu peux quand même (et j'y compte beaucoup) la conseiller et la seconder.

J'embrasse très fort ma petite maman et qu'elle ne s'en fasse pas pour son Claude, il vaincra avec Dieu. Encore une fois, merci à vous deux pour tout. J'espère un jour vous le rendre au centuple.

> Votre fils qui vous aime
> et vous embrasse très fort,
> Claude

Si cette lettre était lue hors contexte, on pourrait croire que son auteur est un soldat coincé au front dans une tranchée boueuse, et qu'il l'a écrite sous un bombardement aérien !

Mais c'est bien ainsi que Claude se sent, à la guerre. Car il a quitté sa femme et un enfant à venir avec une promesse, revenir victorieux de l'Europe et de son combat pour vivre de sa musique.

Le mercredi 14 octobre, Piaf reçoit finalement son congé de l'Hôpital Américain et entreprend sa convalescence à son appartement du boulevard Lannes à Paris. Lorsque ses forces le lui permettent, elle s'offre quelques répétitions. Claude habite chez elle dans une chambre de bonne et se tient à sa disposition pour ces bons moments.

Un peu d'espoir pointe à l'horizon comme on peut le lire sur une carte postale envoyée vers le 25 octobre de la campagne française.

> *Bonjour papa, maman,*
>
> *Je reviens actuellement à la vie même si j'ai dû encaisser une période très dure, croyez-moi. Mais je suis heureux, je suis rentré à Paris hier soir et je dois partir dans les Alpes avec Madame Piaf dans 3 semaines. Nous préparons un tour de chant pour Alger le 5 novembre pour 15 jours et il y a l'Olympia à Paris en février. Des articles paraissent dans la revue française MUSIC-HALL no 54 et dans France Dimanche. Je vous envoie des copies sous peu. J'ai trouvé un petit appartement à Neuilly (un miracle !). J'ai engraissé de 4 livres. Je pense souvent à vous. J'ai reçu vos nouvelles qui m'ont fait grand plaisir.*
>
> *Clo-Clo*

Plus que quelques jours et il pourra accueillir sa petite famille : le père, la mère et l'enfant enfin réunis. Le gîte est trouvé et pour le moment, le couvert est assuré par la contribution de Pierre Léveillée et la vente de la voiture. Mais bientôt, Claude pourra subvenir amplement aux besoins des siens. Piaf va mieux, il ira mieux.

Une nouvelle vie commence, Léveillée devient parisien. Jeudi soir 5 novembre, en maître des lieux, il écrit :

*Très chers parents,*

*Il est minuit et je viens de rentrer chez moi, dans mon nouvel appartement après avoir passé la journée chez Piaf où l'on répète sans cesse, tous les jours, deux de mes chansons qu'elle veut intégrer dans son nouveau tour de chant. Elle doit les enregistrer sur son nouveau microsillon au début de décembre et elle va les créer à l'Olympia devant le tout grand Paris le 4 février prochain. La première chanson est* La vie *qu'elle a quelque peu transformée côté paroles. La seconde, c'est une mélodie très rythmée, très mélancolique et très rustre que j'ai composée à Paris il y a un mois. Les paroles seront de Michel Rivgauche, l'auteur de* La foule. *Je ne ferai probablement pas la tournée d'Afrique du Nord, ni l'Olympia, ce serait trop prématuré ; de toute façon, j'ai d'autres musiques à faire pour Madame Piaf. Entre-temps, un autre des grands paroliers et poètes de la France, Henri Contet (auteur de* Bravo pour le clown) *refait le texte des* vieux pianos *selon une idée originale de Piaf. Je suis très heureux de tout ceci, car ça va me permettre de rester au foyer et de vivre intensément avec ma femme et mon petit Pascal.*

*J'ai rencontré depuis 15 jours les plus grandes personnalités du music-hall parisien, y compris les musiciens, poètes, écrivains et éditeurs. Je crois que dès la sortie du microsillon de Madame Piaf, je pourrai commencer à toucher un peu d'argent pour pouvoir me dépanner à Paris en attendant de toucher les droits d'auteur sur ce disque de Piaf. Ce qui ne serait pas à dédaigner je crois et j'espère. Heureusement que Miche et Pascal seront bientôt avec moi, car je vous avoue que ça fera bientôt trois mois que je serai à Paris, et je me sens très seul et un peu abasourdi de cette nouvelle vie et de ce grand et nouveau métier de musicien-compositeur. Je dois* avouer que je passe de merveilleuses soirées seul avec Madame Piaf : elle me parle de sa vie, de son métier, de son art, de sa carrière, et on écoute beaucoup de musique. Elle me façonne comme si j'étais son fils dans le métier, c'est vraiment dans un sens un <u>monstre merveilleux, déroutant, enrichissant,</u> mais elle est tellement généreuse et sincère. Je crois que je vis en ce moment une grande chose à tous points de vue.

Vous savez, je pense sans arrêt à vous deux. Je suis parfois très inquiet de la santé de maman et de toi papa ; je reçois très peu de nouvelles de vous. Vous savez que c'est très dur de vivre à l'étranger, surtout que je crois ne pas être très près de revoir le Canada bientôt. Je ne vois pas beaucoup de spectacles : vous me connaissez, prévoyant comme toujours, je compte mes francs, franc par franc, car je ne veux pas que Miche et Pascal aient à souffrir de quoi que ce soit à Paris. L'appartement que j'ai trouvé, un vrai miracle, est situé au pied de la butte Montmartre. Le métro est au coin de la rue. C'est un petit 4 pièces chauffées avec poêle, frigidaire et lessiveuse automatique. Maman a dû sûrement prier très fort. Je vois venir les fêtes un peu tristement, mais sachez que moi, Pascal et Miche, ce jour-là, nous serons avec vous avec nos trois petits cœurs battants très forts d'Amour pour vous deux, même si on est exilés pour quelque temps. Croyez bien que si Dieu me fait le moindrement cadeau de beaucoup d'argent, je sauterai dans le 1er avion pour aller vous embrasser.

Merci encore une fois papa et maman pour votre cadeau de $100, il m'a permis de retenir l'appartement et de payer mon premier mois de location en attendant que Miche m'apporte un peu d'argent gagné avec la vente de la voiture. Bon, ne soyez pas inquiets, je sens que le mauvais temps achève *et que le bon temps va bientôt commencer. D'ici là priez très fort pour nous trois à Paris ; je vous embrasse très fort et écrivez-moi souvent ça fait tellement de bien.*

*Votre Claude qui vous aime tant.*
*XXXXXXX*

*Au verso ma nouvelle adresse :*
*Claude Léveillée, 23 rue Eugène-Sue,*
*Paris, 18ᵉ arrondissement, Ornano-7650 ;*
*Piaf : Trocadero-1283.*

Pour les parents de Claude, cette lettre est un baume.

On peut présager que son épouse est arrivée à Paris avec son fils le 9 novembre puisque dans l'agenda de 1959, on y lit une calligraphie qui n'est pas aussi brouillonne que celle que j'ai l'habitude de décrypter avec loupe et lunettes ; on devine que Miche s'est amusée en écrivant secrètement ces mots : « Ce jour-là, vous aurez le bonheur ! ? » Ce bonheur tant espéré, c'est celui d'enfin présenter Pascal à son père. Ils sont maintenant trois à vivre l'aventure et Piaf est toujours en convalescence bien qu'elle reçoive Claude tous les jours en après-midi et, comme à son habitude, le garde avec elle jusqu'à très tard dans la nuit.

*Paris, vendredi 13 novembre 1959*

*Chers parents,*

*Je profite d'un moment de détente et de solitude en ce vendredi midi (1h moins 5) alors que Micheline est absente pour quelques heures, pour vous écrire et être seul avec vous deux. Petit Pascal fait son dodo, je dois lui donner son biberon d'eau dans ½ heure. Il est formidable, jamais il ne pleure. Il dort toutes ses nuits et va bientôt commencer à manger. Comme je rentre très tard le soir, fatigué et harassé, je ne peux pas me lever pour donner le boire au bébé, c'est Micheline qui le fait. Elle est admirable et très heureuse d'être à Paris.*

*Ici la température n'est pas trop froide quoique très humide ; notre petit appartement est sensationnel. En principe, je reste à la maison tous les matins et une partie de l'après-midi pour donner la chance à Miche de sortir un peu. Vers 3h de l'après-midi, je me prépare et me rends chez Piaf pour y parler, discuter, apprendre, rencontrer les plus grandes personnalités et surtout y répéter avec Madame ; c'est chez elle que je pratique et compose. Son salon est le mien, m'a-t-elle dit, et nous nous sommes liés d'une très grande amitié. Piaf n'a jamais été aussi en forme, elle revient vraiment à la vie. Elle ne s'entoure que de gens très bien et s'occupe de moi comme si j'étais son fils et me dirige avec toute son ardeur du métier. Je vais signer très bientôt un contrat d'exclusivité (2 à 3 ans) avec la maison Salabert, ce qui devrait me permettre de toucher régulièrement une certaine somme tous les mois pendant 3 ans. Ce serait déjà un minimum de sécurité. On ne devient pas vedette du jour au lendemain mais je suis privilégié. Ce sera long, mais ce sera pour longtemps je pense. Notre moral à Paris est bon et je crois que la grosse tempête est dissipée (je ne dis pas que je n'en passerai pas d'autres), mais comme je suis à l'école de la patience, c'est le critère de la réussite, je crois.*

*Nous nous sommes liés d'amitié avec Jean-Paul Fillion et sa femme qui sont devenus de très bons amis à nous. Je fais actuellement une demande de bourse auprès du Conseil des arts du Canada avec une lettre de références telles que Roger Duhamel, Édith Piaf, Marguerite Monnot, M^{me} Salabert, Lagache de Paris-Match, ça devrait marcher. Je vous tiendrai au courant. Je vous avoue que je m'ennuie beaucoup de vous deux. J'aimerais bien que maman m'écrive un petit mot, je sais qu'elle prie très fort pour moi, pour Miche et Pascal, la preuve, c'est que le miracle s'est encore une fois de plus accompli. Et je suis sûr que sans les prières de maman, je n'aurais probablement pas été capable de passer à travers. Je te donne une grosse bise, maman, il n'y a pas une journée qui passe sans que je pense à toi très, très fort. Mais fais attention à ta santé, je veux vous retrouver aussi joyeux et aussi pleins de vie que lorsque je vous ai quittés. Et toi papa, j'espère que mes finances ne te donnent pas trop de trouble. Je te serai reconnaissant toute ma vie pour tout ce que tu as fait pour moi, pour Miche et Pascal. Je te mettrai au courant de mes contrats signés et tu demeures le seul homme capable de gérer mes affaires, le seul en qui j'ai mis tout mon amour filial et toute ma confiance ; tout ce qui m'arrive c'est à vous deux, chers parents, que je le dois.*

*Côté finance en France, je suis capable de tenir le coup d'ici le 20 décembre. Mais avant cette date, j'aurai déjà commencé à toucher de l'argent de la maison Salabert. Et si j'obtiens la bourse, je serai sauvé définitivement (je n'inclus même pas le succès probable de mes chansons). Sachez que je vois venir Noël et le Jour de l'An un peu tristement, mais jamais je n'aurai été plus près de vous deux que durant ce temps des Fêtes. Le 3 décembre, Piaf doit mettre sur disque 3 chansons dont une des miennes, peut-être deux, car Michel Rivgauche termine les paroles de ma deuxième chanson. Ces deux chansons seront créées à l'Olympia le 4 février au soir. Je suis en pleine période de composition. Je lis beaucoup, mais je sors peu.*

*Miche et moi faisons des projets. Peut-être irons-nous passer mai, juin et juillet à Montréal pour nos vacances de l'été prochain. Car, définitivement, je vais faire ma carrière en France, je crois. Comme vous le savez, je suis déjà très estimé et très aimé des plus grands hommes de la chanson française. Piaf mise aveuglément sur mon talent et ma personnalité. Quant à Pascal, il se peut que nous puissions, d'ici peu, trouver quelqu'un (une gouvernante qui veille sur lui constamment à la maison, libérant un peu Micheline qui, comme moi, doit s'épanouir pleinement à Paris, à tous points de vue). Écrivez-nous souvent : ce n'est pas si rigolo que ça d'être séparé de ceux qu'on aime plus que soi par une mer Atlantique…*

Que d'espoir ! Avec la possibilité d'une bourse et de tels appuis, comment en douter ? Et ses chansons ? Certes, Edith retouche les textes pour qu'ils puissent être compris des Français, mais qu'à cela ne tienne, ses musiques seront sur le prochain disque de Piaf et elle les chantera sur scène. Puis Salabert vient de signer un contrat avec Claude et la patronne de cette maison d'édition elle-même consent à lui donner une avance ! Oui, tous les espoirs sont permis.

Mais Claude ignore tout des droits d'auteurs. Son contrat lui accorde deux sous par chanson, et il doit partager ceux d'*Ouragan* avec Michel Rivgauche qui a signé les paroles. Pour certaines, on fractionne même un cent en deux. Les fractions ont intérêt à s'accumuler à un rythme rapide s'il veut pouvoir s'offrir la vie dont il rêve.

Cinq jours plus tard, il semble que les parents de Pascal réalisent que la route sera plus longue que prévue avant d'atteindre le confort matériel. Piaf doit entreprendre sa nouvelle tournée et lorsque Claude travaille chez elle, son épouse se retrouve seule avec l'enfant. S'il part en tournée avec la diva, il lui apparaît inimaginable de faire vivre cela à Pascal. Elle écrit donc elle-même aux parents de Claude :

*Paris, le 18 novembre 1959*

*[...] Chaque matin nous espérons une lettre de vous... Quand viendra-t-elle... Claude travaille fort chez Madame Piaf [...]. Claude part en tournée cette semaine avec elle et il est possible que je sois seule à Noël et au Jour de l'An. Il n'est pas question que je l'accompagne :* same old story *! Ça va être dur... Pascal se porte très bien. Toujours aussi sage. Il boit maintenant son jus d'orange et mange du* Pablum. *Il fait des sourires quand on lui parle. Il est adorable. Peut-être devrons-nous le renvoyer à St-Sulpice, car ici l'avenir est très incertain et la situation ne tient qu'à un fil... Il serait inadmissible que Pascal qui passe avant tout le reste subisse des privations ou des contrecoups de la vie très instable (pour le moment) que nous menons présentement.*

Quand à Claude, ce même 18 novembre, il écrit une lettre très technique à son père qui veille sur ses affaires financières.

*Cher Papa,*

*Pardonne-moi le style bref de cette lettre : voilà ce dont il s'agit. J'ai rencontré le gérant de la Banque Canadienne Nationale à Paris, M. Goyer, qui a été très gentil pour moi. Voici ce dont nous avons conclu. Premièrement, je viens d'ouvrir un compte à la banque ci-haut mentionnée pour mettre en sécurité les francs liquides perçus par chèque ou de main à main des maisons d'édition qui achètent mes chansons. Cet argent me sert à vivre en France : loyer, nourriture, vêtements, sorties.*

*Deuxièmement, tout autre argent que je percevrai pour mes droits d'auteur (les grosses sommes, quoi) sera transféré et converti automatiquement en dollars canadiens à la Banque*

*Canadienne Nationale à Outremont (celle située au coin des rues Laurier et de l'Épée) tout près de chez toi. Troisièmement et conclusion : lorsque j'aurai besoin d'argent, tu n'auras qu'à me télégraphier la somme d'argent nécessaire (qui est illimitée) à la succursale de la Banque Canadienne Nationale rue Caumartin. Ci-inclus, des papiers SIGNÉS et ATTESTÉS par le gérant t'autorisant à ouvrir un compte à mon nom à la succursale d'Outremont. Tu n'as qu'à les présenter au gérant, M. Loiseau. J'ai cru bon agir de la sorte car tu sais qu'autrement, je ne peux pas sortir un franc de la France, tandis que je peux entrer tous les dollars possibles en France, ils en seraient au contraire très ravis. Bon, je te laisse, une lettre suivra. Embrasse bien fort maman, merci papa pour tout ce que tu fais pour moi, merci mille fois.*

*Claude qui vous aime tant.*
*XXXX*

Illimitée! Aujourd'hui vieux routier de la chanson, Claude Léveillée se tordrait de rire devant un tel enthousiasme et autant d'exaltation pour son nouveau métier de compositeur! Mais combien cette candeur que lui accordaient ses vingt-huit jeunes années est douce à lire.

Le vendredi 20 novembre est un grand jour. Piaf entreprend sa nouvelle tournée et fait sa rentrée sur scène au cinéma Les Variétés à Melun. Marlène Dietrich elle-même assiste à la création d'*Ouragan* et l'on entend enfin pour la première fois la musique de Claude ainsi que les paroles de Rivgauche. Piaf doit même l'enregistrer sur 45 tours le 3 décembre et la chanter en grande première lors de sa rentrée à l'Olympia prévue le 11 février. Elle compte aussi créer deux autres chansons dont Claude a écrit la musique, *Boulevard du crime* et *Les vieux pianos*. Entre-temps, les 21 et 22 novembre, Piaf donne un récital à L'ABC de Rouen. Claude l'accompagne et de là envoie une carte postale à ses parents.

*Chers parents,*

*Je suis au Havre avec Piaf qui a repris la tournée. La création d'*OURAGAN *a été accueillie avec grand enthousiasme et selon les observateurs est promise à un très grand succès. Je suis ici pour deux jours. On voit encore les restes des bombardements de la dernière guerre : ça fait réfléchir. Nous rentrons à Paris ce soir, dimanche. Au cours de ce voyage, nous avons traversé la Normandie, pays de nos ancêtres ; on ne peut pas oublier Dieppe. Ces voyages et chambres d'hôtel me rappellent la vie de papa. Sans vous deux, chers parents, je n'aurais jamais connu toutes ces joies, tous ces pays, merci encore une fois. À Paris, les vitrines des Fêtes sont resplendissantes. Mais étant très serrés financièrement, nous ne pourrons pas faire de cadeaux mais nous pensons à vous profondément.*

Claude rentre ensuite à Paris. Piaf doit quant à elle poursuivre sa tournée et se produire à Amiens, Abbeville et au Mans. Le 26 novembre, il prend le temps d'élaborer un peu plus que sur la carte postale qui a précédé, trop étroite pour contenir tous les mots des émotions vécues.

*Paris, le 26 novembre 1959*

*Mes chers parents,*

*En ce jeudi après-midi gris et monotone de Paris, je profite de ce que Pascal dort et de ce que sa maman est sortie pour vous écrire. Depuis un mois et demi, il fait gris et très humide à Paris ; la neige n'arrivera que dans un mois et demi pour un mois environ. Notre vie est plutôt calme et sereine. Miche et moi passons de longues heures, de 1h à 3h du matin, à parler de la vie, de notre vie, du futur. Même si ce n'est pas toujours drôle, nous tirons le maximum de cette expérience qui, croyez-moi, est des plus dure à tous points de vue, mais des plus vivifiante. Heureusement, nous chauffons au charbon (nous sommes très bien) ; je dois monter mes deux seaux deux fois par jour et descendre les cendres et les vidanges une fois par jour. Micheline sait égayer notre petit campement provisoire de son sourire confiant et de fleurs qu'elle achète très bon marché. Les blanchisseuses sont très mauvaises et c'est très long à se faire servir. La nourriture est excellente et lentement nous adoptons le rythme de ce Paris. Nous allons rarement au cinéma, mais nous prenons de longues marches sur la butte Montmartre, le long de la Seine et de ses quais. C'est pour nous deux une espèce de retraite fermée, une prise de conscience de notre vie à deux, de la vie tout court. Même si le matériel ne nous comble pas, par contre nous découvrons ensemble les valeurs fondamentales de la vie et de l'au-delà.*

*Ta lettre, ma chère petite maman, m'a bien fait plaisir. Je l'ai lue et relue plusieurs fois. Je ne sais trouver les mots pour t'en remercier et te dire combien elle m'a réconforté et fait chaud au cœur. On n'oublie jamais sa maman et elle reste toujours celle que l'on aime le plus, que l'on chérit le plus, même à 3,000 milles de distance. Sache qu'il n'y a pas une journée où mon esprit et mon cœur ne vont pas te rejoindre pour te dire combien je t'aime et combien j'ai hâte de te revoir. Quant à papa, c'est la même chose – entre hommes, on est moins démonstratif, mais c'est aussi fort par en dedans – tu me comprends puisqu'on est de la même chair, du même sang. Toi aussi tu me manques énormément. À chaque fois que je pose un geste, dis une phrase, prends une décision, je me dis toujours : « Qu'est-ce que ferait papa à ma place ? » Tu restes mon modèle d'homme et j'espère réussir ma vie aussi bien que la tienne. J'espère que mes affaires ne te causent pas trop de soucis et de démarches. Tu sais, j'ai une très mauvaise période à passer, une année très dure. Je ne sais jamais avec quoi je pourrai payer le loyer et la nourriture du mois prochain. Mais la Providence veille sur moi et à date, je ne manque de rien ; j'ai l'essentiel et c'est suffisant. Dans un an et demi, j'aurai probablement repris le dessus financièrement et si je réussis quoi que ce soit, ce sera à vous tous que je le devrai. Aussi crois bien, cher papa, que je sais reconnaître tout ce que tu fais et accepte pour moi. Je t'en remercie et n'ai qu'une idée, te revoir pour te dire combien tu es grand et généreux à mes yeux. (...)*

*Je compte passer les fêtes à Paris avec Micheline. Pascal reprend l'avion dimanche soir pour le Canada, pour rejoindre sa grand-maman qui le gardera jusqu'en mai. Micheline descendra vraisemblablement à Montréal le 7 mai. Moi, j'arriverai un peu plus tard. Cette décision a été prise après mûres réflexions ; vous saurez plus tard, l'été prochain, pourquoi. C'est un gros sacrifice pour Miche et moi, mais les circonstances l'exigent ainsi – encore une fois, que Dieu veille sur nous. Priez pour nous trois et écrivez-nous souvent.*

Voici donc une lettre inquiétante que reçoivent les parents de Claude. Ils se doutent que les choses ne tournent pas rondement, elles doivent être même graves pour que l'enfant fasse seul ainsi une traversée transatlantique. Pascal fut remis dans un moïse protégé par une boîte de carton entre les bras des hôtesses de l'air à l'aéroport d'Orly. Bien sûr, la séparation fut déchirante, mais la précarité financière du jeune couple les obligeait à s'assurer que l'enfant n'eût pas à supporter leurs difficultés. Papa Léveillée est perspicace, il répond ainsi à son fils :

*Bien cher Claude,*

*D'habitude je laisse ta chère maman, qui sait si bien laisser parler son cœur, répondre à vos lettres qui depuis quelque temps nous relatent vos quelques joies éphémères et vos nombreuses appréhensions de toutes sortes.*

*Cette fois-ci, la rentrée à Montréal, ce matin, de notre cher petit Pascal (qui a fait une excellente traversée) ainsi que le S.O.S. discret que j'ai pu discerner à travers vos confidences me porte à croire que je dois à mon tour entrer en scène, pour employer un langage imagé.*

*Bien cher Claude, j'ai compris que ta discrétion coutumière ne pouvait pas me montrer à nu la situation qui semble s'imposer à vous deux à Paris, par la force des circonstances. Cette situation ne nous est connue que par des bribes d'information que nous apprenons par vos lettres.*

*Je dois d'abord te dire, cher Claude, que mon état de santé s'est beaucoup amélioré, quoiqu'au bureau la tâche est dure et ingrate tenant compte de l'élément humain très difficile à manier en groupe sous ma surveillance. À tout évenement, je te demanderais de bien vouloir m'exposer en blanc et en noir ta situation financière présente et éventuelle jusqu'au mois de mars 1960, disons pour le moment, dû au fait que je vais essayer de vous donner un petit coup de pouce matériellement et participer un peu dans les efforts de géants que vous faites pour terrasser tous ces obstacles de toutes sortes qui semblent obstruer une route qui, j'en suis persuadé, s'ouvrira bientôt ensoleillée et pleine de réussite d'ici peu de temps. Je laisse ici la composition française pour en venir au fait.*

*Je t'envoie par la Banque Canadienne Nationale un montant de $100 qui, je crois, te sera utile présentement pour égayer un peu cette période des Fêtes que vous passerez malheureusement loin de nous.*

*Je te demanderais de bien vouloir te confier pleinement à moi et m'exposer toute la situation dans ta prochaine lettre que j'attends incessamment. Car j'ai l'intention arrêtée de continuer à vous aider financièrement et dans la mesure de mes moyens, c'est-à-dire que je vous enverrai $50 par mois afin de surmonter au moins une partie de ces obstacles matériels jusqu'à ce que votre bateau puisse faire voile sur une mer calmée.*

*Je t'en supplie, accepte mon offre et ouvre ton cœur tout grand à ton papa qui sait te comprendre et qui désire connaître toute la vérité plutôt que de le laisser se perdre en conjectures et inquiet. Tout cela sera entre nous et strictement confidentiel.*

*Tous ces sacrifices sans nombre que vous vous imposez mutuellement sont de l'argent comptant pour acheter ce bonheur qui vous tient tant à cœur ainsi qu'à nous et que vous méritez si bien.*

*TENEZ BON – JE NE PEUX ME TROMPER SUR TOI, CLAUDE, TU ES SUR LE POINT D'AVOIR LA RÉUSSITE COMPLÈTE – VOUS BRÛLEZ COMME ON DIT EN BON CANADIEN.*

*Papa, qui vous aime bien et qui ne souhaite que votre bonheur complet, à bientôt.*

Quel appui, n'est-ce pas? Que de foi en son fils et en son talent! Imaginez ce que cette aide financière représente en 1959! Claude Léveillée portait déjà à son père une admiration sans bornes, mais dès lors, il lui vouera une reconnaissance éternelle. Dans ses prochaines lettres, mais aussi tout au long de sa vie, il ne cessera de remercier son père et sa mère à qui il doit sa vie d'homme et d'artiste.

À Paris, Claude guette un moment précis, celui où Édith va enregistrer ses chansons. Depuis son arrivée en France, il compose pour elle comme prévu, mais elle a été si malade qu'il lui a fallu patienter en priant pour son rétablissement. Elle a repris la route de la chanson depuis le 20 novembre, mais dans quel état ! Claude voit régulièrement les dates des sessions d'enregistrements reportées à plus tard. Piaf lui promet que le jour est proche.

Être si près du but... Mais cette attente, pour une mère séparée de son poupon, est une éternité. Son mari semble être le jouet d'une capricieuse diva. La tension est dans l'air... Le 3 décembre, Claude télégraphie d'urgence à son père lui demandant quatre cents dollars pour retourner au Canada. Car ce soir-là à Maubeuge, Édith a encore un malaise sur scène. Le lendemain, tandis qu'Édith va encore au bout de ses limites dans un récital à Saint-Quentin, Claude, lui, s'écrase en pleine rue de Paris, ne pouvant plus se porter sur ses jambes.

Le 4 décembre, Claude est hospitalisé ; il a même peur d'être amputé. Deux jours plus tard, de sa chambre d'hôpital, Micheline écrit toutes ses inquiétudes à ses beaux-parents et ne cache plus rien.

*Mercredi 9 décembre 1959*

*Cher papa Léveillée,*

*Je suis actuellement dans une position curieuse, sinon tragique qui nécessite des explications fournies par cette lettre. Claude, la semaine passée, vous a télégraphié demandant $400. Ceci devait nous permettre de régler nos obligations et de nous mettre en route pour le Canada. Après y avoir longuement réfléchi, nous avions décidé de partir le 13 décembre, Madame E. Piaf étant saoule 24 heures sur 24. Elle a* aussi recommencé à se droguer. Tous attendent sa mort d'une journée à l'autre. Or, depuis trois jours, Claude a commencé à éprouver des douleurs dans le genou droit et vendredi, la douleur était si intense qu'il pouvait à peine marcher. On a donc été voir le docteur Berthelot (qui soigne Édith). Celui-ci, ne pouvant diagnostiquer précisément le mal, nous envoya au docteur Roy-Camille (un des meilleurs de France paraît-il). Celui-ci déclara une ostéomyélite et l'envoya en clinique sur-le-champ. Il a maintenant la jambe droite entière dans le plâtre et de la pénicilline lui coule dans le bras gauche sans arrêt. Si tout va bien, il sera sorti samedi et pourra recommencer à marcher. Il partirait alors autour du 19. Lui, par avion, et moi, par bateau. De toute façon, vous nous reverrez bientôt… Je me demande QUEL bonheur il faut payer si cher. Édith n'a pas encore enregistré les chansons de Claude. La session est remise à la fin du mois (pourvu qu'elle accepte de payer le compte de clinique!). On s'ennuie tellement de vous. En ce moment, Claude est à côté de moi : il somnole dans le lit blanc de la clinique Jouvenet. C'est la meilleure clinique de France et ils le tireront de ce mauvais pas.

Je vous remercie infiniment tous les deux au nom de Claude et du mien, d'avoir si généreusement répondu à notre S.O.S. Nous n'avons appris qu'hier, dans votre télégramme, la somme de $100 déjà câblée, avenue Caumartin. Comment pourrons-nous vous rendre tout ça? J'espère que notre affection sincère vous dédommage un peu de tous ces soucis causés par nous. Je voulais demander aussi à papa Léveillée à quoi doit-on s'en tenir au sujet de l'assurance-maladie de Claude. Cela est-il valable à l'étranger? Devons-nous attendre un remboursement au Canada ou l'échange se fait-il directement à la clinique? Je vous serais très obligée de nous fournir *ces détails. Du côté financier, avec ce solide coup de pouce de votre part, ça va aller très bien. Assez en tout cas pour rentrer au « bercail »… avec joie malgré tout ce que Paris offre de beau !*

Sur la même lettre, elle poursuit :

*Je vais maller cette lettre aujourd'hui, donc autant y ajouter un autre mot. Tout va très bien du côté Clo-Clo. Son genou ne lui fait plus mal. Ce n'est plus qu'une question de jours pour avoir la sécurité complète. Il semble que le microbe soit enrayé. Claude sortira samedi et reviendra ici, rue Eugène-Sue, pour quatre ou cinq jours. Roy-Camille dit qu'il pourrait alors effectuer le voyage, soit en bateau, soit en avion. J'aime mieux qu'il parte en avion car la traversée en bateau est longue et parfois difficile. Donc, ne vous inquiétez pas, tout va bien. Et vive le Canada ! À bientôt… Merci encore de votre confiance.*

*Micheline qui vous embrasse très, très fort.*

*Merci maman Léveillée pour votre bonne lettre. Que vous êtes gentille ! Ça m'a fait tant de bien de vous lire et vous trouvez si bien les mots pour me parler. Merci encore !*

Claude quitte la clinique tel que prévu le samedi 12 décembre tandis qu'Édith, donnant le lendemain un récital à Dreux, s'écroule encore une fois. Elle est ramenée d'urgence à Paris, puis hospitalisée à la Clinique Bellevue pour y faire une cure de sommeil. Micheline et Claude retournent auprès des leurs et Claude a les mains vides. Édith est une belle au bois dormant qui n'a pas la force d'écrire à son petit Canadien, mais qui délègue à ses amis les messages qu'elle veut lui adresser. Pas question de poser une croix ni sur sa tombe, ni sur leurs chansons !

Pourtant, à peine sortie de sa cure pour fêter Noël chez elle, Edith Piaf rechute : la veille du Jour de l'An 1960, elle retourne à la Clinique Bellevue où l'on diagnostique une jaunisse. Le 6 janvier, on la transfère à l'Hôpital Américain de Paris où elle demeure jusqu'au 27 janvier avant d'entreprendre une autre convalescence à son appartement du boulevard Lannes. Cette retraite se fera cette fois sous haute surveillance, l'alcool et la drogue devant être tenus loin de l'oiseau fragile et blessé qu'est devenue Madame Piaf.

À son retour, les journaux du Québec se ruent vers l'enfant prodigue. Mais Claude doit se défendre de revenir bredouille. On peut lire en gros titre dans le *Photo-Journal* (semaine du 2 au 9 janvier) : «Non, Piaf ne m'a pas laissé tomber!» avec le chapeau qui suit : «On a interprété de plusieurs façons le retour inopiné du chansonnier Claude Léveillée à Montréal. Certains journalistes à l'imagination trop fertile ont déclaré dernièrement que "Madame" (Piaf) avait abandonné son jeune protégé et que l'ancien Bozo avait dû regagner son pays, laissant en plan ses trop beaux projets [...]»

Claude cite alors, comme preuve à l'appui, les paroles qu'Édith vient à peine de lui dire quelques jours avant son départ : «Je souhaite que tu ne doutes jamais de ton talent!» Claude profite aussi de cette entrevue pour régler des comptes en affirmant qu'il s'est fait de «vrais amis» à Paris : Jean-Paul Fillion, Félix Leclerc, André Roche, Ginette Letondal, Robert Gadouas, etc. Ce ton amer déclenche cette riposte chez la journaliste Huguette Charbonneau :

– Mais tu as aussi de bons amis au Canada !

– Bien sûr, bien sûr !

– Et les Bozos ?

– Pas de nouvelles. Il semble que l'on m'ait renié ou oublié… Pourtant, je leur ai donné des nouvelles à plusieurs reprises. Je ne comprends pas. Un des Bozos aurait dit en présentant son numéro : «Moi, je n'ai pas besoin de Piaf pour réussir!»…

Cette rivalité artistique engendre alors chez Claude Léveillée une méfiance qui le poursuivra toute sa vie, mais qui lui donne aussi à ce moment le coup de fouet nécessaire pour retourner auprès de Piaf coûte que coûte et ne revenir qu'avec des chansons bien gravées sur vinyle !

Claude a tout de même en lui ses musiques composées pour Piaf. Elle lui interdit peut-être de monter sur scène avant deux ans, ne le jugeant pas encore prêt, mais cela ne vaut que pour la France. Au Québec, Claude est chez lui !

Jean-Paul Ostiguy, un ancien camarade de l'Université de Montréal devenu médecin, est également le propriétaire du cinéma Élysée. Il offre à Claude d'y donner un récital les 29 et 30 janvier. C'est en ce lieu que le public entendra pour la première fois *Blues*, *Troïka* et *Boulevard du crime* qui lui vaudront une puissante ovation.

Piaf poursuit sa convalescence et reprend lentement des forces. De son côté, Claude est attendu et s'apprête à retourner à Paris avec Micheline. Juste avant son départ, il offre une prestation à la télévision le 4 février. Il interprète alors *Ouragan* et rencontre Michel Legrand sur ce même plateau ; ils se plaisent même à jouer à quatre mains devant l'animateur Pierre Nadeau.

*Paris, le 6 février 1960*

*Chers parents,*

*Nous avons fait une traversée magnifique : nous avons pu dormir à bord de l'avion. Accueillis par des amis, les Harmont, nous avons pris notre premier souper en famille et passé une bonne nuit. Paris nous apparaît comme si nous ne l'avions jamais quittée. Mme Piaf prend du mieux. Nous habitons un gentil petit hôtel à Neuilly ($2.30 par jour). Ici c'est le commencement du printemps – Miche et moi sommes très heureux et voulons profiter sainement de notre séjour, peut-être le dernier auquel vous collaborez avec tant d'amour et qui nous touche tant. Nous nous ennuyons beaucoup, déjà, de notre Pascal. Quant à vous deux, vous savez tout l'amour que Miche et moi vous portons.*

*Nous avons revu les Fillion, ils sont très heureux et n'ont pas changé. Excusez-nous si nous avons tardé à vous écrire ; il a fallu pendant ces deux derniers jours s'installer et s'orga-*

*niser. Soyez assurés que nous pensons très fort et très souvent à vous deux. Évidemment, nous avons peu de nouvelles à vous apprendre étant donné que nous venons à peine de débarquer. Mais ne vous inquiétez de rien, tout va pour le mieux. Demain je rends à nouveau visite à Piaf avec Micheline. Nous avons repris les vieilles habitudes de Paris, croissants et café et longues promenades sur les boulevards. Si Paris nous éblouit moins que la première fois, elle sait nous faire revivre et pour le moment nous en avons besoin. J'espère que l'hiver n'est pas trop rude pour vous. Ici, la guerre d'Algérie semble terminée, on en parle comme au passé. Bon, eh bien, je crois que je vais vous laisser. Ma petite femme se joint à moi pour vous embrasser. Nous attendons de vos nouvelles. Ne vous inquiétez surtout de rien – tout va très bien. Je vous communiquerai au fur et à mesure la marche des événements. Embrassez très fort Pascal pour nous si vous le voyez et transmettez nos amitiés au reste de la famille. Écrivez-nous à 67 boulevard Lannes, Paris,* XVI *(chez Édith Piaf) en attendant la nouvelle adresse.*

*À bientôt.*
*Mille baisers, Claude et Miche*
*XXXXXXX*

Les revoilà donc à Paris, guère plus riches qu'avant mais assurés de l'appui de papa Léveillée devenu mécène temporairement. Peu de temps après, ils quitteront le petit hôtel pour s'installer dans un studio au 116 rue de Reuilly, dans le XII$^e$ arrondissement, du côté de Daumesnil. L'endroit est coquet, ensoleillé, et le loyer est de trente-six dollars. Tous les matins, une trentaine de pigeons viennent les réveiller à la fenêtre ; ils leur donnent des miettes de pain et roucoulent avec eux. Plusieurs Canadiens logent au même endroit, dont Aubert Pallascio, jeune comédien de 23 ans venu faire sa formation au Centre d'Art dramatique de Paris. Celui-ci se rappellera plus tard de sa surprise le jour où il se fit voler le moteur de son vieux scooter qui avait suscité plus d'intérêt chez les malfrats que celui, tout neuf et fraîchement loué, de son compatriote Léveillée !

Claude reprend les répétitions avec Piaf tous les deux jours. Il fait soleil à Paris et les arbres ont commencé à bourgeonner. La Seine est plus belle que jamais, les murs de l'appartement se tapissent de photos, les matins sentent bon les croissants chauds et les bols de café au lait. Il ne manque plus que la bourse du Conseil des Arts pour que le mot bonheur soit prononcé. Le 17 février, Claude donne des nouvelles comme à son habitude :

> (…) *tous les jours, je vais chez Piaf qui se remet lentement de sa rechute de jaunisse, mais qui a conservé sa voix superbe et sa volonté d'acier. Elle a annoncé son entrée à l'Olympia pour le 7 avril prochain, mais je crois qu'elle sera un peu retardée (à mon avis). Comme vous le savez, elle ne se drogue plus et ne boit plus : elle suit si vivement son régime. Nous répétons mes 4 chansons :* Ouragan – Boulevard du crime – Suspense – Le Pauvre Mec. *Elle est en train de faire les paroles sur deux de mes trois nouvelles musiques que j'ai faites depuis mon arrivée à Paris et que j'aime de plus en plus. Il y a deux jours, j'ai tourné pour Télé-France Film un court métrage de ¼ d'heure avec Jacques Normand pour l'émission* Frère Jacques *qui doit passer incessamment à la télévision canadienne (le samedi soir après la partie de hockey, je crois) ; surveillez bien et vous verrez. Il se peut que je tourne pour cette même compagnie des téléromans (comme comédien). Il n'y a rien de sûr, mais ça s'annonce intéressant. J'attends Matti[1] la semaine prochaine, je dois vendre 2 de mes chansons au début de mars. Continuez à prier. Je pense que ça démarre, lentement mais sûrement. Comme vous le voyez, je ne perds pas mon temps.*

---

1. Jacques Matti, animateur de radio et producteur de disques d'origine française, installé au Québec.

À la fin de février s'amorce le grand projet que Piaf veut réaliser avec Claude et Michel Rivgauche. Édith veut un ballet, des danseurs, un décor fastueux, et elle chantera ; elle sera *La Voix* ! Selon la mise en scène prévue pour ce ballet, l'action se déroule un 14 juillet et se déplace dans le métro, à l'usine, le long des quais de la Seine et parmi les marchands des quatre saisons. La chorégraphie sera signée Pierre Lacotte, l'un des premiers danseurs de l'Opéra de Paris, et la scénographie assurée par Paul Clayette, alors jeune décorateur.

Claude subsiste grâce aux petits rôles que lui offre Jacques Normand qui l'aide beaucoup. Il a rendez-vous avec Madame Salabert vers le 3 ou 4 mars pour la vente de nouvelles chansons qu'il a terminées depuis son retour en France.

Édith ne manque pas une occasion de présenter Claude à son cercle d'amis et de relations et de le faire jouer devant ces grands messieurs que sont Marcel Carné et son complice Jacques Prévert, respectivement réalisateur et scénariste du magnifique film *Quai des brumes*. Elle lui présente aussi son ami Jean Cocteau (qui, avec toute sa poésie, avait baptisé Édith l'Ange noir de la chanson), Morris Carbono, producteur de cinéma, Henri-Georges Clouzot, scénariste et réalisateur qui sous sa caméra saisit ces géants que sont devenus les Simone Signoret, Yves Montand et Paul Meurisse, et qui vient tout juste de signer *La Vérité* avec Brigitte Bardot. Oui, Édith fait entendre le piano de son petit Canadien à tous ces gens célèbres.

Annie Girardot sera la première à entendre *Rêve de gosse*, une pièce fraîchement écrite qui, pour des raisons d'adaptation linguistique, deviendra la fameuse *Légende du cheval blanc* pour le Canada.

Tous lui reconnaissent une forte personnalité musicale et semblent conquis. Il est permis alors d'espérer de grandes choses. Claude travaille ardûment avec Piaf et Michel Rivgauche sur le ballet. Il ne veut surtout pas que ses parents puissent croire un seul instant qu'il se croise les doigts et qu'il profite de Paris comme un vacancier.

Le printemps arrive dans la Ville lumière. Les maigres moyens de Claude ne lui permettent que des promenades au Zoo de Vincennes et de rarissimes soirées au cinoche. En voyant le tout Paris se vider pour la campagne les fins de semaine, Claude souffre de nostalgie en pensant à sa superbe *Chevrolet Bel Air* qu'il a dû se résigner à vendre.

Lors d'un dîner, le 4 mars, Piaf déclare à tous qu'elle reprendra ses activités le 14 avril et fera sa rentrée à l'Olympia. À la suite de cette annonce, une photo du trio Piaf, Rivgauche et Léveillée fait la une du quotidien *France-Soir* du 10 mars. Mais quelques jours plus tard, elle repousse encore de deux semaines la date promise pour s'assurer d'être en meilleure forme. Elle part donc pour sa maison de campagne au Hallier, où Claude doit la rejoindre après avoir tourné un petit rôle dans *L'Assassinat de tante Ursule*, une série policière pour la télévision ; le petit boulot gonfle légèrement ses poches d'un cachet de trente dollars.

Il entretient régulièrement sa correspondance avec ses parents, bien sûr par affection, et aussi pour les rassurer qu'il trime dur, qu'il ne chôme pas et que le fruit de tous ses efforts sera bientôt récolté. Lentement et sûrement, il pourra leur remettre au centuple cet argent qu'ils lui offrent si généreusement. Il se sent si redevable que ses lettres n'en finissent plus de témoigner de sa gratitude, mais aussi de sa culpabilité d'être un fardeau financier et de devoir faire subir à un enfant encore si jeune cette déchirante séparation de sa mère et de son père.

Il livre ainsi le 22 mars un tableau exhaustif de ses occupations présentes et à venir.

*Paris, le 22 mars 1960*

*Cher papa, chère maman*

*Je rentre des studios de St-Cloud où je termine mon deuxième télé-policier pour le réseau de télévision canadienne. J'y tiens un rôle secondaire d'inspecteur adjoint : j'ai fait 5 jours de tournage de 9h am à 7h le soir : à 7h30 tous les soirs, à la porte des studios, le chauffeur de Piaf me ramène au Hallier, à 60 milles de Paris ; je mange et hop ! au travail, c.-à-d. je termine la musique de la comédie musicale sur laquelle je travaille depuis le 25 février et qui doit durer 2 heures de spectacle. Je suis équipé de 2 magnétophones, les partitions d'orchestre sont en marche, la location du théâtre se fait cette semaine, les danseurs seront choisis bientôt et les maquettes sont pratiquement terminées. On commence les costumes cette semaine. Piaf répète tous les jours son tour de chant et la comédie musicale puisqu'elle en est la vedette, et si tout va bien elle fera l'OLYMPIA ou PLEYEL début mai. Elle veut être complètement rétablie pour sa rentrée et surtout pour la grande première de cette comédie musicale prévue le 13 octobre ou bien en février prochain. Voilà en quelque sorte les derniers développements. Les santés sont au meilleur – le printemps est arrivé – le moral est parfait. Pascal ne quitte pas nos esprits d'une seconde – pour lui je tente tout : espérons que Dieu m'épaulera…*

Début avril, Édith Piaf présente officiellement son protégé sur les ondes françaises de Radio-Luxembourg, puis de Paris-Inter. Elle y chante *Ouragan* et *Boulevard du crime*, et Claude chante *Le vieux piano*. Voilà que les choses avancent en apparence. Mais on pourra lire encore une fois que tout n'arrive pas comme prévu.

*Paris, le 4 avril 1960*

*Il y a du nouveau pour les futurs mois : les médecins ont conseillé à Piaf d'attendre en septembre pour faire sa rentrée à Paris. Voici ce qu'elle a décidé : elle ferait sa rentrée à Paris le 1er octobre en donnant en lever de rideau un petit tour de chant (8 chansons) et en seconde partie le Ballet ou la Comédie musicale sur laquelle nous travaillons (comme des mercenaires) depuis 6 semaines : car je me tape toute la musique*

*de scène et les 12 chansons c.-à-d. 2 h 30 min de musique.*
*Nous sommes très avancés pour ce grand spectacle qui devrait*
*nous lancer définitivement et nous apporter <u>enfin</u> des grosses*
*sommes d'argent.*

*Actuellement <u>deux</u> impresarios (les 2 plus grands de Paris)*
*s'occupent de la réservation du théâtre pour l'automne et de*
*l'argent à trouver (25 millions de francs) pour lancer la chose.*
*Nous formons une équipe formidable, le décorateur, le choré-*
*graphe, Piaf, Rivgauche et moi ; nous sommes pleins d'espoir*
*et d'optimisme. Nous croyons très fort à la réussite qui devrait*
*être mondiale si la vie nous porte chance. Piaf compte (quand*
*même) enregistrer pour le début mai Boulevard du crime,*
*Ouragan. Moi, j'ai pour deux mois encore de travail sur ce*
*ballet ; ensuite je compte aller me reposer (je le mériterai, je*
*crois). Dès que les enregistrements seront sortis, je vous en*
*ferai parvenir des copies.*

Pâques arrive, la correspondance retarde en provenance de
Montréal et Claude s'inquiète pour ses parents, son frère, sa sœur
et les membres de son arbre généalogique au grand complet ! Chaque
matin, il guette fébrilement le courrier ; voilà quatre semaines qu'ils
n'ont plus d'argent. Claude et Micheline ne se permettent pas les
appels outre-mer qui sont bien trop coûteux. La fidèle assiduité de
Laurette Léveillée avec ses lettres pleines de bons mots d'encouragement est essentielle pour les deux exilés.

Les vœux de Pâques arrivent finalement mais entre-temps,
l'éloignement du « petit lapin à sa maman » nommé Pascal pèse
trop lourd pour Micheline qui se retrouve souvent seule pendant
que Claude travaille avec Piaf. Elle n'en peut plus, elle sait que son
fils se promène partout dans la maison depuis un mois dans sa trot-
tinette et qu'il se tient seul debout, tout juste appuyé sur un fauteuil. C'est décidé, elle rentre au pays.

Claude explique la situation :

*Paris, le 29 avril 1960*

*Chers vous deux,*

*Veuillez m'excuser si j'ai mis un peu plus de temps à vous écrire. Depuis une semaine mes plans ont été un peu plus bouleversés ; remarquez que plus rien ne m'ébranle. Je me retrouverais au Japon demain matin, je n'en ne serais pas surpris ni désorienté. Vous avez eu cette grande joie, je pense, de revoir ma petite Micheline. Peut-être que vous vous posez des questions ; ne croyez surtout pas que ce soit un coup de tête, non. Tout simplement, après voir fait le bilan de certaines choses, pécuniaires et morales, nous avons décidé qu'elle aille rejoindre son petit garçon et qu'elle adoucisse un peu les misères que peuvent avoir ses parents en ce moment. D'autant plus que mon travail s'achève ici : si la vie continue à m'aider, dans quelques semaines tout sera terminé, du moins une bonne partie de l'aventure en attendant les répercussions de celle-ci.*

*Enfin, les séances d'enregistrement sont prévues pour chaque vendredi du mois de mai : au programme, 4 chansons de Claude Léveillée (deux autres en* stand-by*), 3 de Marguerite Monnot et une de Julien Bouquet. Priez très fort pour qu'enfin ça se réalise. Tous les jours, Piaf travaille avec acharnement 4 à 5 heures, elle a l'intention de faire une tournée en France cet été (rassurez-vous je serai au Canada dès que j'aurai les disques* sous mon bras*). Ma santé va on ne peut mieux, même s'il fait très froid à Paris. Le moral est au meilleur. Pas besoin de vous dire que je viens de perdre un gros morceau, pour quelques semaines, ma femme. Mais, Dieu aidant, on vaincra. Il faut vaincre, ne jamais* *abandonner la partie, même si aux yeux des gens cela paraît pure folie et absurdité. Mais je sais que pour vous ce n'est pas le cas et croyez-moi, cette victoire qui s'en vient, c'est en grande partie <u>la vôtre</u> qui avez été tout simplement sensationnels depuis le début de cette grande aventure dont vous vous rappellerez longtemps… Je sens monter en moi une sève de force, d'intrépidité, de courage, de lutte. Je ne sais pas ce qui m'arrive, si c'est la sagesse, mais je n'ai qu'une pensée : me bagarrer avec la vie, la dominer et atteindre des sommets (ne croyez pas que ce soit la folie des grandeurs – loin de là).*

Le 9 mai, il écrit qu'enfin la victoire est toute proche. Les séances d'enregistrements sont prévues pour les vendredis 13, 20, 27 mai et 4 juin : au programme, cinq à six de ses chansons, *Ouragan, Boulevard du crime, Le vieux piano, Le Long de la Seine, Charleston,* et *Manège.* Celui de qui l'on a ébranlé la foi à plusieurs reprises prie alors en ces termes : « *Let's keep our fingers crossed for the 13th of this month !* », comme si en anglais, cela devenait une incantation magique.

Revenir avec un disque en main, c'est tout ce qu'il lui faut. Car à ce moment, faire carrière en France ne l'intéresse plus :

*Je m'ennuie beaucoup de vous deux, Je n'ai qu'une fixation, c'est de revoir le Canada dont je ne pourrai jamais me séparer, j'en ai maintenant une grande certitude.*

*Paris, le 17 mai 1960.*

*Chers vous deux,*

*Enfin, une grande chose se réalise, Ouragan a été enregistrée vendredi dernier 13 mai à 6h20 pm au studio Columbia en présence de l'Orchestre symphonique Columbia, sous la direction de Robert Chauvigny, et interprétée par Édith Piaf qui a été à mon avis assez sensationnelle. Cette chanson sortira sur le marché en France dans 12 à 15 jours environ. Je vous ferai parvenir une copie. Mais ce n'est pas fini, il en reste 3 autres à faire ; dès vendredi prochain, le 20, si tout va comme prévu,* Le vieux piano *sera gravé sur disque. C'est une première victoire chèrement gagnée, mais même si je suis un peu épuisé par toutes les souffrances physiques ou morales endurées au cours des 9 derniers mois, j'ai tout de même un moral à toute épreuve et la santé excellente.*

*Une seule chose m'inquiète, Micheline qui semble s'ennuyer beaucoup et dont le moral tend à faiblir : aussi ne soyez pas surpris si vous me voyez le bout du nez au début de juin. Micheline vous expliquera le stratagème que je dois employer pour me retirer des griffes de la lionne Piaf. Elle ne sait pas qu'elle a affaire à aussi malin qu'elle.*

Le vendredi 20 mai, Piaf enregistre *Le vieux piano*. Elle devait faire *Boulevard du crime* et *Le Long de la Seine*, mais elle se trouve souffrante et annule la séance de studio. Ça ne va pas. Claude sent que la galère reprend. Il a enfin deux copies souples sous le bras, il est temps d'exécuter le plan d'urgence pour la sortie. Avec la complicité familiale, un télégramme est envoyé au 116 rue de Reuilly, Paris XIIᵉ :

*PASCAL HOPITAL RENTRER URGENCE – STOP*

Avec ça, Édith ne pourra le retenir. Et alors qu'elle est au lit, les yeux couverts de son bandeau, il laisse une petite note à son chevet après avoir expliqué à l'entourage de Piaf la mauvaise nouvelle qu'il vient de recevoir : « Madame, je rentre au pays, Claude. »

Le 1ᵉʳ juin, il est dans l'avion. Dans la nuit du lendemain, Édith reprend le chemin de l'Hôpital Américain ; elle tombe régulièrement dans le coma, mais se relève toujours comme une championne du ring qui refuse le K.-O. Elle n'en a pas fini avec son petit Canadien. Le ballet attend sa diva et l'immense somme d'argent nécessaire à sa production. *Boulevard du crime* ne sera enregistré qu'en mars 1961.

Ce qui permettra à Piaf de dire à son protégé, qui s'inquiète de ne jamais voir naître ce ballet, que l'aventure ne se trouve pas toujours où l'on croit. Piaf veillera à ce que Claude fasse la connaissance de la reine de Broadway, Madame Anita Loos.

*L'Ange noir de la chanson* veillait et soufflait : « Un jour, Claude, tu comprendras ce que je t'ai donné. »

*Claude Léveillée au Jardin du Luxembourg, à Paris.*

*Au Jardin du Luxembourg.*

*Sur les quais de la Seine.*

*Après le spectacle avec Alain Delon et Édith Piaf.*

*Avec Jacques Martin, célèbre animateur de radio et de télévision françaises.*

*Avec le chanteur français Jacques Douai.*

*En Belgique, sur les traces de Napoléon…*

*… et à Bruxelles.*

Texte de Robert Charlebois
rédigé spécialement
pour cet ouvrage

## LE VIEUX PIANO

J'étais très sérieux quand j'avais 17 ans et les artistes tourmentés m'attiraient. En 1961, la chance a voulu qu'on m'embauche comme pianiste pour enfants au théâtre ambulant La Roulotte qui parcourait les parcs de Montréal. Ce fut un bien bel été.

Claude Léveillée revenait alors de France, auréolé de ses succès auprès d'Edith Piaf avec, sous le bras, un superbe album sur lequel il y avait *Les vieux pianos*. Il passait parfois nous voir pour rigoler avec ses vieux amis Paul Buissonneau et Yvon Deschamps, faisant mentir sa réputation de beau ténébreux, solitaire et mystérieux. J'ouvrais grand mes oreilles, surtout quand il me donnait des conseils de transposition musicale pour accompagner les tout petits qu'il connaissait bien grâce à son personnage de Clo-Clo à la télévision.

L'automne qui suivit fut phénoménal pour lui. Il devint la coqueluche des étudiants et quitta les boîtes à chansons devenues trop petites pour s'attaquer aux grandes salles sous les conseils de son agent et ami Guy Latraverse.

J'étais tellement subjugué par le son particulier et *honky tonk* de son piano que je ne ratais aucun de ses concerts. André Gagnon, son partenaire de scène, me rappelait récemment qu'au lieu d'aller m'asseoir comme tout le monde dans la salle, je regardais le spectacle des coulisses, assis sur un petit siège pliant fabriqué par mon père et qui pouvait tenir dans la poche de ma veste. Cela le faisait beaucoup rire.

J'étais très attentif aux accompagnements et à la magie du contrepoint qui fusait entre les deux virtuoses. J'étais surtout fasciné par la façon dont Claude allongeait ses doigts sur le clavier pour faire galoper les notes.

Jean-Guy Moreau, qui travaillait alors son imitation de Léveillée, m'avait demandé de l'accompagner au piano. J'avais l'intention d'être à la hauteur et de sonner exactement comme lui.

Un soir, après un triomphe de Claude à la salle du couvent Marie-Anne, à deux rues de chez moi dans le quartier Ahuntsic, je lui ai proposé de venir prendre une bière et manger des toasts au bacon, fromage et oignons, une spécialité de ma mère.

À mon grand étonnement, il accepta sans se faire prier. Jean-Guy et quelques jolies filles se joignirent à nous. On se retrouva tous dans le salon chez mes parents où trônait un vieux piano. Pour le jeune musicien que j'étais, ce fut une soirée inoubliable. Claude a brassé le Heintzman pendant une heure dans les oreilles et sous les yeux émus de mes parents et de toute la bande. C'est probablement ce soir-là, en allant me coucher, que j'ai eu envie de faire comme lui et de devenir auteur-compositeur-interprète. Claude m'a fait là un cadeau inestimable.

Quelquefois, moi aussi, je vais chez des gens taquiner leur piano en pensant à lui.

Ceux qui ont déjà vu un concert Léveillée-Gagnon s'en souviennent, les autres ne peuvent que l'imaginer. Aujourd'hui, je payerais cher pour revivre une soirée comme celle-là…

Les choses se sont enchaînées, et je me suis retrouvé l'été suivant sur les planches du Théâtre de la Marjolaine, à Eastman, dans une comédie musicale de Claude Léveillée et Hubert Aquin, *Ne ratez pas l'espion*, avec Louise Forestier et beaucoup d'autres grands acteurs. *And the rest is history…*

J'étais loin d'imaginer qu'un jour, je me retrouverais à ses côtés pour faire *Les vieux pianos* en duo avec lui, entouré d'Yvon Deschamps, Gilles Vigneault et Jean-Pierre Ferland.

Mais… Salut Frédéric!

Ton ami,
Robert Charlebois.
*Septembre 2008*

*En compagnie de Robert Charlebois.*

Photo : Sylvie Trépanier

*Claude Léveillée et Yvon Deschamps lors des 40 ans de la Place des Arts.*

Monologue d'Yvon Deschamps
diffusé dans le cadre de l'émission
*3 gars un samedi soir*
le 8 octobre 1994

Est-ce qu'y'en a qui sont assez vieux pour
s'rappeler y a 30 ans ?

Non, pas du tout, hein ?

Dans ce temps-là, j'étais l'batteur pour
Léveillée pis y'avait le Dédé Gagnon qui
l'accompagnait.

Et pis un jour, Léveillée arrive, y dit : Yvon,
je vais faire la Place des Arts donc j'ai
besoin de vrais musiciens.

Alors j'ai dit : Tu vas nous clairer Dédé pis
moi. Y dit : Non, non, j'garde Dédé.

Je sais pas c'qui y'avait avec Dédé, mais en
tous cas, il l'a gardé.

Non, mais c'était pas fort Dédé dans
c'temps-là. Y commençait !

Y jouait un doigt à la fois pis pas les deux
mains,

pis t'sais, y disait qu'c'était parce qu'il fallait qu'y batte la mesure,

ben enfin c'est parce qu'y avait pas appris
la main gauche encore.

Sur le coup ça m'a fâché, c'est sûr ça, mais quand on m'a dit cette année,

j'sais pas si vous avez appris ça, Monsieur Léveillée fêtait ses 40 ans de carrière, y ont dit : Tu pourrais faire un p'tit hommage à Monsieur Léveillée.

J'ai dit : Certainement, est-ce qu'y marche encore ? l'est-tu en chaise roulante ? Quek'chose ? Non, mais j'pensais qu'y avait 82 !

Hey, y'a 30 ans quand on travaillait Dédé pis moi avec lui là…

moi j'étais beau jeune homme en c'temps-là, Dédé… Y'était jeune en c'temps-là, et pis on était sûr qu'il avait au moins 45, 50 ans, on était sûr qu'il avait 30 ans de plus que nous autres ! Il était vieux là !

Il avait toujours les plis dans l'front, le dos courbé, il était sourd un peu.

Après les shows, le monde ça criait pendant 20 minutes, AAAAH !, pis lui il était en arrière, y disait : J'sais pas si s'ont aimé ça, hein ?

Là moi je disais : Non, non, c'est parce qu'y veulent écoeurer le concierge pour qu'y parte, ça fait qu'y restent là à crier, mais y'ont pas aimé ça certain, t'sais.

Non mais en fait c'était tellement grave qu'un moment donné j'ai dit j'vas aller voir sa mère. J'va lui demander, y a dû y avoir un traumatisme grave dans sa jeunesse, quek'chose.

Chus allé voir sa mère, j'ai dit : Quand Claude était jeune...

Elle dit : Quoi ?

J'ai dit : Quand Claude était jeune...

Elle dit : Il a jamais été jeune.

Ben, j'lui dis, il a été enfant,

Elle dit : Non, non. Y'est v'nu au monde vieux. À 1 an et demi, quand il a marché, il avait le dos rond, le pli dans l'front, tout. Il s'est dirigé vers le piano, une chance qu'c'tait le piano mécanique, il a marché tout seul, et aussitôt qu'il a pu parler, il avait eu la nostalgie du temps qu'y parlait pas.

Et ça, ça m'a donné une affaire. J'ai dit tabernouche, nous autres si on vit assez vieux, on va tomber en enfance, mais lui si y'a jamais eu d'enfance, y va tomber où là, lui là !

Mais je l'ai vu, c'est que, il a rajeuni à la place ! Il est ben plus jeune aujourd'hui qu'y était dans ce temps-là !

Et Claude j'te remercie d'une affaire, c'est de m'avoir fait connaître les boîtes à chansons qui ont été un moment merveilleux de la vie.

Hey, y en a qui s'rappelent des boîtes à chansons ?

On s'tassait à 400 dans une salle de 40, hein et pis là on chantait la vie et tout ça pis on s'promenait à travers la province.

Je remercie Claude de m'avoir fait connaître ça mais... je remercie Charlebois 7-8 ans plus tard d'les avoir fermées.

Non, mais non ç'avait pus de bon sens, hey ! On s'en allait le long des routes, les animaux, les chevaux, les vaches se plaignaient, *meuh*, *meuh*, pouvaient pu rentrer, toutes les granges c'étaient des boîtes à chansons !

À Gaspé, ça pêchait pus, pas parce qu'y avait pus de poissons, y'avait pus de filets ! Z'étaient toute dans les boîtes à chansons, les filets d'pêche là !

Hey, ç'avait pas de bon sens ! Y'était temps qu'on ferme ça ! Sacrifice !

Aussi j'vas dire une autre affaire, mon cher Claude.

Je veux en fait te remercier pour deux choses extrêmement importantes.

La première c'est ta musique.

On rit, mais c'est pas drôle ta musique, j'vas t'dire une affaire. Non, non, c'est pas drôle c'te musique là, je t'dis que c'est profond, pis, hein, ça bouge des affaires, pis y a de l'émotion là-dedans.

La deuxième chose, pourquoi je lui dois un merci considérable, c'est de m'avoir clairé y a 30 ans, parce qu'avec le peu de nombre de shows qu'il a fait depuis, j'aurais jamais pu gagner ma vie !

# PAROLES DE CHANSONS

Paroles et musique de
Claude Léveillée, 1965

## Tu sais, ma chambre

Tu sais, ma chambre d'hôtel
Donne sur les toits
Les toits de Paris
Loin de mon pays
Oui... mais...
Je pense à toi tellement fort
Que j'en oublie mon sort
Je t'embrasse si fort
Qu'avec toi je m'endors

Et ma fille comment se porte-t-elle
Si jeune et je la sais grandir
Et maman as-tu de ses nouvelles
Si jeune et je la sais vieillir
Ici, il pleut
Parfois je pense que je rentrerai bientôt
Nous irons tous les deux dans l'anse
Nous aimer sous les bouleaux

Tu sais, ma chambre d'hôtel
Donne sur les toits
Les toits de Paris
Loin de mon pays
Oui... mais...

Je pense à toi tellement fort
Que j'en oublie mon sort
Je t'embrasse si fort
Qu'avec toi je m'endors

Le dimanche... sans toi... que faire?
Te repenser sans cesse
Regarder les amoureux de Paris
Attendre que vienne lundi
Je te revois en robe blanche
Que c'est beau quand tu souris!
Ces secondes passées ensemble
C'était ça le bonheur...
Oui...

Tu sais ma chambre d'hôtel
Donne sur les toits,
Les toits de Paris
Loin de mon pays

Oui... mais...
Je pense à toi tellement fort
Que j'en oublie mon sort
Je t'embrasse si fort
Qu'avec toi je m'endors

*Paroles et musique*
*de Claude Léveillée, 1963*

## Taxi

*Deux mains soudées au volant*
*La casquette sur le côté*
*Un cure-dent entre les dents*
*Avec ça des nerfs d'acier*
*Du tabac pour passer l'temps*
*Des revues pour relaxer*
*Un compteur qu'y faut r'monter*
*Afin de se faire payer*
*Une auto à dépasser*
*Une lumière à esquiver*
*Un piéton à éviter*
*Des gendarmes, se défiler*
*Une rue en réparation*
*Faut changer de direction*
*Tout à coup un coup d'klaxon*
*Ah ben! Maudit, une crevaison*

*Courage mon gars, la nuit viendra*
*Pour t'reposer de cette vie-là*
*En attendant, prends ton café*
*Sur le comptoir du Grand Relais*
*« Hep Taxi! »*

*Il reprend ses nerfs d'acier*
*Son cure-dent entre les dents*
*Sa casquette sur le côté*
*Ses mains soudées au volant*
*Les yeux à demi fermés*
*Y s'remet à naviguer*
*Dans sa tête, une seule idée*
*L'adresse du client dictée*
*Une auto à dépasser*

Une lumière à esquiver
Un piéton à éviter
Des gendarmes, se défiler
Une rue en réparation
Faut changer de direction
Tout à coup un coup d'sirène
« J'pourrais-t-y voir vos papiers s'il vous plaît ? »

Courage mon gars, la nuit viendra
Pour t'reposer de cette vie-là
En attendant, prends ton café
Sur le comptoir du Grand Relais
« Hep Taxi ! »

Bon ça y est, v'la que ça reprend
Ma casquette entre les dents
Plus vite me dit le client
Mon cure-dent sur le volant
Faites ça vite, on n'avance pas
Cigarette ? Non, je n'fume pas
Pourriez-vous me donner l'heure
Je presse l'accélérateur
Que les feux rouges s'éteignent
Gendarmes, vendez vos sirènes
Que les autos disparaissent
Avec elles, toutes les adresses
Aie, dis donc ! Qu'est-ce que tu dis ?
Mon pauvre chauffeur de taxi
« Après tout qu'est-ce que ça fait
Dans ce métier d'fou qu'je fais… »

Courage mon gars, la nuit viendra
Pour t'reposer de cette vie-là
En attendant prends ton café
Sur le comptoir du Grand Relais
« J'ai pas le temps, v'là un client ! »

*Paroles et musique*
*de Claude Léveillée, 1976*

## Salut l'Indien

*Je viens de loin… je viens de rien*
*Salut l'Indien*
*Ce pays n'est pas le mien*
*Ce pays… c'est le tien*
*Et cette femme n'est pas la mienne*
*Cette femme c'est l'amour*
*On ne possède rien0*
*Rien ne nous appartient*
*Oh ! Me permets-tu, mon frère l'Indien*
*D'habiter à tes côtés, à t'écouter*
*À te connaître et surtout, surtout*
*Surtout te reconnaître*

*Indien, tiens-tu encore de ton père*
*Ce calumet de paix, ce calumet de frère*
*Ce calumet de vie*
*Ce calumet*
*Indien, je te sais très loin, refoulé*
*Reculé, retranché, oublié, acheté*
*Permets-moi s'il te plaît*
*De me rapprocher*

*Vos tentes sont dressées dans l'histoire*
*Comme notre attente dans l'éphémère*
*Oh ! Que demain marie l'hier*
*Et aujourd'hui comme parfois*
*Le printemps marie l'été*
*Si tu me le permets, mon frère*
*L'automne sera notre repos et notre retraite*
*Et puis l'été, lui, sera  notre veto,*
*Contre la conquête*

*Que quelqu'un me dise c'est quoi l'amour*
*Que quelqu'un me dise c'est quoi la vie*
*Que quelqu'un me dise c'est quoi cette planète*
*Et à qui donc est ce pays*

*Je t'aime mon frère*
*Je t'aime ma sœur*
*Et je veux te garder et te posséder*
*Au fond d'un regard*
*Au tréfonds de moi-même*
*De mon âme, de on corps*
*De ma vie, de ma mort*
*De mon petit passage d'homme sur cette terre*

*Sache amour, sache une chose*
*Et je la confie*
*Et bien tout ce temps*
*Je te le donne*
*J'ai passé toute ma vie*
*J'ai passé toutes mes nuits*
*Toutes ces secondes éternelles*

*J'ai pensé à toi... à toi... à toi*
*Enfant, amour, fidélité, amitié*
*Camaraderie, paix, pays, guerre*
*Misère, oppression*

*Mais surtout ce mot qui me hante*
*Et comment le dire*
*Le posséder*
*PAYS*

*Paroles et musique*
*de Claude Léveillée, 1973*

### Quand mon piano

*Quand mon piano aura vieilli*
*Quand le pommier aura grandi*
*Quand les oiseaux seront partis*
*Je partirai aussi*

*Quand le ruisseau sera tari*
*Quand l'aventure sera finie*
*Quand j'aurai dit : Adieu l'ami*
*Je serai loin d'ici*

*Je revois déjà*
*Derrière moi*
*Tous ces gens*
*Que j'ai tant aimés*
*Je revois déjà*
*Derrière moi*
*Mes espoirs*
*Au fond du brouillard*

*Et je me rappelle*
*La ruelle, l'escalier*
*Les gens d'à côté*
*Et je me revois*

*Défaisant*
*Refaisant*
*Mes vieilles valises*
*Un jour en Russie*
*Tu m'as dit*
*Comme ailleurs :*
*« Vive mon pays »*
*Et j'ai revu*
*Mon passé*

*Quand mon piano aura vieilli*
*Quand le pommier aura grandi*
*Quand les oiseaux seront partis*
*Je partirai aussi*

*Quand le ruisseau sera tari*
*Quand l'aventure sera finie*
*Quand j'aurai dit : Adieu l'ami*
*Je serai loin d'ici*

*Mais comment vous dire*
*Vous décrire*
*Ces petites choses*
*De la vie*
*Toi, tu m'as dit*

*Laisse les fleurs*
*Va fumer*
*La belle mari*
*Et puis un soir*
*Dans le noir*
*Oui, c'est toi*
*L'homme à la guitare*
*Qui m'a appris*
*Que c'est fini*
*Le vieux piano*
*Les accords de do*

*Chacun son voyage*
*Son langage*
*Sa façon*
*D'être au bout du monde*
*Et puis de dire : je t'aime*

*Quand mon piano aura vieilli*
*Quand le pommier aura grandi*
*Quand les oiseaux seront partis*
*Je partirai aussi*

*Quand le ruisseau sera tari*
*Quand l'aventure sera finie*
*Quand j'aurai dit : Adieu l'ami*
*Je serai loin d'ici*

Paroles et musique
de Claude Léveillée, 1973

## Pour quelques arpents de neige

Pour quelques arpents de neige
Des amis me sont venus
Pour quelques arpents de neige
Se sont perdus... au pays
Pour quelques arpents de neige
Mes amis se sont battus
Pour quelques arpents de neige
On a pendu au pays

Des sapins bleus
Des érables mouillés
Ont pleuré tous ces gens
Qui s'aimèrent tant
Sur ces quelques arpents
Sur ces quelques arpents

Pour quelques arpents de neige
Moi, j'aurai donné ma vie
Pour quelques arpents de neige
Oui ma vie au pays

Des sapins bleus
Des érables mouillés
Me verront m'en aller
Disparaître quelque part
Quelque part sous la neige
Quelque part par ici
Mon ami je te dis
Je te dis que l'on vit
Peu de temps
Que le temps
De quelques arpents

*Paroles et musique
de Claude Léveillée, 1965*

## Mon pays

*Mon pays c'est grand à se taire
C'est froid, c'est seul
C'est long à finir, à mourir
Entendez-vous les vents, les pluies, les neiges et les forêts ?*

*Mon pays quand il te parle
Tu n'entends rien tellement c'est loin… loin… loin… loin…
Entendez-vous les vents, les pluies, les neiges et les forêts ?*

*Dans mon pays, les gens se taisent
Endurent, apprennent
Et se cramponnent aux dures semaines
Entendez-vous les vents, les pluies, les neiges et les forêts ?*

*Et que veux-tu que je te dise de plus ?
Que mes pères au lieu de s'en aller s'instruire
Pour survivre se devaient de construire
Et que maintenant arrachent et fracassent
Arbres et nature
Pour au plus vite s'inscrire dans le bien-vivre*

*Dans mon pays les gens se taisent
Endurent, apprennent
Et se cramponnent aux dures semaines
Mon pays quand il te parle
Tu n'entends rien tellement c'est loin… loin… loin…loin…
Mon pays c'est grand à se taire
C'est froid, c'est seul
C'est long à finir, à mourir
Entendez-vous les vents, les pluies, les neiges et les forêts ?*

*Paroles et musique
de Claude Léveillée, 1973*

## Ma blanche liberté

La liberté
C'est comme un whisky
Que l'on partage
Avec des amis
La liberté
C'est comme la vie
Pour elle on meurt
Ça n'a pas de prix
La liberté
C'est comme un oiseau
Si haut, si haut
Qu'il est tout-puissant

La liberté
C'est le dernier mot
Que je veux dire
Avant de mourir
La liberté
C'est que tu pleures
Et que je t'aime
Et que je meure
La liberté
Ce sont tous ceux
Qui se promènent
Au bout des yeux
La liberté
C'est un blue-jean
Un vieux T-shirt
Je t'imagine...
La liberté
C'est comme la nuit
Où l'on oublie
Qu'il est trop tard
La liberté

C'est comme l'ami
Qui vient pour rien
Mais qui a dit oui
La liberté
Je l'ai devinée
Chez celui
Qui s'était levé
Il avait dit :
J'en ai assez !
Sa liberté
L'a condamné
La liberté
C'est que tu pleures
Et que je t'aime
Et que je meure
Pour le meilleur
Ou pour le pire
Je t'ai aimé
Mon beau navire
Mais j'appareille
Comme au matin
Où je t'avais
Entre mes deux mains

La liberté
Ne veut pas de ceux
Qui se contentent
De vivre mieux
La liberté
C'est comme le soleil
Toujours plus haut
Mais jamais pareil
La liberté
Ça sent la lavande

*La rose des bois*
*Viennent les étés!*
*La liberté*
*Te sera rendue*
*Le jour*
*Où tu seras tout nu*
*La liberté*
*C'est que tu pleures*
*Et que je t'aime*
*Et que je meure*
*La liberté*
*C'est ton royaume*
*Ton Amérique*
*Ta voile en mer*
*La liberté*
*C'est ton voyage*
*C'est ton amant*
*C'est ta maitresse*

*La liberté*
*C'est ta maison*
*C'est ton pays*
*C'est ma chanson*
*La liberté*
*C'est toutes les rues*
*Tous les chemins*
*Toutes les avenues*
*Que l'on me pende*
*Car je tuerais*
*Oui! si jamais*
*Quelqu'un tentait*
*De m'enlever*
*Ma liberté.*

*Paroles et musique*
*de Claude Léveillée, 1965*

## Les patriotes

Ils étaient peu vers 1640
Une poignée de braves venus en Nouvelle-France
Pourquoi partaient-ils si loin naguère ?
Pour quoi traverser une si grande mer ?
C'était pour apporter une vie nouvelle
En ces lieux superbes de mon grand pays
Âme de géant, courage immortel
Vous nous avez permis de survivre ici
Ici

Ici, l'on se bagarre depuis trois cents ans
Déportation grand-mère, n'avez-vous rien dit ?
Je sais que la vie d'antan n'était pas bien rose
Faut croire que les enfants ça réclame autre chose

Autre chose que les canons, liberté de presse
Autre chose que des canons, liberté française
Autre chose que des canons, liberté chez soi
Autre chose que les canons, c'est fini les rois

Mon amour, si tu le veux
Nous irons sur une île
Non loin des côtes
Y comprendre quelque chose

Ils étaient peu, en 1640
Une poignée de braves morts en Nouvelle-France
Nous sommes très nombreux en ce soir d'attente
Nous sommes trop nombreux faut se faire entendre

Portez très haut votre drapeau
Nous n'en avons pas, nous n'en avons guère
Alors portez très haut vos oripeaux
Ceux que vous aurez au prix d'une guerre

(fin corrigée ou 1971)

Portez très haut votre drapeau
Nous n'en avons pas, nous n'en avons guère
Alors portez très haut votre pays
Celui que nous sommes en train de refaire

Paroles et musique
de Claude Léveillée, 1989
Version de 1995

## Des îles blanches

On ne saura jamais si les îles pleurent
Quand elles sont seules
On ne saura jamais si la neige rêve
Quand elle s'endort
On ne saura jamais si l'homme est une île
Quand il est seul
On ne saura jamais si la neige pleure
Quand l'amour meurt
Sur une île
Sur une île
Sur une île
Sur son île

Qu'il est loin le chemin de la petite école
Qu'il est long ce chemin qui m'a mené ici
On s'inquiète de savoir si c'était le bon
On s'arrête, on s'arrête au milieu du pont
Qui nous mène sur une île
Sur une île
Sur une île
Sur son île

On ne saura jamais si les îles pleurent...

*Paroles et musique*
*Claude Léveillée, vers 1956*

## Le temps d'une chanson

*Le temps d'une chanson*
*Le temps de dire je t'aime*
*Le temps d'une chanson*
*Et je t'emmène*

*Je n'ai jamais pris la mer*
*Sans jamais penser à toi*
*Je n'ai jamais pris la mer*
*Sans jamais t'emmener avec moi*
*Mon amour*

*Le temps d'une chanson*
*Le temps de dire je t'aime*
*Le temps d'une chanson*
*Et je t'emmène*

*Si j'ai fait le tour du monde*
*Toujours seul loin de nous deux*
*Si j'ai fait le tour du monde*
*C'était pour le parfaire à tes yeux*
*Mon amour*

*Le temps d'une chanson*
*Le temps de dire je t'aime*
*Le temps d'une chanson*
*Et je t'emmène*

*Et tous ces voyages d'homme*
*M'ont mené au bout du temps*
*Et tous ces voyages d'homme*
*M'ont mené jusqu'à toi, hors du temps*
*Mon amour*

*Le temps d'une chanson*
*Le temps de dire je t'aime*
*Le temps d'une chanson*
*Et je t'emmène*

*Paroles et musique*
*de Claude Léveillée, vers 1956*

## La java des sans-noms

À chaque heure de la journée
Naissent les premiers bébés
Non tous légitimés
On n'a jamais su pourquoi
Qu'y en avait qui parfois
Disaient du mal de cela
Mais ce sont ceux-là
Qui toujours ne disent pas
Courage petite et reprend toi
Mais on les voit tous ces gens là
Cousus d'argent drapés de soie dans les salons
Se farcir l'estomac à la manière des rois
En méprisant ceux que la vie n'épargne pas

De toutes les javas
Celle qu'on ne chante pas
C'est celle des sans-noms
Victime du beau monde
C'est celle des pieds nus
Qui vont par les rues
Se heurtant au mépris
Des gens gâtés par la vie

À chaque heure de la journée
L'ambulance va chercher la victime désignée
C'est souvent un gars de l'usine
Qui n'a pas le sou pour se payer l'café

Mais là-haut dans les bureaux
On entend le patron crier
Congédié !
Mais on les voit tous ces gens là
Cousus d'argent drapés de soie dans les salons
Se farcir l'estomac à la manière des rois
En méprisant ceux que la vie n'épargne pas

De toutes les javas
Celle qu'on ne chante pas
C'est celle des sans-noms
Victime du beau monde
C'est celle des pieds nus
Qui vont par les rues
Se heurtant au mépris
Des gens gâtés par la vie

À chaque heure de la journée
On voit dans la mêlée
Les visages des ratés
Et depuis des mois
Ils survivent sans emploi
Faisant figure de hors-la-loi
Mais ceux qui les ont reçus
Pas de place

*Paroles et musique*
*de Claude Léveillée, vers 1956*

## La boîte

*On leurs a dit un soir de pluie*
*Fini tes ennuis*
*La boîte de nuit est tout près d'ici*
*Ils n'attendent que toi pour t'refiler d'la joie*

*Et puis le clown qui va t'arriver*
*Sur un fil de fer*
*Et puis le clown qui va t'arriver*
*Sur un fil truqué*
*T'auras la fille de la boîte*
*Qui te versera un verre de romance*
*T'auras le gars de la mise en boîte*
*Qui te fera oublier tes dépenses*
*Y'aura le pianiste pour couper le silence*
*Tu seras pas triste devant toutes ces danses*
*Et c'est ainsi qu'au beau milieu du bruit*
*T'auras ma propre endormité pour toi*

*Mais au fond de ton verre*
*Je vois des larmes à l'œil*
*Mais au fond de ton verre*
*T'admires tes grands écueils*
*Rappelle toi t'a juré*
*De devenir quelqu'un*
*Mais t'avais oublié*
*Qu'y a des trous pour chacun*
*T'as glissé c'est normal*
*Même que tu t'es fait mal*
*Mais pourquoi que t'as faibli*
*Devant ces paradis*
*Devant ces trous d'la vie*

*Puis le gars il s'est rendu*
*Très tôt le samedi*
*Chemise de soie*
*Cravate à petits pois*
*Souliers très clairs*
*Au visage le même air*
*Et puis le clown  qui est arrivé*
*Sur un fil de fer*
*Et puis le clown qui est arrivé*
*Sur un fil cassé*
*Y'avait la fille de la boîte*
*Qu'y avait oublié ses romances*
*Y'avait le gars de la mise en boîte*
*Pas pu lui faire oublier ses dépenses*
*Y'avait le pianiste pour massacrer le silence*
*Y'était pas seul devant cette décadence*
*C'est ainsi au milieu du bruit*
*Il a la foi endormie on sait pourquoi*
*Mais au fond de son verre*
*Y'avait des larmes à l'œil*
*Mais au fond de son verre*
*S'miraient ses grands écueils*
*S'est rappelé qu'y a juré*
*De devenir quelqu'un*
*Mais y'avait  oublié*
*Qu'y a des trous pour chacun*
*Y'a glissé c'est normal*
*Même qu'il s'est fait mal*
*Mais pourquoi qu'y a faibli*
*Devant ces paradis*
*Y'a voulu recommencer*
*Refaire son univers*
*Mais je le vois sans broncher*
*Devant l'éternel erre*

Paroles et musique
de Claude Léveillée, 1973

## La froide Afrique

En tant que seul en cette partie du monde
J'ai entendu dire qu'un caribou aurait crié...

J'ai entendu dire
Que les caribous allaient mourir
Les oiseaux m'ont dit
Qu'ils étaient partis
Les rivières auraient
Changé de rivière
Hier

J'ai entendu dire
Que les loups marins
Se seraient enfuis
Dans des eaux profondes
Les plus belles au monde
Que Dieu vous pardonne
Il vous les abandonne

J'ai entendu dire
Que les pétroliers seraient en vue
J'ai entendu dire
Que le nord du Nord serait perdu
C'est fini les grands espaces
L'Homme a bien dit : « Il faut qu'je passe »

J'ai entendu dire
Qu'ils avaient déjà commencé
Poser des grands trous
Oui, même un peu partout
S'creuser des enfers
Pour défier l'hiver

Ils ont dans les yeux
Les femmes qu'ils ont abandonnées
Ils ont tout quitté
Amis et langage
Se sont retrouvés
Du côté du grand large

J'ai entendu dire que des réactés se poseront
J'ai entendu dire
Que les Esquimaux disparaîtront
C'est fini les grands silences
L'Homme a bien dit : « Je m'en balance ! »

Je ne sais que faire
Devant un pays qui s'écroule
Devrais-je me taire
Et dormir au sein de la foule ?
Demain ce sera la fin d'un pays
Personne ne dira
À qui la faute ?
À qui ?

J'ai entendu dire
Que les caribous allaient mourir
Les oiseaux m'ont dit
Qu'ils étaient partis
Les rivières auraient
Changé de rivière
Hier

J'ai entendu dire
Que les loups marins
Auraient gémi
Dans des eaux profondes
Les plus belles au monde
Que Dieu vous pardonne
Il vous les abandonne
J'ai entendu dire
Que des pétroliers seraient en vue
J'ai entendu dire
Que le nord du Nord serait perdu

J'ai entendu dire que des réactés se poseront
J'ai entendu dire
Que des gens du Sud y seront
C'est fini la froide Afrique
L'Homme a signé :
« J'abdique »

*Paroles et musique
de Claude Léveillée, 1989*

## *Et je t'aime*

*Et je t'aime
Et je t'aime*

*Comme une toile d'Utrillo
Comme une Ophélie au fond des eaux
Je me sens lointain et vague
Comme une île sans rivage*

*Comme une saison morte
Comme un champ de blé sans labours
Comme une étoile éclatée
Au beau milieu de l'été*

*Sans toi, plus rien
Ne vit en moi
Sans toi, la fin
Des grands chemins
Qui m'ont fait homme
Et lumière
Et je croyais en toi*

*Et je t'aime
Et je t'aime*

*Comme une toile d'Utrillo
Comme une algue au fond des eaux
Je me sens lointain et vague
Comme une île sans rivage*

*Que tous les navires du monde
Me prennent dans leur sillage
Et que tous les oiseaux du monde
Me consolent de ce naufrage*

Et je m'en vais
Serein et calme
Comme un glacier
Sur fond d'espace
Ouvrez les portes
De ce royaume
Que l'amour a trahi

Et je t'aime
Et je t'aime

Comme une toile d'Utrillo
Comme une algue au fond des eaux
Je me sens lointain et vague
Comme une île sans rivage

Comme une saison morte
Comme un champ de blé sans labours
Comme une étoile éclatée
Au beau milieu de l'été

Et je t'aime
Et je t'aime
Et je t'aime
Et je t'aime

*Paroles et musique
de Claude Léveillée, 1975*

## Je serai là

*Tant qu'il y aura de l'eau, de l'air, du pain pour les oiseaux
Tant qu'il y aura ta main, tes yeux, ton cœur et puis là-haut
Des cerfs-volants tout blancs et des ballons pour les enfants
Tant qu'il y aura tout ça, je serai là
Près de toi
Tant qu'il y aura de l'or qui dormira au fond de l'eau
Tant qu'il y aura de l'âme au creux des arbres et des ruisseaux
Tant qu'il y aura l'amour au fond d'un puits ailleurs qu'ici
Tant qu'il y aura tout ça, je serai là
Près de toi
À me dire vivre pour ça
Mais surtout près de toi*

*Tant qu'il y aura un homme perdu  d'amour là-bas
Tant qu'il y aura en somme, mille chansons et des poissons
Tant qu'il y aura chemin de par le monde, de par le temps
Tant qu'il y aura tout ça je serai là
Près de toi
Tant qu'il y aura la faim, la mort, la vie, la joie, le jour
Tant qu'il y aura la nuit, le froid, l'hiver, l'été, l'amour
Tant qu'il y aura le souffle d'un peu de toi, d'un peu de moi
Tant qu'il y aura tout ça, je serai là
Près de toi
À me dire vivre pour ça
Mais surtout près de toi*

*Tant qu'il y aura de l'eau, de l'air, du pain pour les oiseaux
Tant qu'il y aura ta main, tes yeux, ton cœur et puis là-haut
Des cerfs-volants tout blancs et des ballons pour les enfants
Tant qu'il y aura tout ça, je serai là
Près de toi
À me dire vivre pour ça
Mais surtout près de toi
À me dire vivre pour ça
Mais surtout
Près de toi*

## Remerciements

*M*ille mercis

*À* la famille Léveillée

Raymonde Léveillée-Rivest, Manon Rivest, Christiane Rivest,
son beau Carl, Gilles Paulin, Hélène Rivest et Alain Béland
ainsi que leurs enfants, Pierrot et Audrey.
Jean Léveillée, tout là-haut avec sa caméra, et sa tendre fille,
Isabelle Léveillée, son fils Benjamin, son mari Jean Lamy
et Betty, compagne de Jean
pour la confiance que vous m'accordez.

*M*ille autres mercis à

Pauline Angers, Marc Blais, Claude Blanchard, Ginette Caron,
Yvon Deschamps, Marc Desjardins, Marcel Dubé, Mario Fallu,
Jean-Jacques Durocher, Normand Boucher et Denis Lecours,
Louise Forestier, André Gagnon, Pierre Jobin, Jacky et Claire Kurzen,
Monique Lamoureux, Guy Latraverse, Louise Latraverse,
Guy A. Lepage, Hélène LeTendre, Jean-Pierre Limoges,
Richard McClish, Monique Miller, Jacques Ouimette, Louis Pelletier,
Réjean Tremblay, Gilles Vigneault
pour vos témoignages et votre aide si précieuse.

*U*n bon millier de mercis à l'équipe éditoriale

Mireille Kermoyan, Marc Leblanc, Guy Marceau, Bernard Paré,
Christine Rebours et ce cher éditeur Ara Kermoyan dont le couperet
fut retenu de bonne grâce devant les supplications de son auteur.

*E*t qu'aurais-je fait sans toi, Linda Rivest,
archiviste hautement professionnelle, réussissant à mettre
de l'ordre dans les papiers de l'artiste ? Je te salue bien bas.

*T*oute ma gratitude à France Lebeau, infirmière exceptionnelle
et dévouée auprès de Claude Léveillée, qui par sa présence constante,
m'a permis de me libérer pour écrire ce livre.

# Index des noms cités

# INDEX DES PAROLES DE CHANSONS

# TABLE DES MATIÈRES